#교과서×사고력
#게임하듯공부해
#스티커게임?리얼공부!

Go! 매쓰
초등 수학

저자 김보미

- 네이버 대표카페 '성공하는 공부방 운영하기' 운영자
- '미래엔', '메가스터디', '천재교육' 교재 기획 및 집필
- 전국 1,000개 이상의 공부방/선생님 컨설팅 및 교육
- 현재 〈GO! 매쓰〉 수학 공부방 운영

Chunjae Makes Chunjae

▼

기획총괄 김안나
편집개발 김혜민, 김정희, 최수정, 이근우, 서진호
디자인총괄 김희정
표지디자인 윤순미
내지디자인 박희춘, 이혜미
제작 황성진, 조규영

발행일 2020년 10월 1일 2판 2024년 12월 15일 5쇄
발행인 (주)천재교육
주소 서울시 금천구 가산로9길 54
신고번호 제2001-000018호
고객센터 1577-0902
교재 구입 문의 1522-5566

※ 정답 분실 시에는 천재교육 홈페이지에서 내려받으세요.
※ KC 마크는 이 제품이 공통안전기준에 적합하였음을 의미합니다.
※ 주의
책 모서리에 다칠 수 있으니 주의하시기 바랍니다.
부주의로 인한 사고의 경우 책임지지 않습니다.
8세 미만의 어린이는 부모님의 관리가 필요합니다.

교과서 GO! 사고력 GO!

GO! 매쓰

Start

교과서 개념

수학 3-1

구성과 특징

1 교과서 개념 잡기

교과서 개념을 익힌 다음 개념 OX 또는 개념 Play로 개념을 확인하고 개념 확인 문제를 풀어 보세요.

개념 OX 또는 개념 Play로 개념을 재미있게 확인할 수 있습니다.

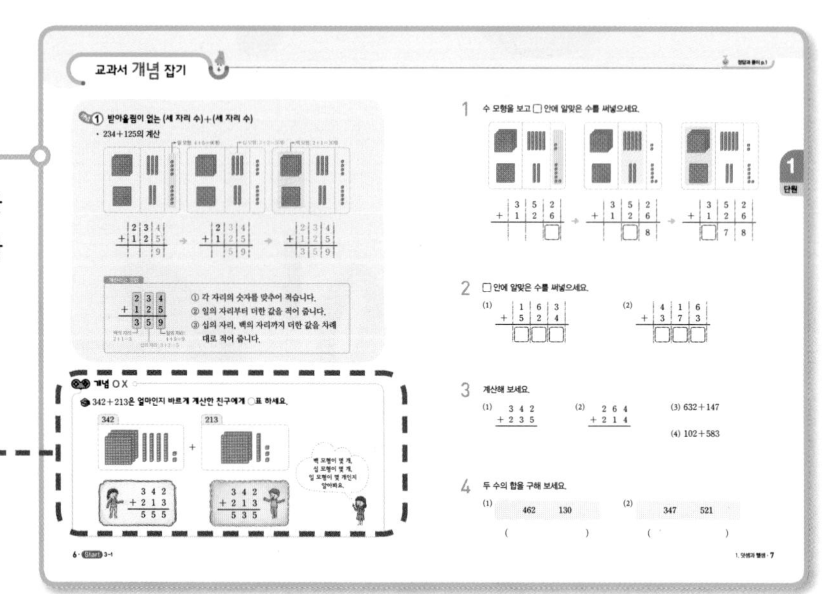

2 교과서 개념 play

개념을 게임으로 학습하면서 집중력을 높여 개념을 익히고 기본을 탄탄하게 만들어요.

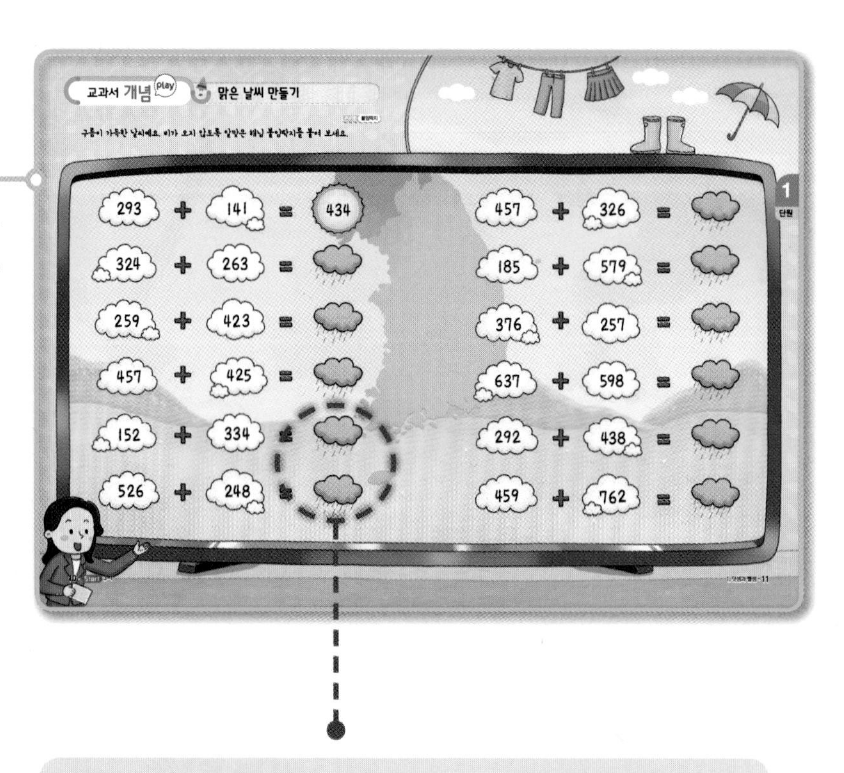

Play 붙임딱지를 활용하여 손잡이를 접어 붙였다 떼었다를 반복하면 하나의 게임도 여러 번 할 수 있습니다.

집중! 드릴 문제

각 단원에 꼭 필요한 기초 문제를 반복하여 풀어 보면 기초력을 향상시킬 수 있어요.

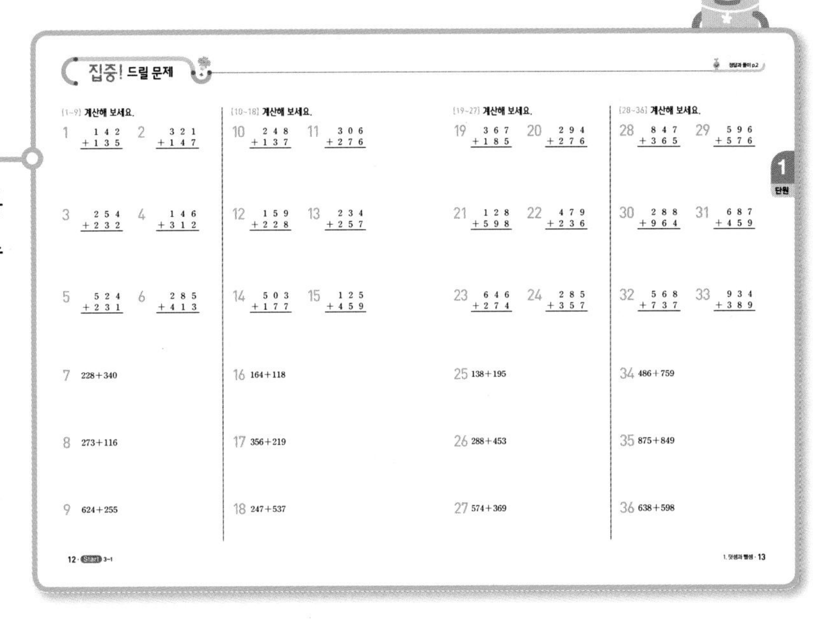

4 교과서 개념 확인 문제

교과서와 익힘책의 다양한 유형의 문제를 풀어 볼 수 있어요.

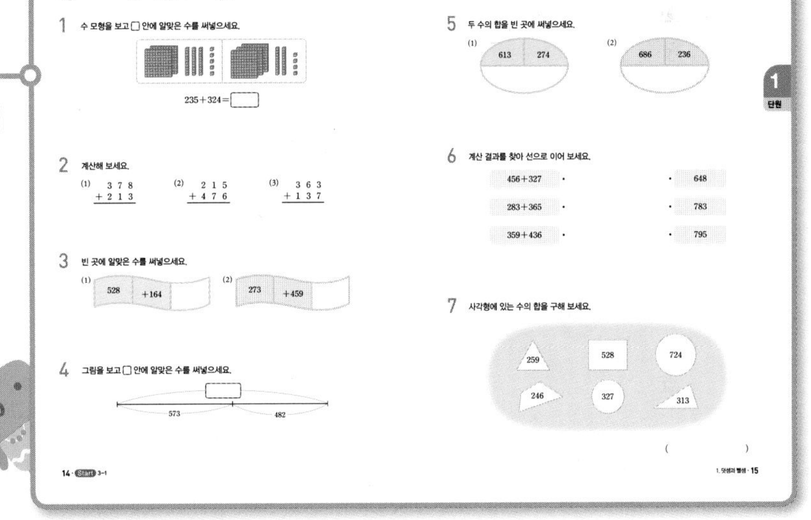

5 개념 확인평가

각 단원의 개념을 잘 이해하였는지 평가하여 배운 내용을 정리할 수 있어요.

개념 확인평가 1. 덧셈과 뺄셈

맞은 개수

정답과 풀이 p.7

1 계산해 보세요.

(1) 426+152 (2) 737−325 (3) 258+326 (4) 894−567

2 계산 결과를 찾아 선으로 이어 보세요.

365+328 · 942−314 · · 628 · 652 · 693

3 빈칸에 알맞은 수를 써넣으세요.

(1) + 146 327 288 (2) − 754 218 485

4 가장 큰 수와 가장 작은 수의 합을 구해 보세요.

328 457 603

( )

5 잘못 계산한 곳을 찾아 이유를 쓰고, 바르게 계산해 보세요.

425−187=338

425−187

6 ㉠과 ㉡이 나타내는 수의 합을 구해 보세요.

㉠ 100이 6개, 10이 8개, 1이 4개인 수
㉡ 100이 5개, 10이 6개, 1이 8개인 수

( )

7 현아네 농장에서 작년에는 수박을 546통 수확했고, 올해에는 작년보다 137통 더 많이 수확했습니다. 현아네 농장에서 올해 수확한 수박은 몇 통인지 구해 보세요.

( )

8 자전거 대여소에 자전거가 362대 있습니다. 그중에서 자전거 124대를 대여해 주었다면 대여소에 남은 자전거는 몇 대인지 구해 보세요.

( )

1 단원

30 · Start 3-1

1. 덧셈과 뺄셈 · 31

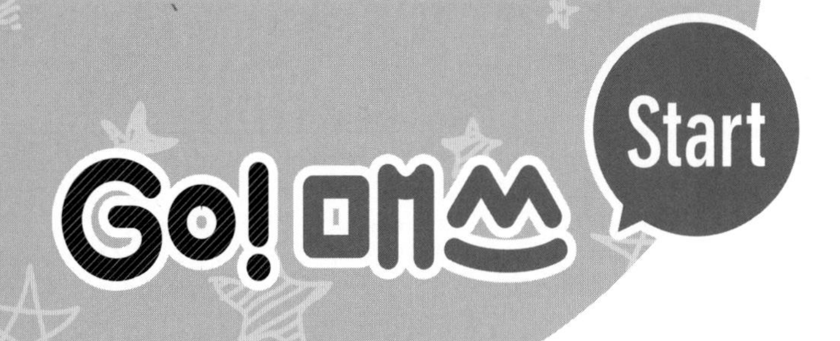

차례

1 덧셈과 뺄셈

학습 계획표

내용	쪽수	날짜	확인
교과서 개념 잡기	6~9쪽	월 일	
교과서 개념 play / 집중! 드릴 문제	10~13쪽	월 일	
교과서 개념 확인 문제	14~17쪽	월 일	
교과서 개념 잡기	18~21쪽	월 일	
교과서 개념 play / 집중! 드릴 문제	22~25쪽	월 일	
교과서 개념 확인 문제	26~29쪽	월 일	
개념 확인평가	30~32쪽	월 일	

교과서 개념 잡기

개념 1 받아올림이 없는 (세 자리 수)+(세 자리 수)

• 234+125의 계산

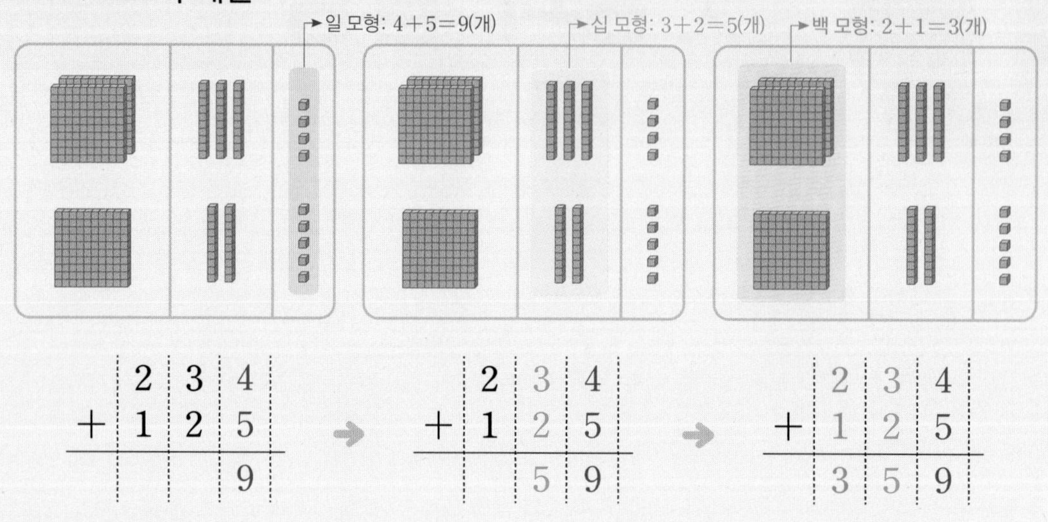

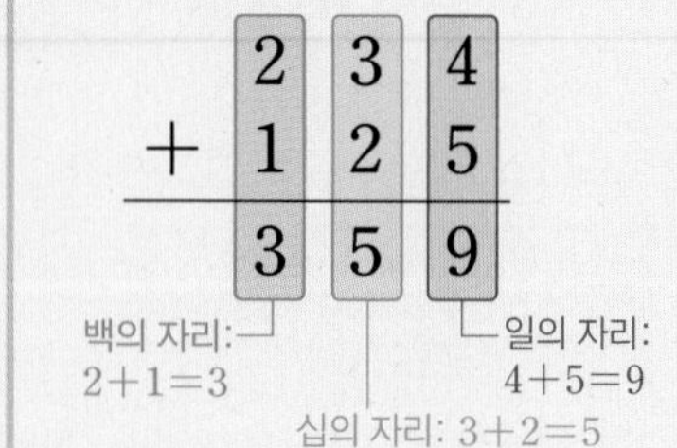

① 각 자리의 숫자를 맞추어 적습니다.

② 일의 자리부터 더한 값을 적어 줍니다.

③ 십의 자리, 백의 자리까지 더한 값을 차례대로 적어 줍니다.

개념 OX

342+213은 얼마인지 바르게 계산한 친구에게 ○표 하세요.

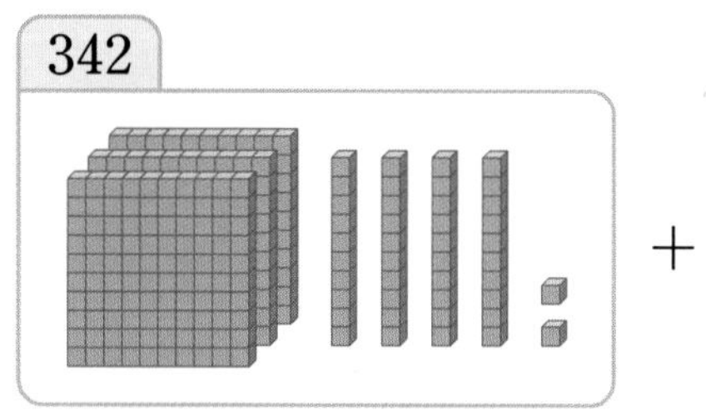

+

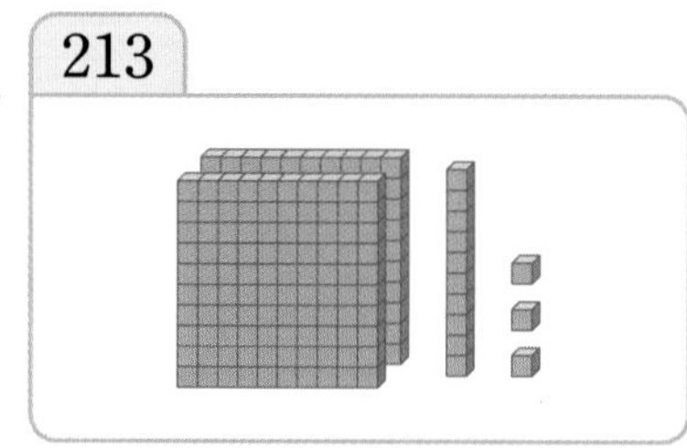

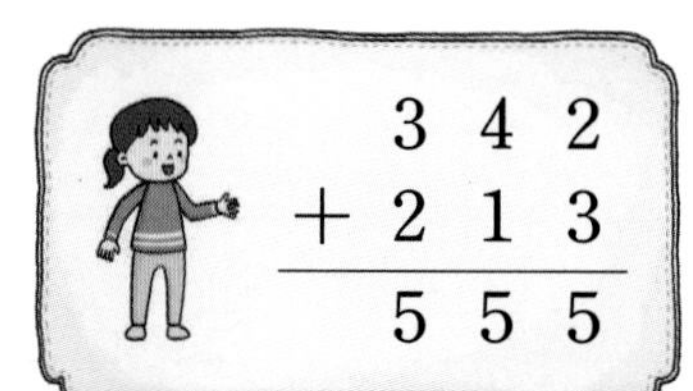

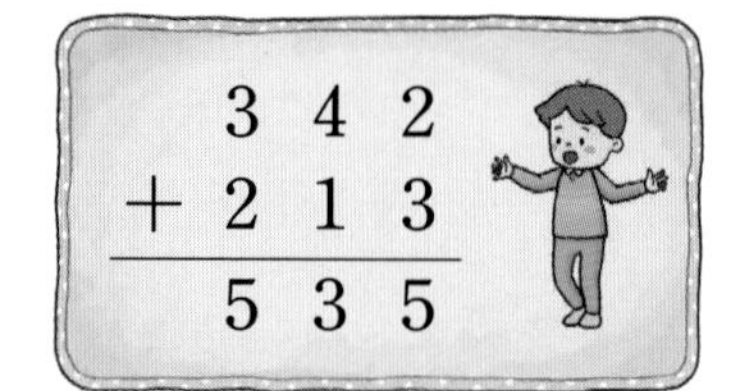

백 모형이 몇 개,
십 모형이 몇 개,
일 모형이 몇 개인지
알아봐요.

1 수 모형을 보고 □ 안에 알맞은 수를 써넣으세요.

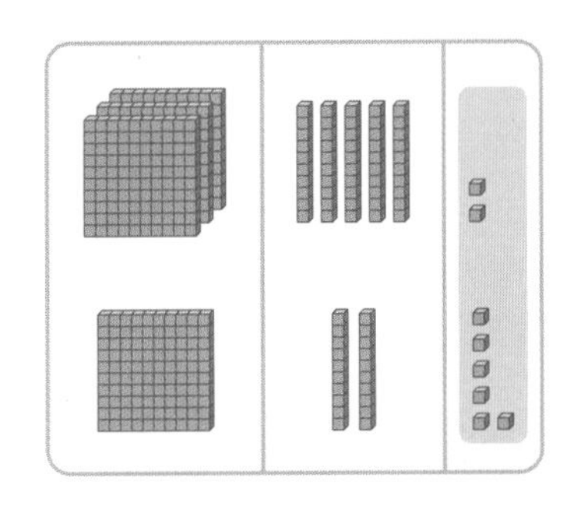

	3	5	2
+	1	2	6
			□

→

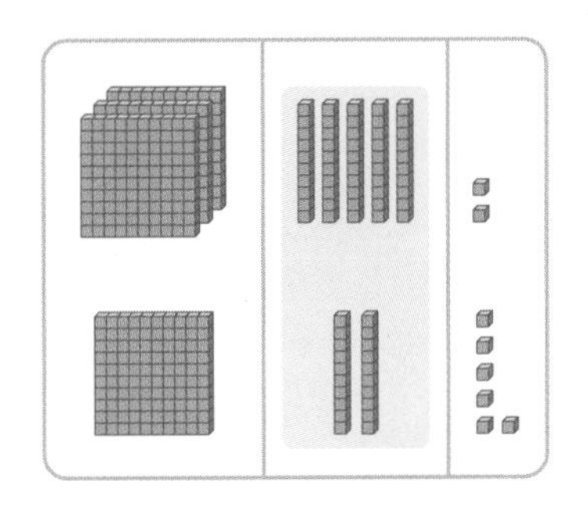

	3	5	2
+	1	2	6
		□	8

→

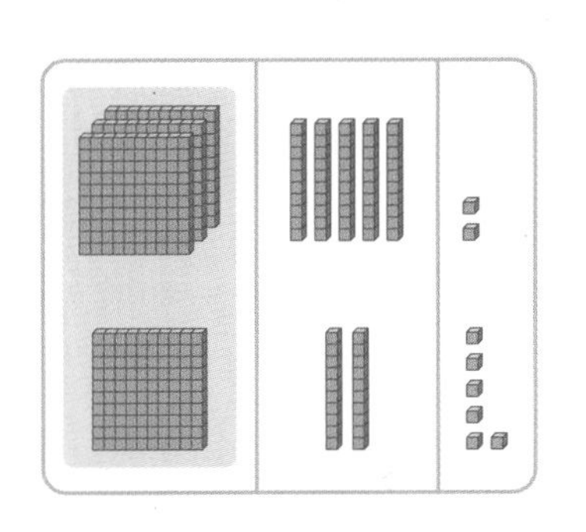

	3	5	2
+	1	2	6
	□	7	8

2 □ 안에 알맞은 수를 써넣으세요.

(1)

	1	6	3
+	5	2	4
	□	□	□

(2)

	4	1	6
+	3	7	3
	□	□	□

3 계산해 보세요.

(1)
$$\begin{array}{r} 3\ 4\ 2 \\ +\ 2\ 3\ 5 \\ \hline \end{array}$$

(2)
$$\begin{array}{r} 2\ 6\ 4 \\ +\ 2\ 1\ 4 \\ \hline \end{array}$$

(3) $632+147$

(4) $102+583$

4 두 수의 합을 구해 보세요.

(1) 462　130

(　　　　　　)

(2) 347　521

(　　　　　　)

개념 2 받아올림이 있는 (세 자리 수)+(세 자리 수)

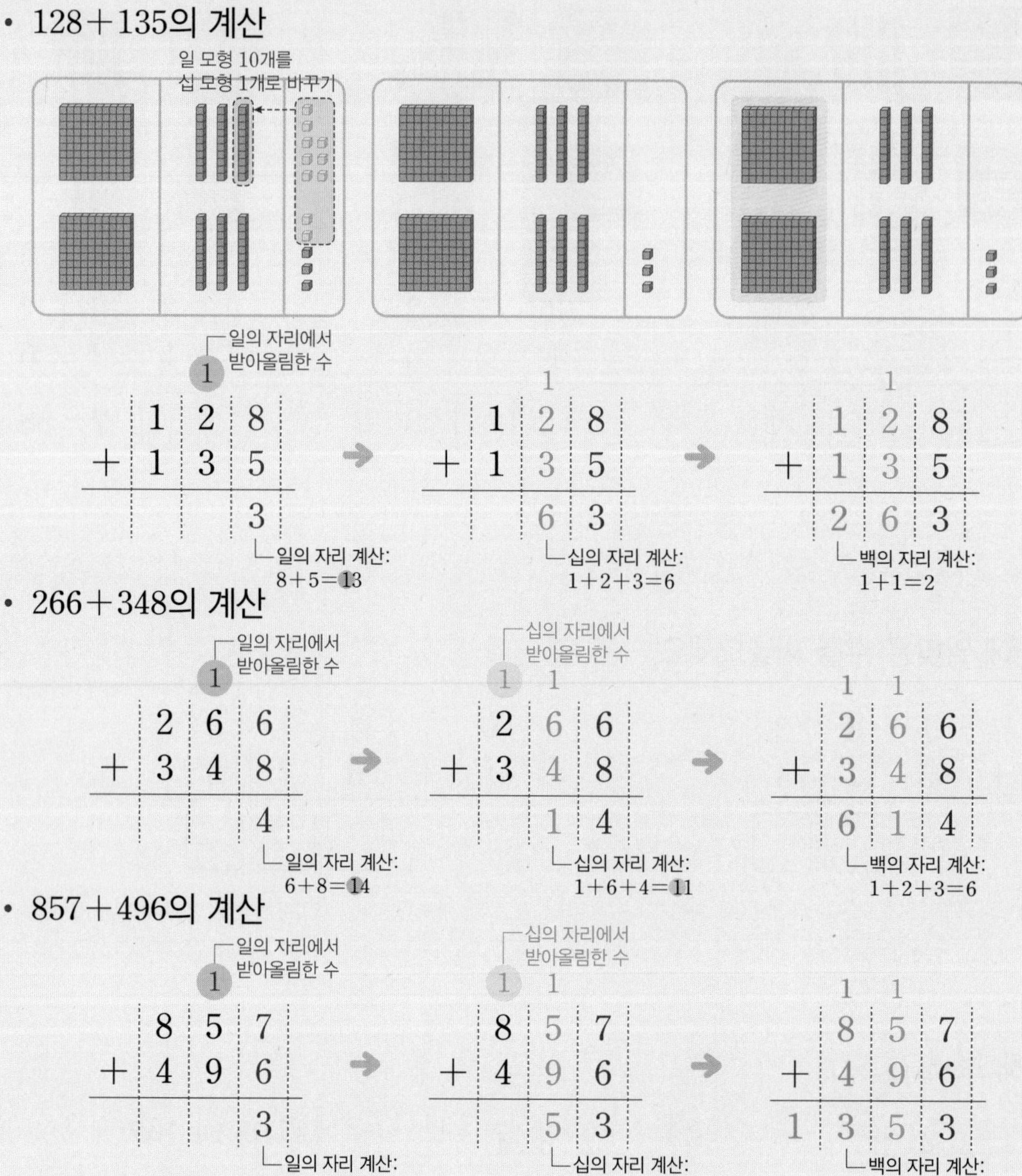

개념 OX

137+225는 얼마인지 바르게 계산한 친구에게 ○표 하세요.

$$\begin{array}{r} 1\ 3\ 7 \\ +\ 2\ 2\ 5 \\ \hline 3\ 5\ 2 \end{array}$$

$$\begin{array}{r} {}^{1}\quad \\ 1\ 3\ 7 \\ +\ 2\ 2\ 5 \\ \hline 3\ 6\ 2 \end{array}$$

[1~2] □ 안에 알맞은 수를 써넣으세요.

1

$$\begin{array}{r} \square \\ 2\ 6\ 8 \\ +\ 1\ 1\ 7 \\ \hline \square \end{array} \rightarrow \begin{array}{r} \square \\ 2\ 6\ 8 \\ +\ 1\ 1\ 7 \\ \hline \square\ \square \end{array} \rightarrow \begin{array}{r} \square \\ 2\ 6\ 8 \\ +\ 1\ 1\ 7 \\ \hline \square\ \square\ \square \end{array}$$

2

$$\begin{array}{r} \square \\ 5\ 9\ 6 \\ +\ 2\ 7\ 4 \\ \hline \square \end{array} \rightarrow \begin{array}{r} \square\ \square \\ 5\ 9\ 6 \\ +\ 2\ 7\ 4 \\ \hline \square\ \square \end{array} \rightarrow \begin{array}{r} \square\ \square \\ 5\ 9\ 6 \\ +\ 2\ 7\ 4 \\ \hline \square\ \square\ \square \end{array}$$

3 계산해 보세요.

(1) $\begin{array}{r} 1\ 8\ 9 \\ +\ 5\ 8\ 3 \\ \hline \end{array}$

(2) $\begin{array}{r} 7\ 4\ 6 \\ +\ 8\ 6\ 5 \\ \hline \end{array}$

(3) 237+245

(4) 946+198

4 계산 결과를 찾아 선으로 이어 보세요.

346+218 •	• 564
297+287 •	• 584

교과서 개념 play

맑은 날씨 만들기

준비물 붙임딱지

구름이 가득한 날씨예요. 비가 오지 않도록 알맞은 해님 붙임딱지를 붙여 보세요.

1 단원

집중! 드릴 문제

[1~9] 계산해 보세요.

1 $$\begin{array}{r} 1\ 4\ 2 \\ +\ 1\ 3\ 5 \\ \hline \end{array}$$

2 $$\begin{array}{r} 3\ 2\ 1 \\ +\ 1\ 4\ 7 \\ \hline \end{array}$$

3 $$\begin{array}{r} 2\ 5\ 4 \\ +\ 2\ 3\ 2 \\ \hline \end{array}$$

4 $$\begin{array}{r} 1\ 4\ 6 \\ +\ 3\ 1\ 2 \\ \hline \end{array}$$

5 $$\begin{array}{r} 5\ 2\ 4 \\ +\ 2\ 3\ 1 \\ \hline \end{array}$$

6 $$\begin{array}{r} 2\ 8\ 5 \\ +\ 4\ 1\ 3 \\ \hline \end{array}$$

7 $228+340$

8 $273+116$

9 $624+255$

[10~18] 계산해 보세요.

10 $$\begin{array}{r} 2\ 4\ 8 \\ +\ 1\ 3\ 7 \\ \hline \end{array}$$

11 $$\begin{array}{r} 3\ 0\ 6 \\ +\ 2\ 7\ 6 \\ \hline \end{array}$$

12 $$\begin{array}{r} 1\ 5\ 9 \\ +\ 2\ 2\ 8 \\ \hline \end{array}$$

13 $$\begin{array}{r} 2\ 3\ 4 \\ +\ 2\ 5\ 7 \\ \hline \end{array}$$

14 $$\begin{array}{r} 5\ 0\ 3 \\ +\ 1\ 7\ 7 \\ \hline \end{array}$$

15 $$\begin{array}{r} 1\ 2\ 5 \\ +\ 4\ 5\ 9 \\ \hline \end{array}$$

16 $164+118$

17 $356+219$

18 $247+537$

[19~27] 계산해 보세요.

19
$$\begin{array}{r} 3\ 6\ 7 \\ +\ 1\ 8\ 5 \\ \hline \end{array}$$

20
$$\begin{array}{r} 2\ 9\ 4 \\ +\ 2\ 7\ 6 \\ \hline \end{array}$$

21
$$\begin{array}{r} 1\ 2\ 8 \\ +\ 5\ 9\ 8 \\ \hline \end{array}$$

22
$$\begin{array}{r} 4\ 7\ 9 \\ +\ 2\ 3\ 6 \\ \hline \end{array}$$

23
$$\begin{array}{r} 6\ 4\ 6 \\ +\ 2\ 7\ 4 \\ \hline \end{array}$$

24
$$\begin{array}{r} 2\ 8\ 5 \\ +\ 3\ 5\ 7 \\ \hline \end{array}$$

25 $138+195$

26 $288+453$

27 $574+369$

[28~36] 계산해 보세요.

28
$$\begin{array}{r} 8\ 4\ 7 \\ +\ 3\ 6\ 5 \\ \hline \end{array}$$

29
$$\begin{array}{r} 5\ 9\ 6 \\ +\ 5\ 7\ 6 \\ \hline \end{array}$$

30
$$\begin{array}{r} 2\ 8\ 8 \\ +\ 9\ 6\ 4 \\ \hline \end{array}$$

31
$$\begin{array}{r} 6\ 8\ 7 \\ +\ 4\ 5\ 9 \\ \hline \end{array}$$

32
$$\begin{array}{r} 5\ 6\ 8 \\ +\ 7\ 3\ 7 \\ \hline \end{array}$$

33
$$\begin{array}{r} 9\ 3\ 4 \\ +\ 3\ 8\ 9 \\ \hline \end{array}$$

34 $486+759$

35 $875+849$

36 $638+598$

교과서 개념 확인 문제

1 수 모형을 보고 □ 안에 알맞은 수를 써넣으세요.

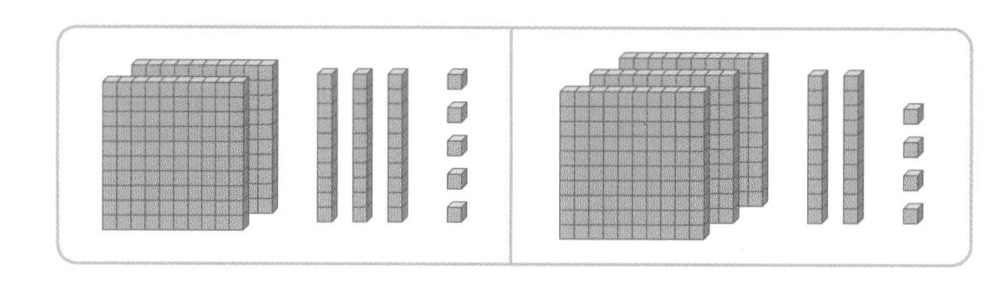

$235+324=$ □

2 계산해 보세요.

(1)
```
  3 7 8
+ 2 1 3
```

(2)
```
  2 1 5
+ 4 7 6
```

(3)
```
  3 6 3
+ 1 3 7
```

3 빈 곳에 알맞은 수를 써넣으세요.

(1) 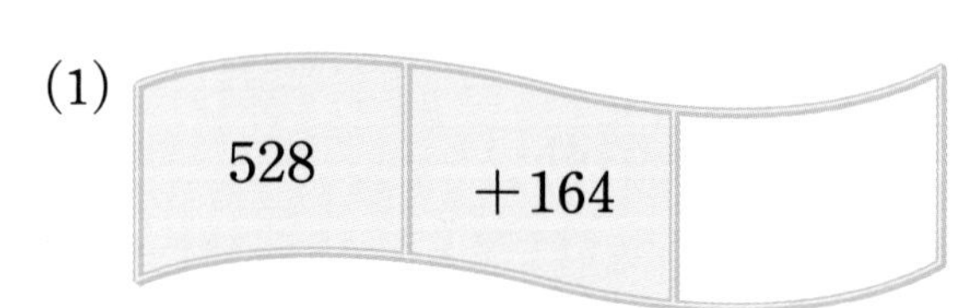

(2) 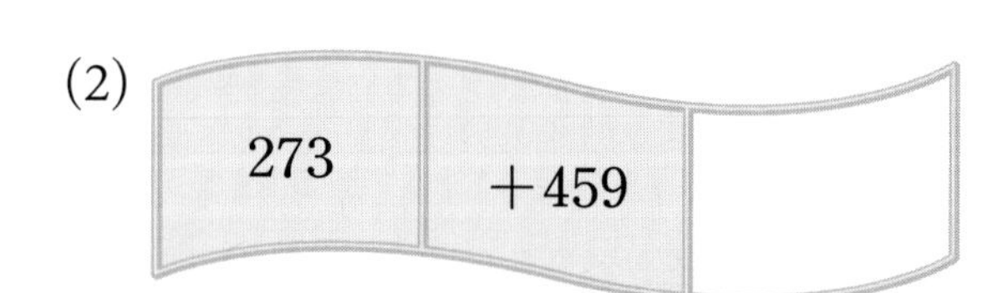

4 그림을 보고 □ 안에 알맞은 수를 써넣으세요.

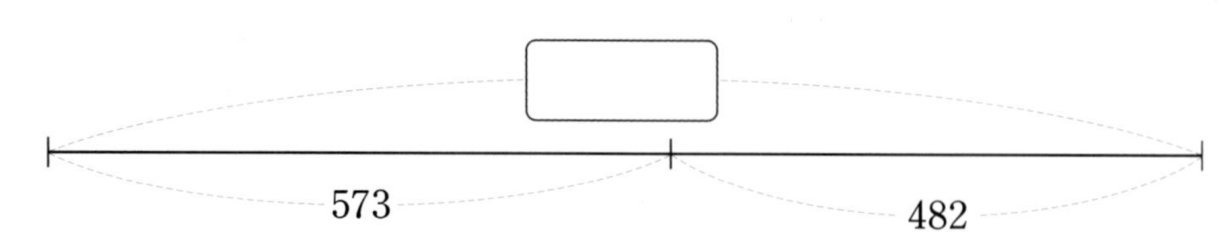

5 두 수의 합을 빈 곳에 써넣으세요.

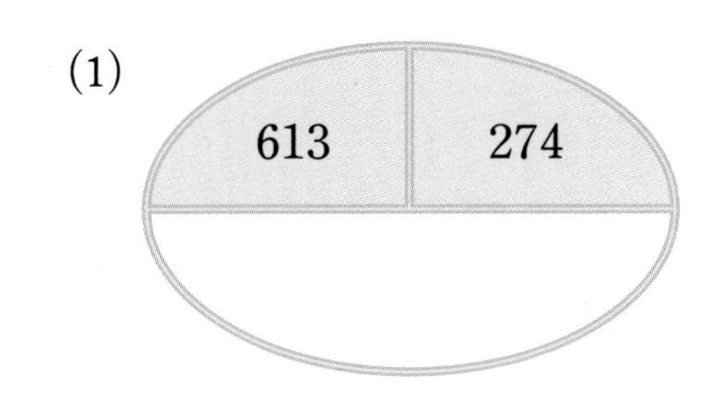

(2)

686 236

6 계산 결과를 찾아 선으로 이어 보세요.

456+327 •	• 648
283+365 •	• 783
359+436 •	• 795

7 사각형에 있는 수의 합을 구해 보세요.

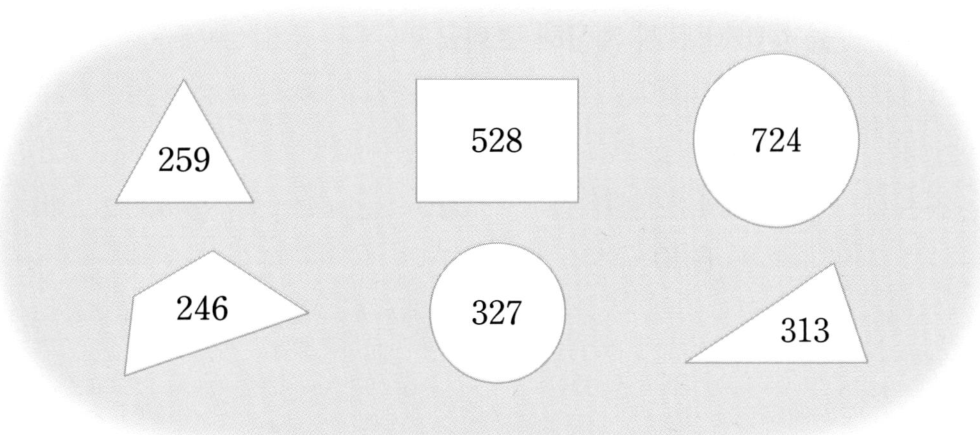

( )

8 빈칸에 알맞은 수를 써넣으세요.

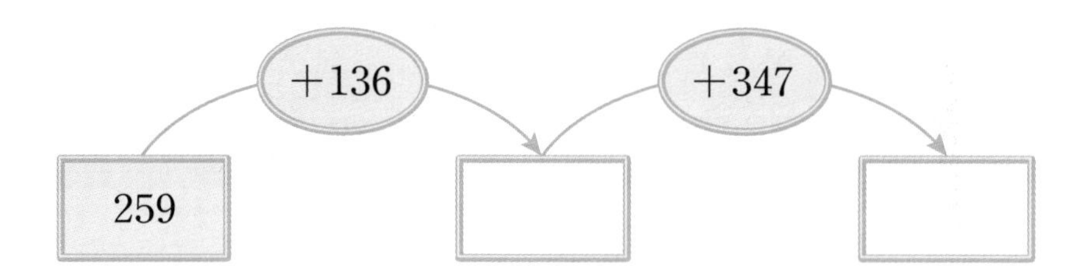

9 다음 세 자리 수의 덧셈에서 ㉠과 ㉡이 실제로 나타내는 수를 각각 구해 보세요.

$$\begin{array}{rrrr} & \boxed{㉠} & \boxed{㉡} & \\ & 5 & 7 & 8 \\ + & 5 & 8 & 7 \\ \hline 1 & 1 & 6 & 5 \end{array}$$

㉠이 나타내는 수 (　　　　　　　　)

㉡이 나타내는 수 (　　　　　　　　)

10 잘못 계산한 곳을 찾아 바르게 계산해 보세요.

$$\begin{array}{rrrr} & 6 & 2 & 8 \\ + & 2 & 4 & 2 \\ \hline & 8 & 6 & 0 \end{array} \rightarrow \begin{array}{rrrr} & 6 & 2 & 8 \\ + & 2 & 4 & 2 \\ \hline & & & \end{array}$$

정답과 풀이 p.3

11 계산 결과를 비교하여 ○ 안에 >, =, <를 알맞게 써넣으세요.

$$378+296 \bigcirc 392+253$$

12 어느 날 박물관에 입장한 사람은 오전에 342명, 오후에 336명입니다. 이날 박물관에 입장한 사람은 모두 몇 명인지 구해 보세요.

(   )

13 부산으로 가는 기차에 어른 165명, 어린이 136명이 타고 있습니다. 이 기차에 타고 있는 어른과 어린이는 모두 몇 명인지 구해 보세요.

(   )

14 어느 공장에서 자전거를 작년에는 576대 만들었고, 올해는 395대 만들었습니다. 이 공장에서 작년과 올해 만든 자전거는 모두 몇 대인지 구해 보세요.

(   )

개념 3 받아내림이 없는 (세 자리 수)−(세 자리 수)

• 468−243의 계산

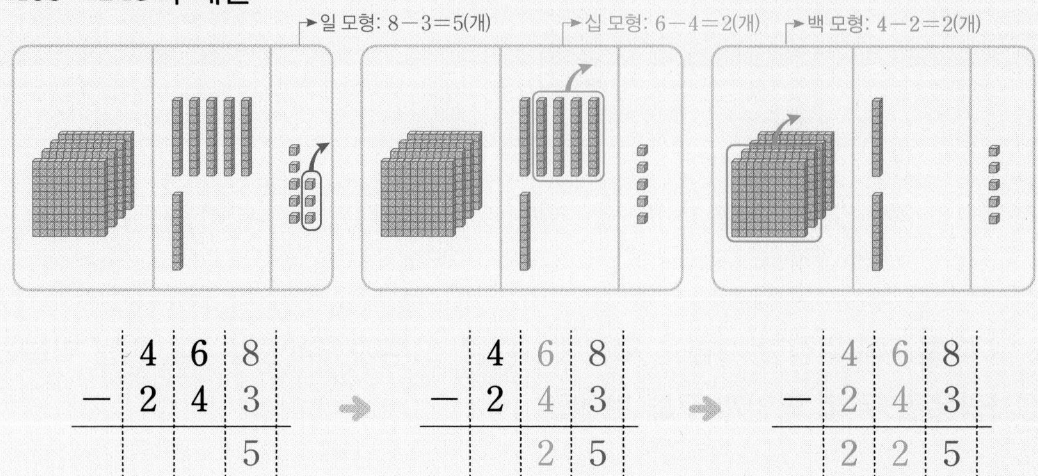

$$\begin{array}{r} 468 \\ -\ 243 \\ \hline 5 \end{array} \rightarrow \begin{array}{r} 468 \\ -\ 243 \\ \hline 25 \end{array} \rightarrow \begin{array}{r} 468 \\ -\ 243 \\ \hline 225 \end{array}$$

계산하는 방법

$$\begin{array}{r} 468 \\ -\ 243 \\ \hline 225 \end{array}$$

백의 자리: 4−2=2
십의 자리: 6−4=2
일의 자리: 8−3=5

① 각 자리의 숫자를 맞추어 적습니다.
② 일의 자리부터 뺀 값을 적어 줍니다.
③ 십의 자리, 백의 자리까지 뺀 값을 차례대로 적어 줍니다.

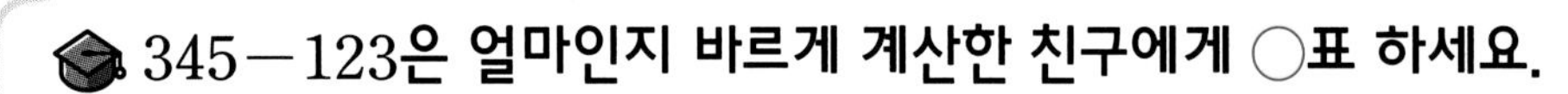

개념 OX

345−123은 얼마인지 바르게 계산한 친구에게 ○표 하세요.

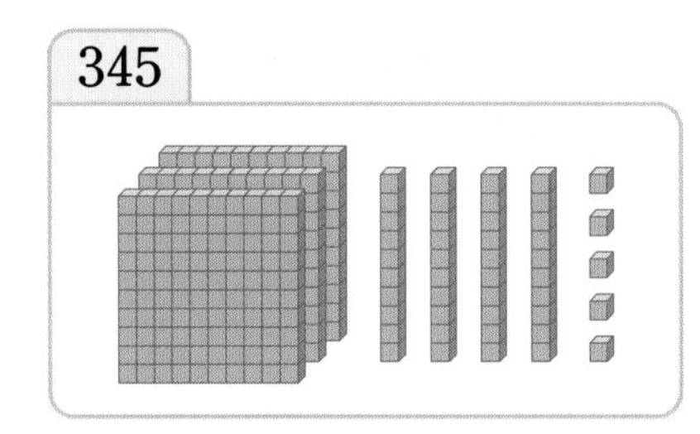

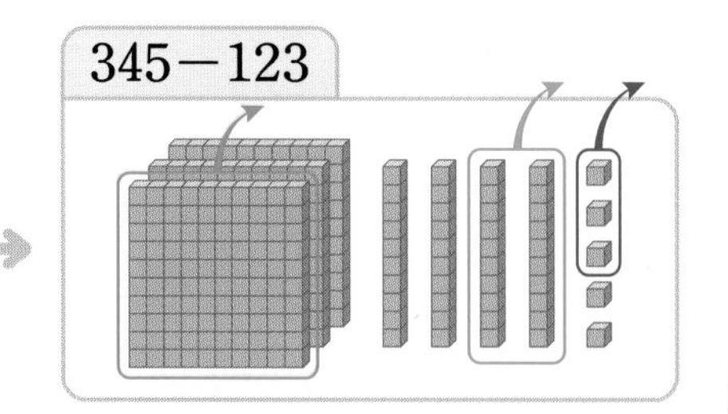

$$\begin{array}{r} 345 \\ -\ 123 \\ \hline 222 \end{array}$$

$$\begin{array}{r} 345 \\ -\ 123 \\ \hline 220 \end{array}$$

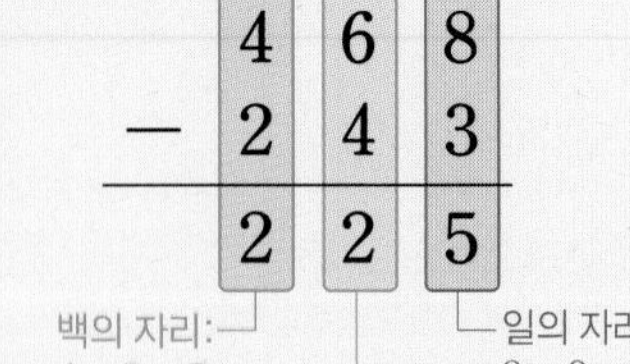

백 모형이 몇 개,
십 모형이 몇 개,
일 모형이 몇 개
남는지 알아봐요.

1 수 모형을 보고 □ 안에 알맞은 수를 써넣으세요.

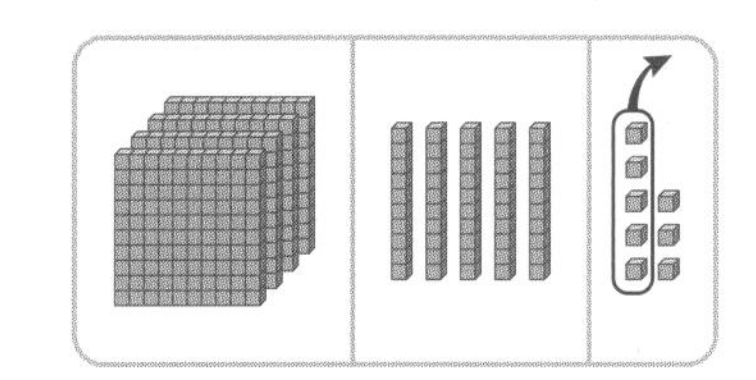
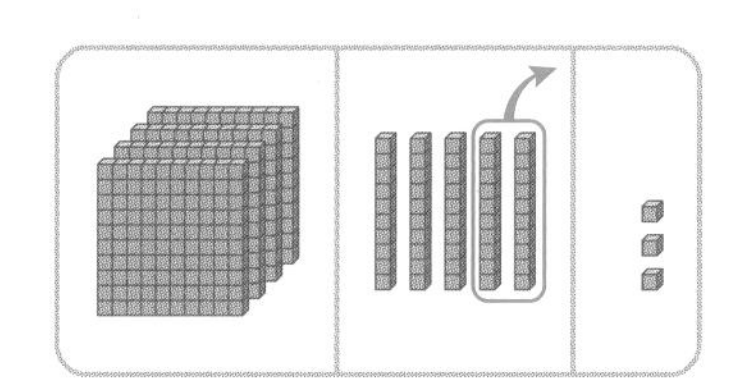
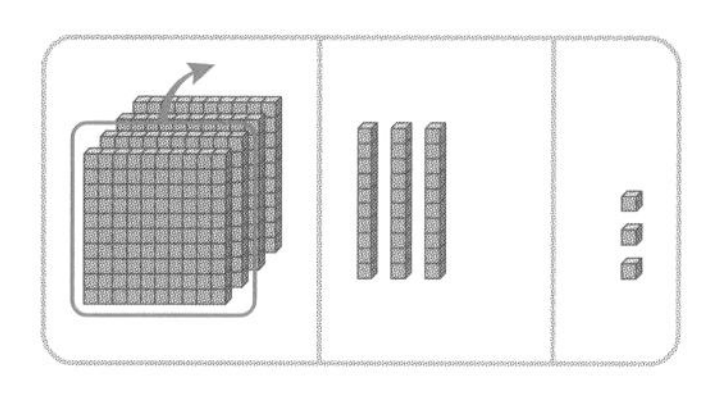

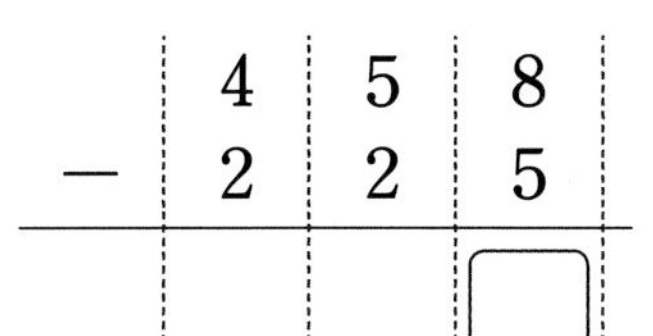

	4	5	8
−	2	2	5
			□

→

	4	5	8
−	2	2	5
		□	3

→

	4	5	8
−	2	2	5
	□	3	3

2 □ 안에 알맞은 수를 써넣으세요.

(1)

	3	6	7
−	1	4	6
	□	□	□

(2)

	8	5	5
−	6	2	0
	□	□	□

3 계산해 보세요.

(1)
$$\begin{array}{r} 2\ 7\ 5 \\ -\ 1\ 4\ 2 \\ \hline \end{array}$$

(2)
$$\begin{array}{r} 7\ 3\ 6 \\ -\ 4\ 2\ 3 \\ \hline \end{array}$$

(3) $587-356$

(4) $469-239$

4 두 수의 차를 구해 보세요.

(1) 645　　321

(　　　　　　)

(2) 512　　937

(　　　　　　)

개념 4 받아내림이 있는 (세 자리 수)−(세 자리 수)

• 372−147의 계산

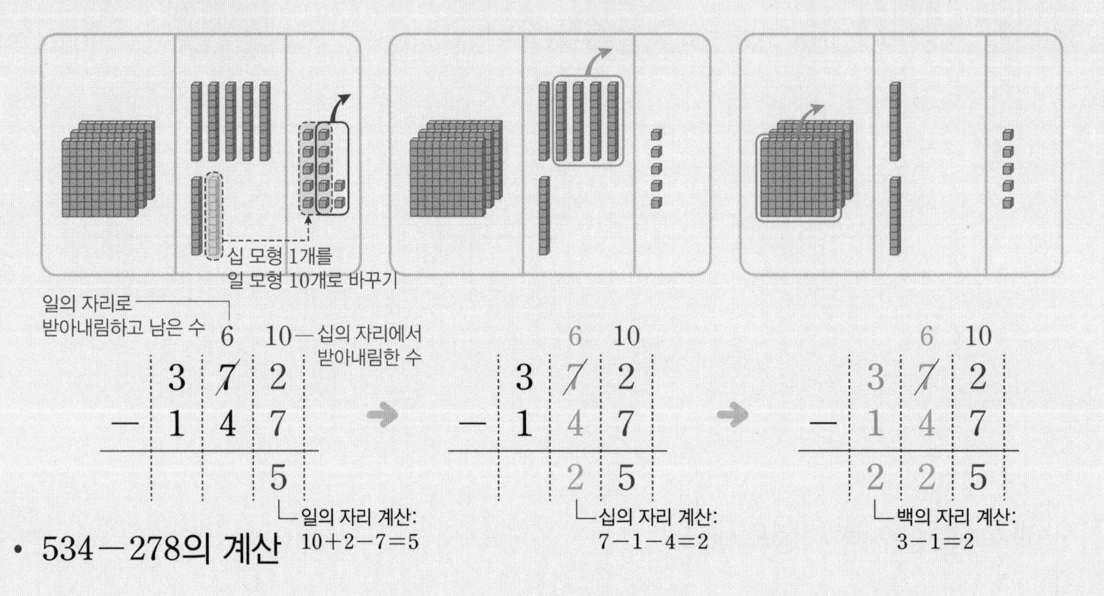

• 534−278의 계산

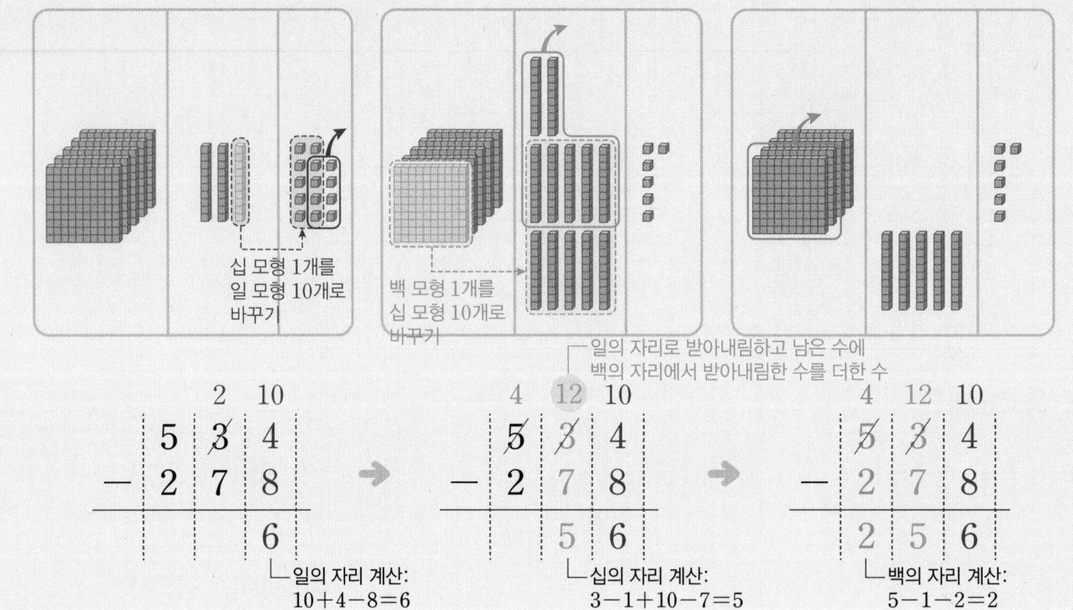

개념 O X

856−498은 얼마인지 바르게 계산한 친구에게 ○표 하세요.

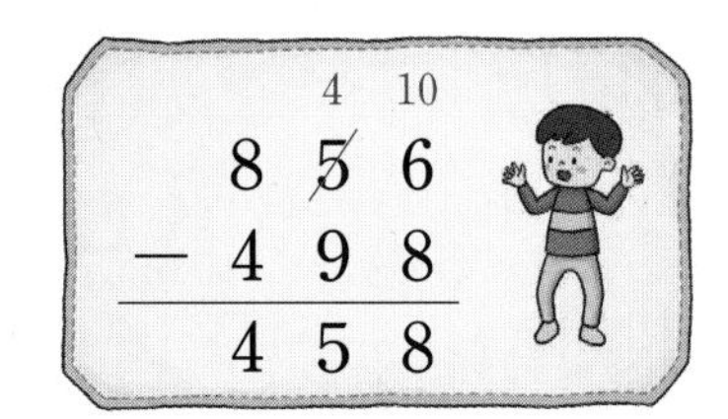

	7	14	10
	8	5	6
−	4	9	8
	3	5	8

[1~2] □ 안에 알맞은 수를 써넣으세요.

1

		□	□
	4	6̸	2
−	1	3	7
			□

➜

		□	□
	4	6̸	2
−	1	3	7
		□	□

➜

		□	□
	4	6̸	2
−	1	3	7
	□	□	□

2

		□	□
	6	3̸	5
−	3	8	8
			□

➜

	□	□	□
	6̸	3̸	5
−	3	8	8
		□	□

➜

	□	□	□
	6̸	3̸	5
−	3	8	8
	□	□	□

3 계산해 보세요.

(1)
$$\begin{array}{r} 5\ 7\ 4 \\ -\ 2\ 3\ 5 \\ \hline \end{array}$$

(2)
$$\begin{array}{r} 3\ 0\ 6 \\ -\ 1\ 8\ 9 \\ \hline \end{array}$$

(3) $760-445$

(4) $623-357$

4 빈칸에 알맞은 수를 써넣으세요.

(1)
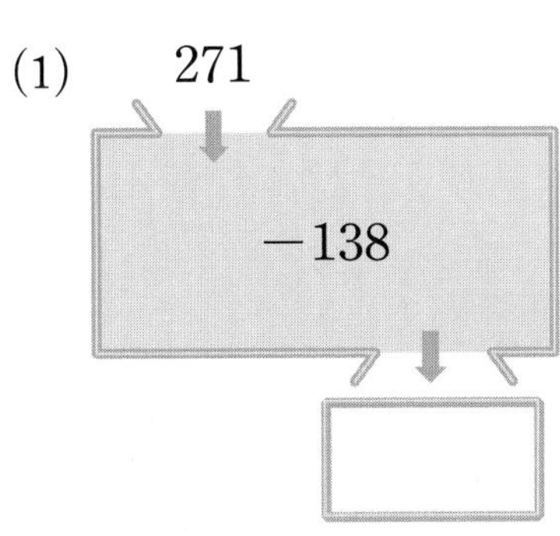

(2)
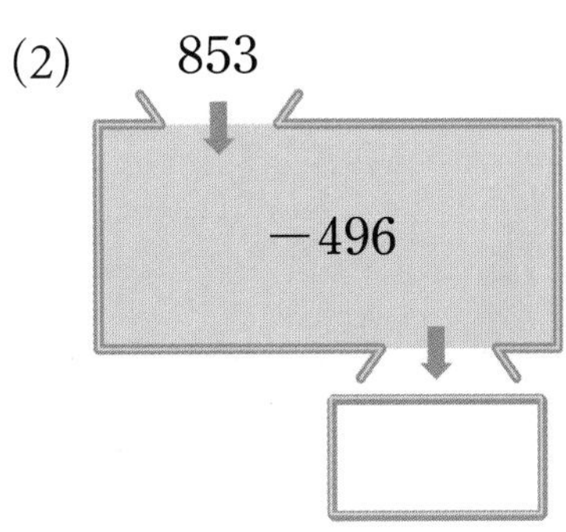

교과서 개념 play 밤송이 까기

준비물 붙임딱지

밤송이를 까면 어떤 알밤이 나올까요? 알맞은 알밤 붙임딱지를 붙여 보세요.

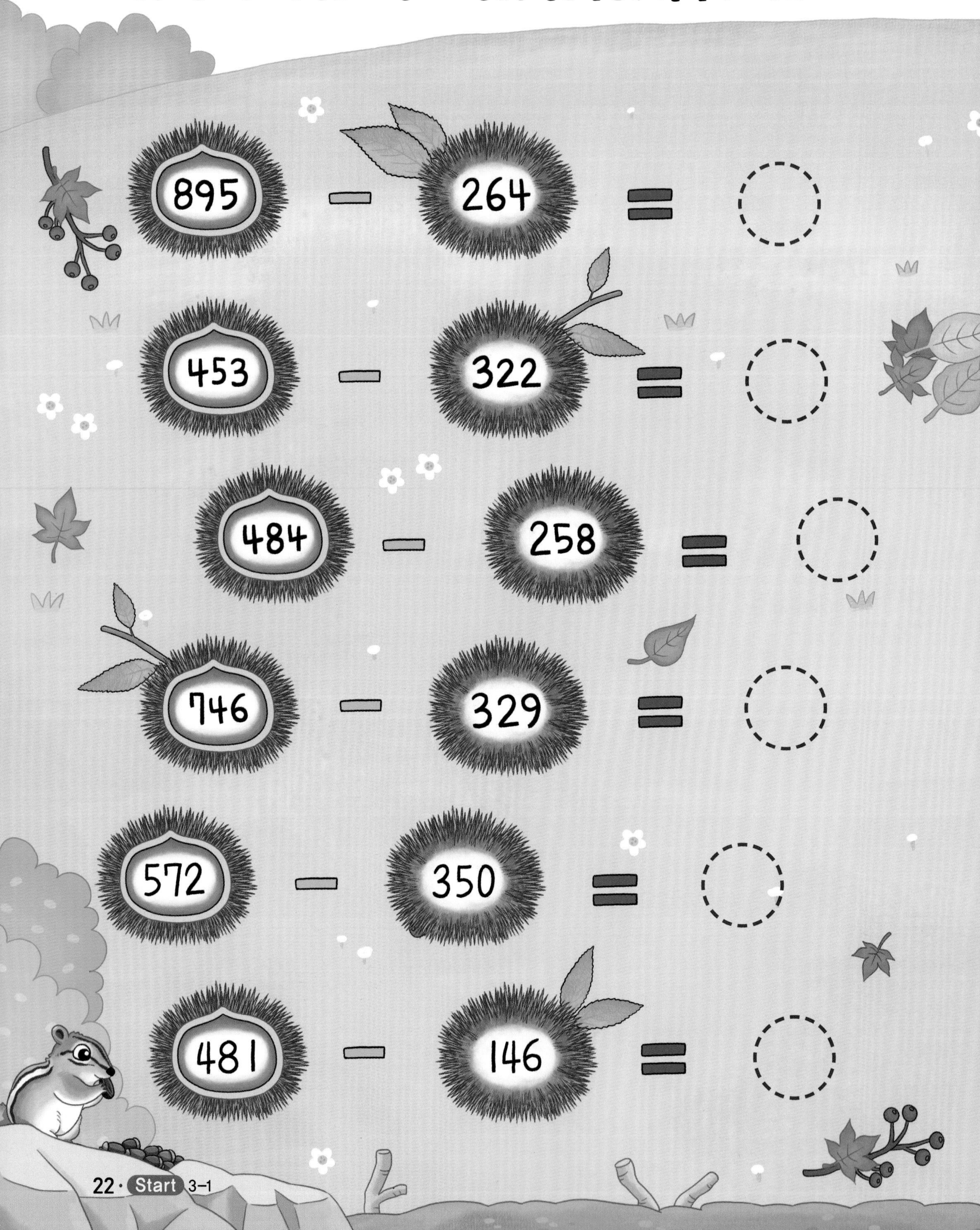

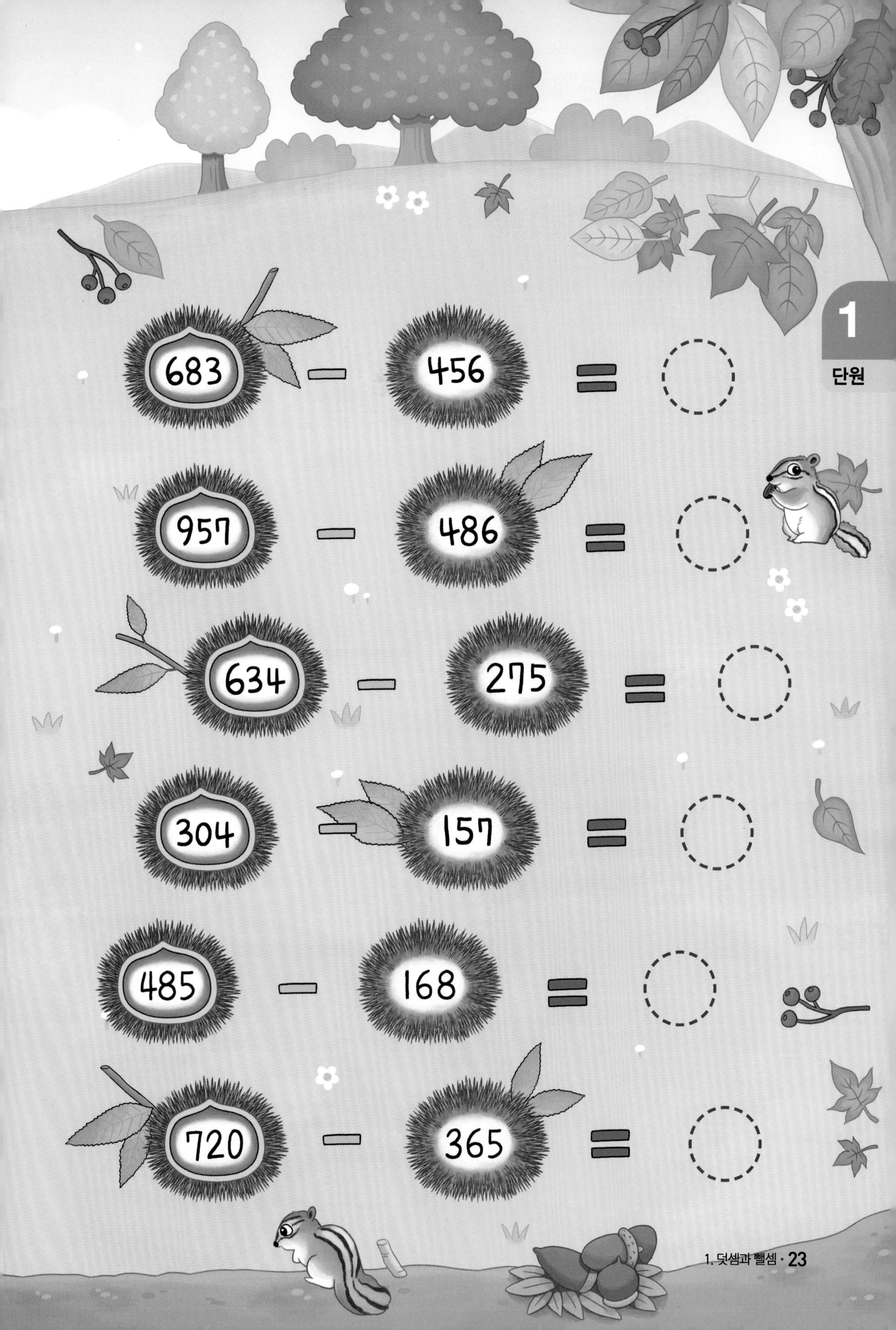
1 단원
683 − 456 =
957 − 486 =
634 − 275 =
304 − 157 =
485 − 168 =
720 − 365 =

집중! 드릴 문제

[1~9] 계산해 보세요.

1
$$\begin{array}{r} 564 \\ -\,321 \\ \hline \end{array}$$

2
$$\begin{array}{r} 785 \\ -\,463 \\ \hline \end{array}$$

3
$$\begin{array}{r} 628 \\ -\,314 \\ \hline \end{array}$$

4
$$\begin{array}{r} 947 \\ -\,825 \\ \hline \end{array}$$

5
$$\begin{array}{r} 359 \\ -\,128 \\ \hline \end{array}$$

6
$$\begin{array}{r} 864 \\ -\,534 \\ \hline \end{array}$$

7 $478-153$

8 $794-372$

9 $936-634$

[10~18] 계산해 보세요.

10
$$\begin{array}{r} 453 \\ -\,127 \\ \hline \end{array}$$

11
$$\begin{array}{r} 362 \\ -\,226 \\ \hline \end{array}$$

12
$$\begin{array}{r} 784 \\ -\,528 \\ \hline \end{array}$$

13
$$\begin{array}{r} 536 \\ -\,119 \\ \hline \end{array}$$

14
$$\begin{array}{r} 871 \\ -\,625 \\ \hline \end{array}$$

15
$$\begin{array}{r} 965 \\ -\,848 \\ \hline \end{array}$$

16 $564-237$

17 $685-419$

18 $716-308$

[19~28] 계산해 보세요.

19 $\begin{array}{r} 542 \\ -\ 164 \\ \hline \end{array}$

20 $\begin{array}{r} 735 \\ -\ 468 \\ \hline \end{array}$

21 $\begin{array}{r} 857 \\ -\ 288 \\ \hline \end{array}$

22 $\begin{array}{r} 663 \\ -\ 375 \\ \hline \end{array}$

23 $\begin{array}{r} 438 \\ -\ 149 \\ \hline \end{array}$

24 $\begin{array}{r} 974 \\ -\ 598 \\ \hline \end{array}$

25 $\begin{array}{r} 623 \\ -\ 468 \\ \hline \end{array}$

26 $\begin{array}{r} 851 \\ -\ 674 \\ \hline \end{array}$

27 $\begin{array}{r} 304 \\ -\ 256 \\ \hline \end{array}$

28 $\begin{array}{r} 707 \\ -\ 429 \\ \hline \end{array}$

[29~36] 계산해 보세요.

29 $463-285$

30 $527-369$

31 $835-447$

32 $643-256$

33 $974-687$

34 $751-582$

35 $402-158$

36 $607-539$

교과서 개념 확인 문제

1 수 모형을 보고 □ 안에 알맞은 수를 써넣으세요.

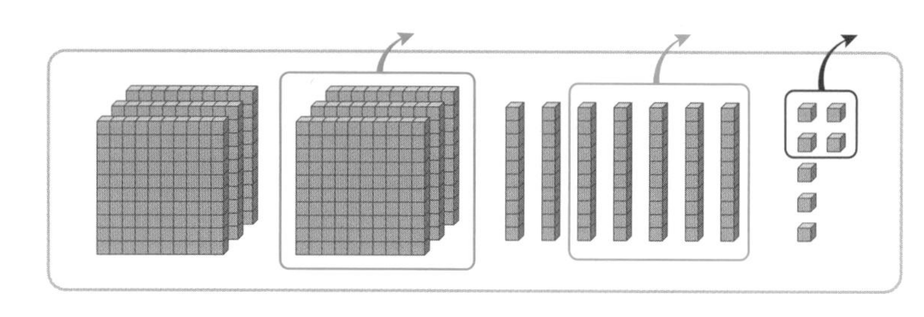

677−354=□

2 계산해 보세요.

(1)
$$\begin{array}{r} 5\ 7\ 8 \\ -\ 1\ 2\ 7 \\ \hline \end{array}$$

(2)
$$\begin{array}{r} 7\ 7\ 8 \\ -\ 3\ 8\ 5 \\ \hline \end{array}$$

(3)
$$\begin{array}{r} 3\ 7\ 2 \\ -\ 1\ 3\ 9 \\ \hline \end{array}$$

3 두 수의 차를 구해 보세요.

(1) 580 254

(　　　　　　　)

(2) 467 813

(　　　　　　　)

4 그림을 보고 □ 안에 알맞은 수를 써넣으세요.

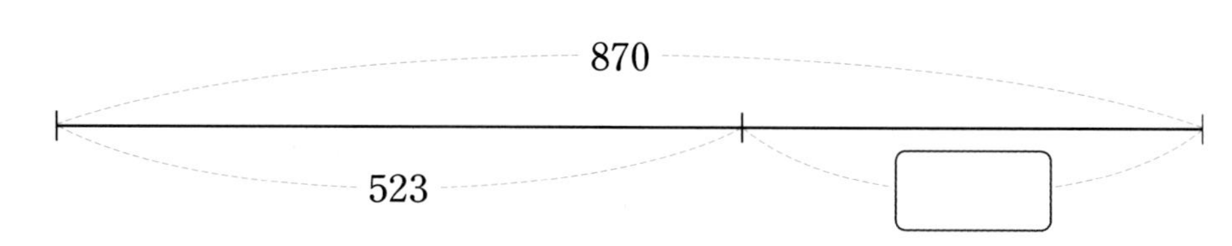

5 뺄셈에서 [7]이 실제로 나타내는 수를 써 보세요.

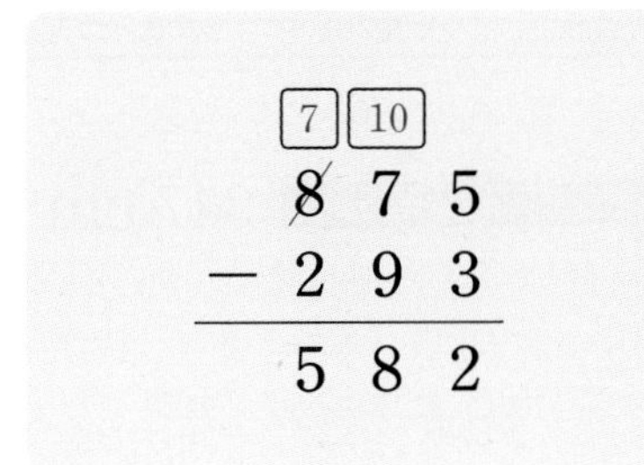

( )

6 두 수의 차를 빈 곳에 써넣으세요.

(1)

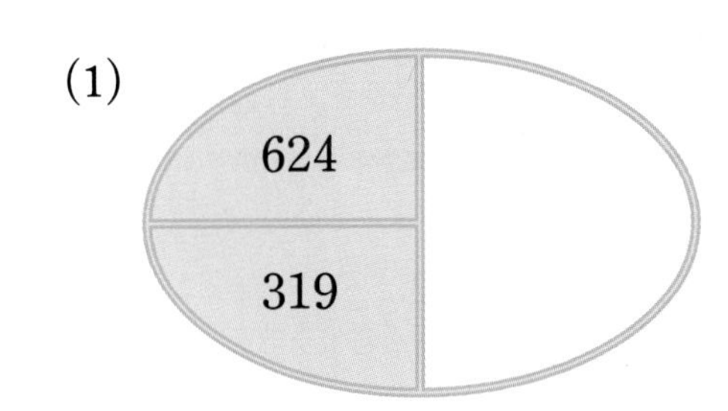

(2)

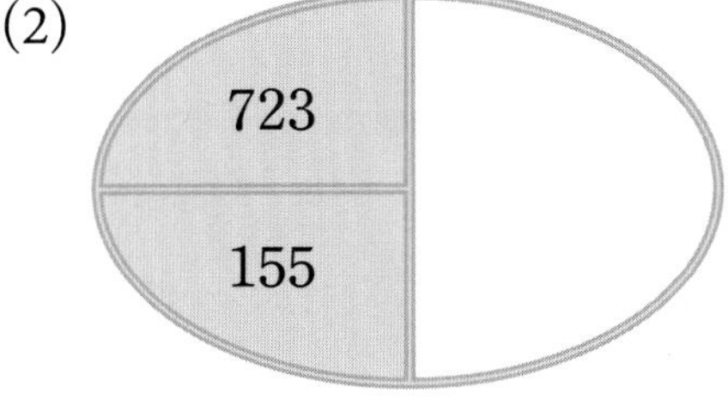

7 수 모형이 나타내는 수보다 237 작은 수를 구해 보세요.

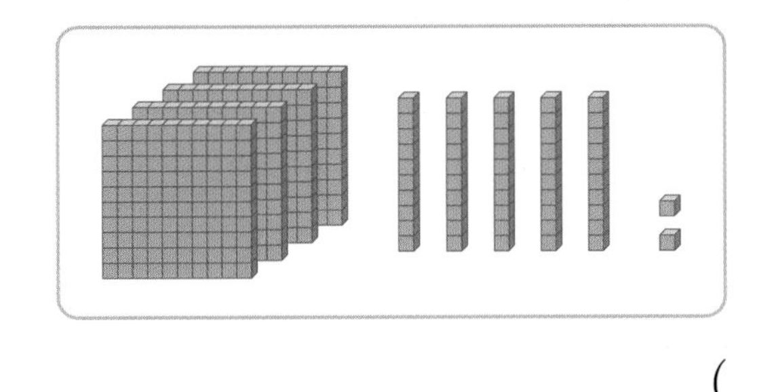

( )

8 두 색 테이프의 길이의 차는 몇 cm인지 구해 보세요.

584 cm

347 cm

( )

9 삼각형에 있는 수의 차를 구해 보세요.

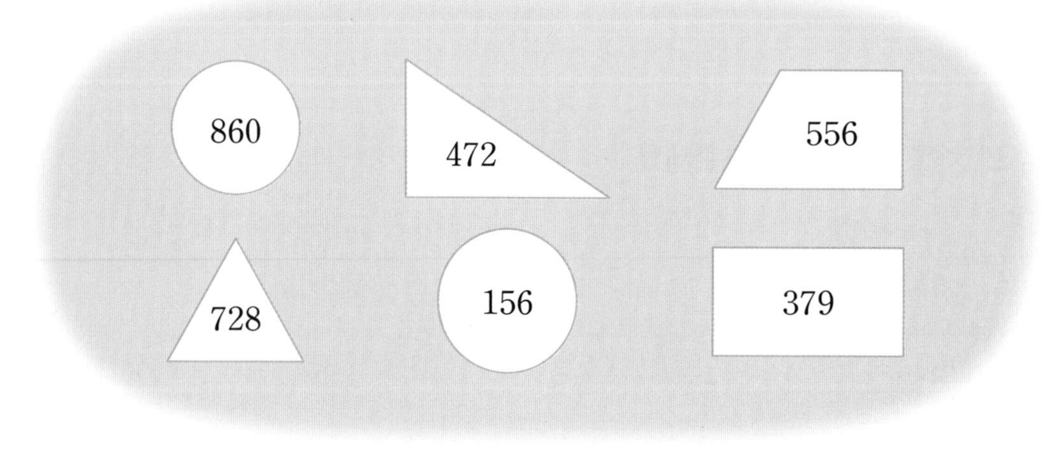

( )

10 빈칸에 알맞은 수를 써넣으세요.

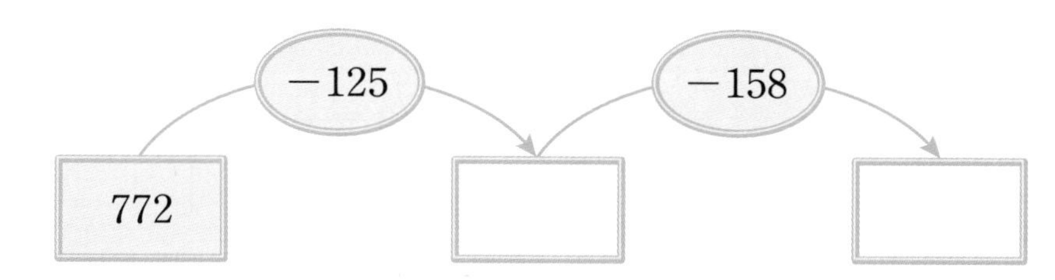

11 계산 결과를 비교하여 ○ 안에 $>$, $=$, $<$를 알맞게 써넣으세요.

$735-219$ ○ $614-172$

12 다음 수 중에서 가장 큰 수와 가장 작은 수의 차를 구해 보세요.

521　　354　　692

(　　　　　　　　)

13 빈칸에 알맞은 수를 써넣으세요.

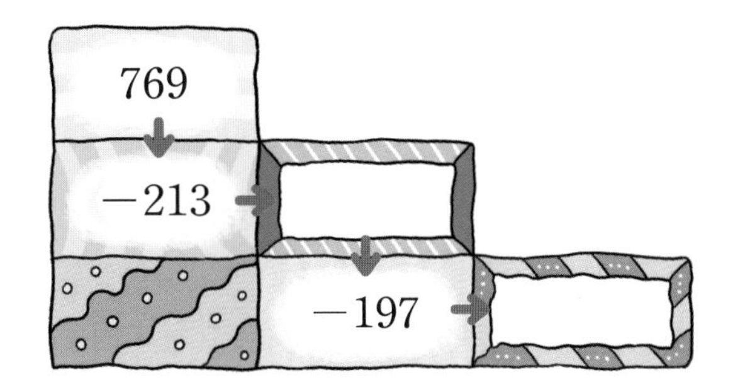

14 은우네 학교 학생 수는 745명이고 현주네 학교 학생 수는 은우네 학교 학생 수보다 127명 더 적습니다. 현주네 학교 학생 수는 몇 명인지 구해 보세요.

(　　　　　　　　)

15 문구점에 색종이가 600장 있습니다. 그중에서 416장을 팔았다면 남은 색종이는 몇 장인지 구해 보세요.

(　　　　　　　　)

개념 확인평가

1. 덧셈과 뺄셈

맞은 개수

1 계산해 보세요.

(1)
$$\begin{array}{r} 4\ 2\ 6 \\ +\ 1\ 5\ 2 \\ \hline \end{array}$$

(2)
$$\begin{array}{r} 7\ 3\ 7 \\ -\ 3\ 2\ 5 \\ \hline \end{array}$$

(3) $258+326$

(4) $894-567$

2 계산 결과를 찾아 선으로 이어 보세요.

$365+328$ •	• 628
$942-314$ •	• 652
	• 693

3 빈칸에 알맞은 수를 써넣으세요.

(1)

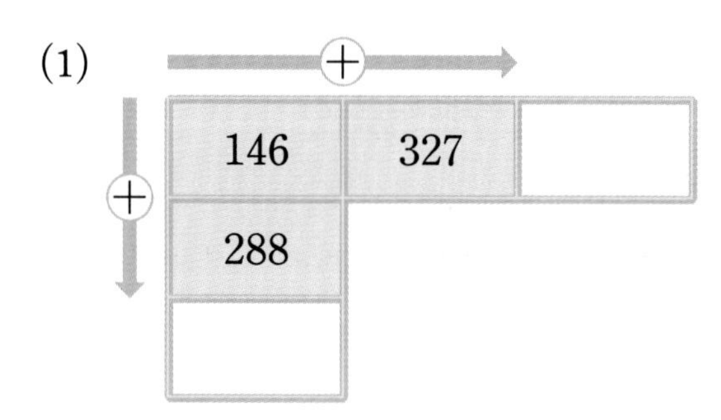

(2)

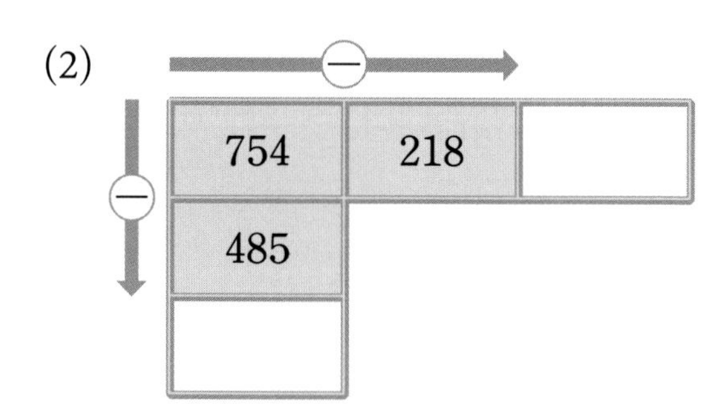

4 가장 큰 수와 가장 작은 수의 합을 구해 보세요.

328　　457　　603

(　　　　　　　　)

5 잘못 계산한 곳을 찾아 이유를 쓰고, 바르게 계산해 보세요.

$$\begin{array}{r} 4\ 2\ 5 \\ -\ 1\ 8\ 7 \\ \hline 3\ 3\ 8 \end{array}$$

이유 ______________________________

____

____

____

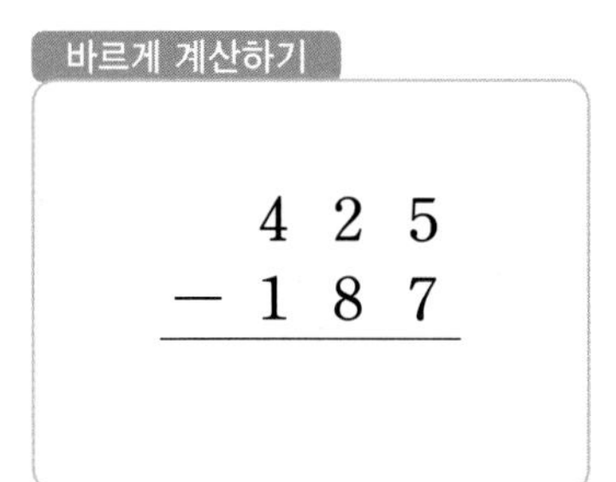

6 ㉠과 ㉡이 나타내는 수의 합을 구해 보세요.

> ㉠ 100이 6개, 10이 8개, 1이 4개인 수
> ㉡ 100이 5개, 10이 6개, 1이 8개인 수

(　　　　　　　　)

7 현아네 농장에서 작년에는 수박을 546통 수확했고, 올해에는 작년보다 137통 더 많이 수확했습니다. 현아네 농장에서 올해 수확한 수박은 몇 통인지 구해 보세요.

(　　　　　　　　)

8 자전거 대여소에 자전거가 362대 있습니다. 그중에서 자전거 124대를 대여해 주었다면 대여소에 남은 자전거는 몇 대인지 구해 보세요.

(　　　　　　　　)

[9~10] 은상이네 학교 학생 수와 지훈이네 학교 학생 수를 조사하여 나타낸 표입니다. 물음에 답하세요.

학생 수

	은상이네 학교	지훈이네 학교
남학생 수	437명	339명
여학생 수	425명	348명

9 은상이네 학교 학생 수와 지훈이네 학교 학생 수는 각각 몇 명인지 구해 보세요.

은상이네 학교 학생 수 (   )

지훈이네 학교 학생 수 (   )

10 누구네 학교 학생 수가 몇 명 더 많은지 차례로 써 보세요.

(   ), (   )

11 3장의 수 카드를 모두 한 번씩만 사용하여 세 자리 수를 만들고 있습니다. 물음에 답하세요.

[2] [8] [6]

(1) 만들 수 있는 가장 큰 세 자리 수를 써 보세요.

(   )

(2) 만들 수 있는 가장 작은 세 자리 수를 써 보세요.

(   )

(3) 만들 수 있는 가장 큰 세 자리 수와 가장 작은 세 자리 수의 차를 구해 보세요.

(   )

2 평면도형

학습 계획표

내용	쪽수	날짜	확인
교과서 개념 잡기	34~37쪽	월 일	
교과서 개념 play / 집중! 드릴 문제	38~41쪽	월 일	
교과서 개념 확인 문제	42~45쪽	월 일	
교과서 개념 잡기	46~49쪽	월 일	
교과서 개념 play / 집중! 드릴 문제	50~53쪽	월 일	
교과서 개념 확인 문제	54~57쪽	월 일	
개념 확인평가	58~60쪽	월 일	

교과서 개념 잡기

개념 1 선의 종류 알아보기

• 두 점을 곧게 이은 선을 선분이라고 합니다.

점 ㄱ과 점 ㄴ을 이은 선분

ㄱ ㄴ ➔ 선분 ㄱㄴ 또는 선분 ㄴㄱ

• 한 점에서 시작하여 한쪽으로 끝없이 늘인 곧은 선을 반직선이라고 합니다.

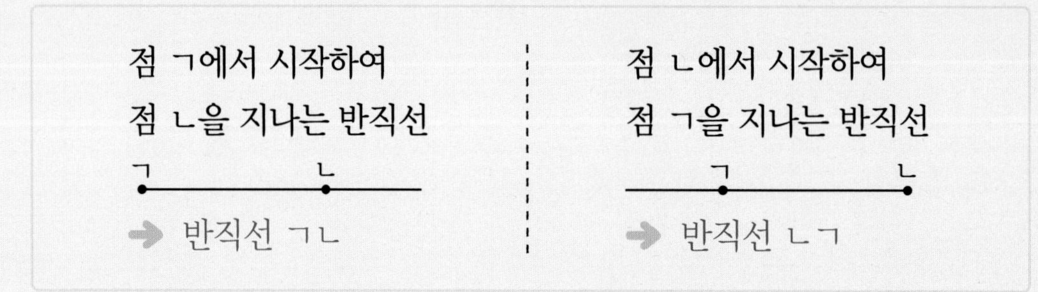

점 ㄱ에서 시작하여 점 ㄴ을 지나는 반직선

ㄱ ㄴ ➔ 반직선 ㄱㄴ

점 ㄴ에서 시작하여 점 ㄱ을 지나는 반직선

ㄱ ㄴ ➔ 반직선 ㄴㄱ

주의 반직선 ㄱㄴ과 반직선 ㄴㄱ은 같지 않습니다.
(ㄱㄴ: ㄱ 시작점, ㄴ 지나는 점 / ㄴㄱ: ㄴ 시작점, ㄱ 지나는 점)

• 선분을 양쪽으로 끝없이 늘인 곧은 선을 직선이라고 합니다.

점 ㄱ과 점 ㄴ을 지나는 직선

ㄱ ㄴ ➔ 직선 ㄱㄴ 또는 직선 ㄴㄱ

개념 OX

선분, 반직선, 직선을 바르게 그린 친구를 찾아 ○표 하세요.

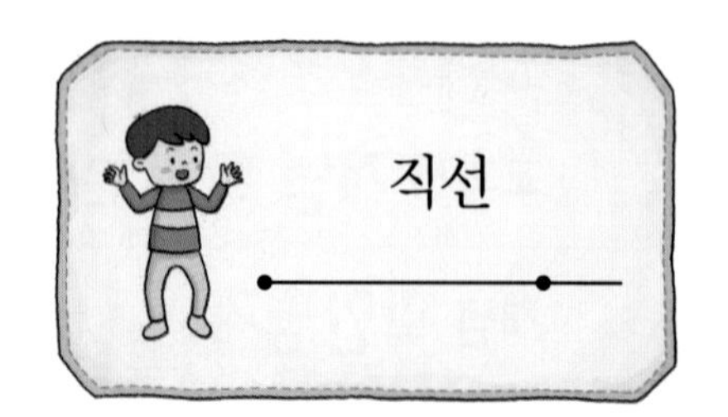

1

□ 안에 알맞은 말이나 기호를 써넣으세요.

(1) 선분을 양쪽으로 끝없이 늘인 곧은 선을 □이라고 합니다.

(2) 반직선 ㄱㄴ은 점 □에서 시작하여 점 □을 지나는 반직선입니다.

2

직선을 찾아 기호를 써 보세요.

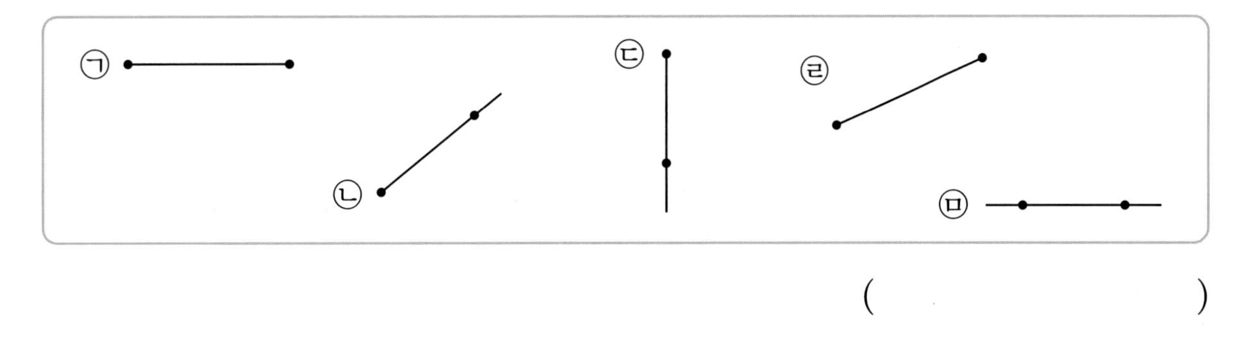

( )

3

각 도형의 이름을 써 보세요.

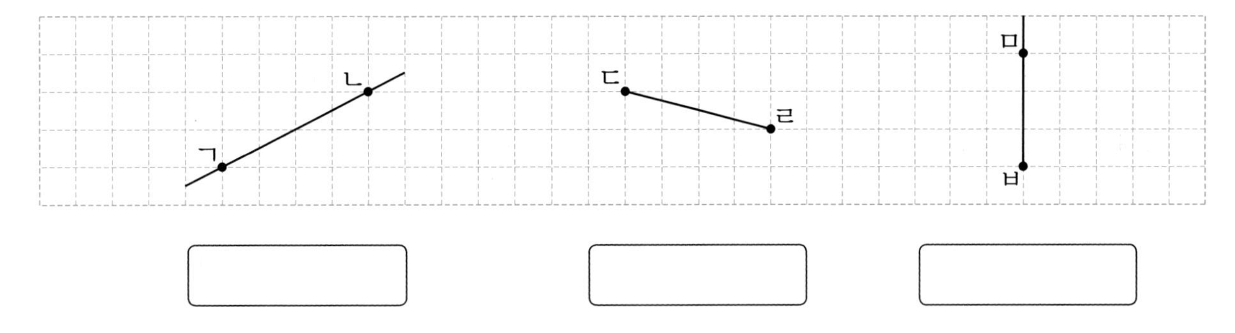

4

선분, 반직선, 직선을 그어 보세요.

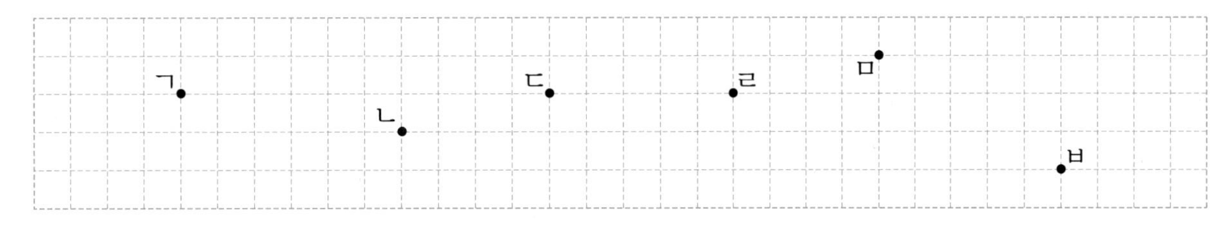

(1) 선분 ㄷㄹ을 그어 보세요.

(2) 반직선 ㄱㄴ을 그어 보세요.

(3) 직선 ㅁㅂ을 그어 보세요.

개념 2 각 알아보기

• 한 점에서 그은 두 반직선으로 이루어진 도형을 각이라고 합니다.

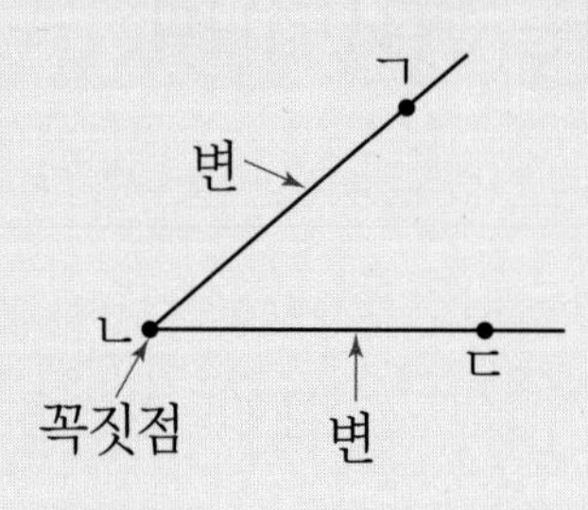

그림의 각을 각 ㄱㄴㄷ 또는 각 ㄷㄴㄱ이라 하고,
이때 점 ㄴ을 각의 꼭짓점이라고 합니다.
반직선 ㄴㄱ과 반직선 ㄴㄷ을 각의 변이라 하고,
이 변을 변 ㄴㄱ과 변 ㄴㄷ이라고 합니다.

개념 3 직각 알아보기

• 그림과 같이 종이를 반듯하게 두 번 접었을 때 생기는 각을 직각이라고 합니다.

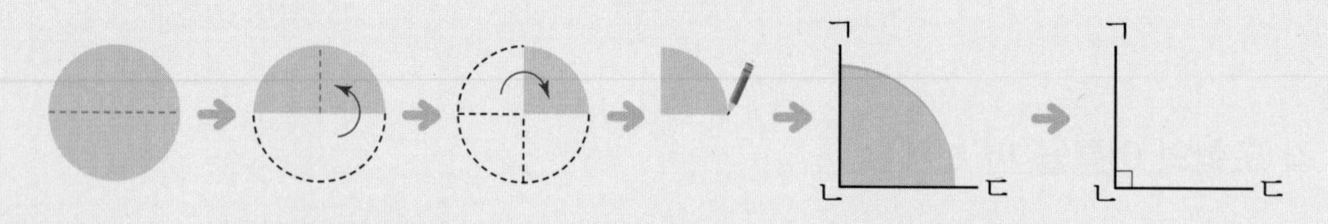

직각 ㄱㄴㄷ을 나타낼 때에는 꼭짓점 ㄴ에 ∟ 표시를 합니다.

• 직각 삼각자를 이용하여 직각 찾기

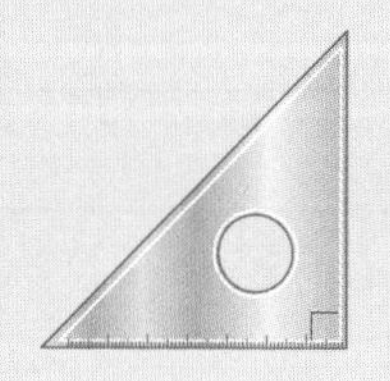

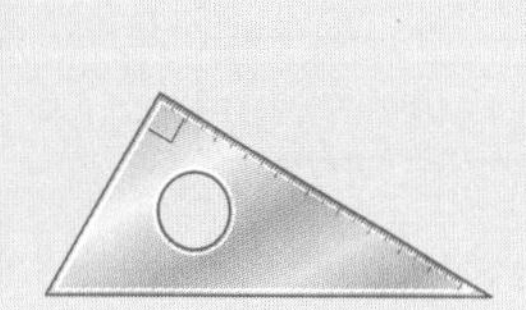

→ 직각 삼각자의 직각 부분을 이용하여 직각을 찾을 수 있습니다.

개념 OX

각의 꼭짓점과 변을 바르게 표시한 친구를 찾아 ○표 하세요.

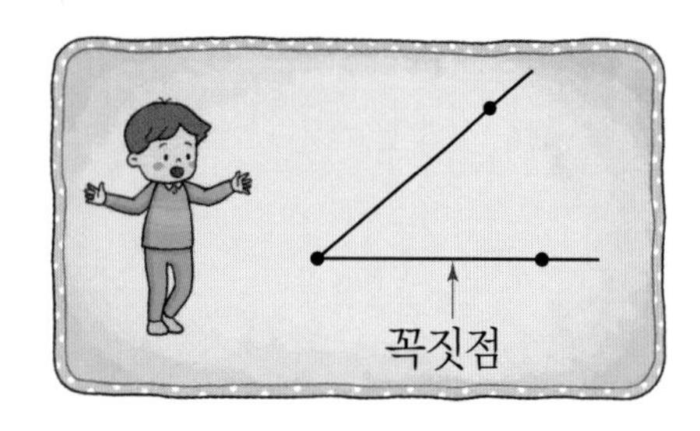

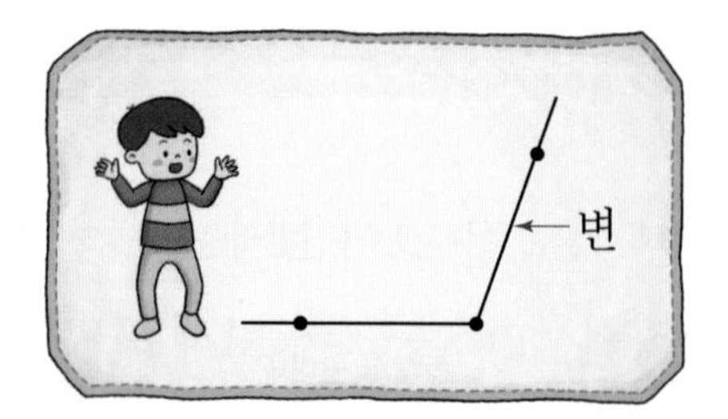

1 각에 모두 ○표 하세요.

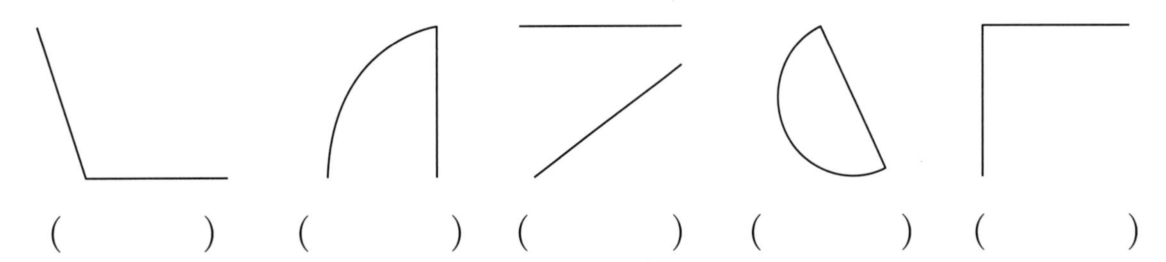

( ) ( ) ( ) ( ) ( )

2 직각을 모두 찾아 ⌞ 로 표시해 보세요.

(1)

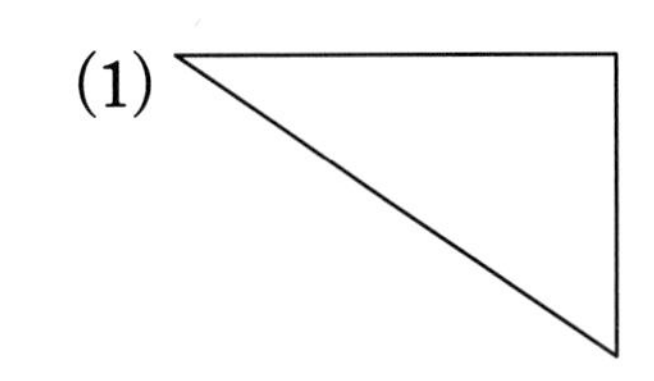

(2)

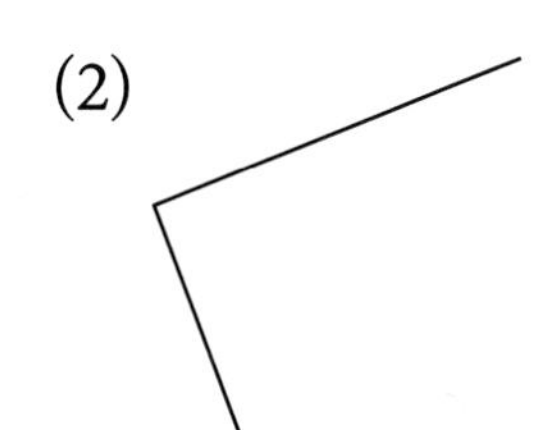

(3)

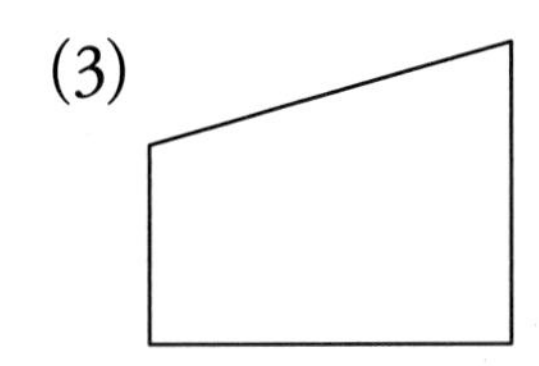

3 각을 읽어 보세요.

(1)

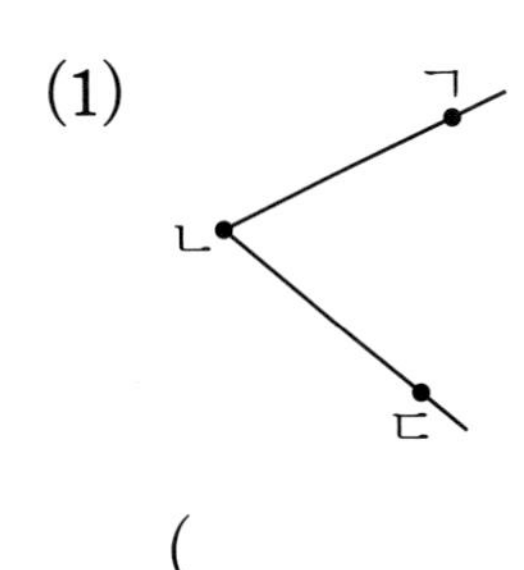

( )

(2)

ㄹ

ㅂ ㅁ

( )

4 주어진 점을 각의 꼭짓점으로 하는 직각을 완성해 보세요.

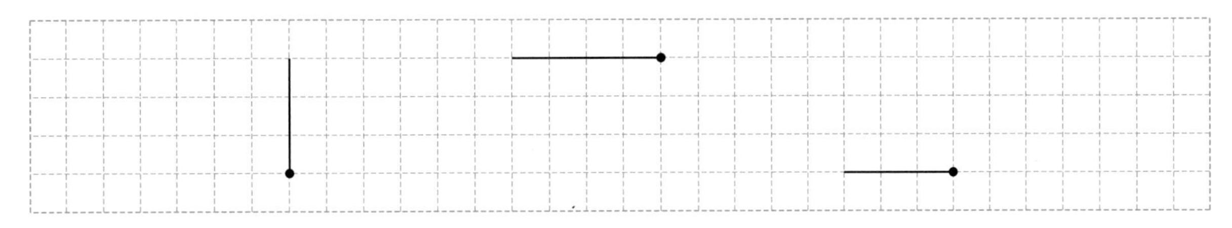

꽃에 있는 팻말에 알맞게 나비와 벌 모양 붙임딱지를 붙여 보세요.

각
직각 2개
선분
2
단원

집중! 드릴 문제

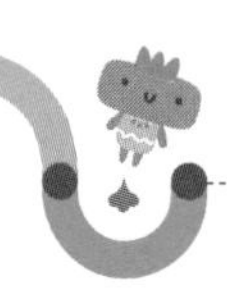

[1~5] 도형의 이름을 써 보세요.

1 ㄱ ㄴ

(　　　　　　　　)

2

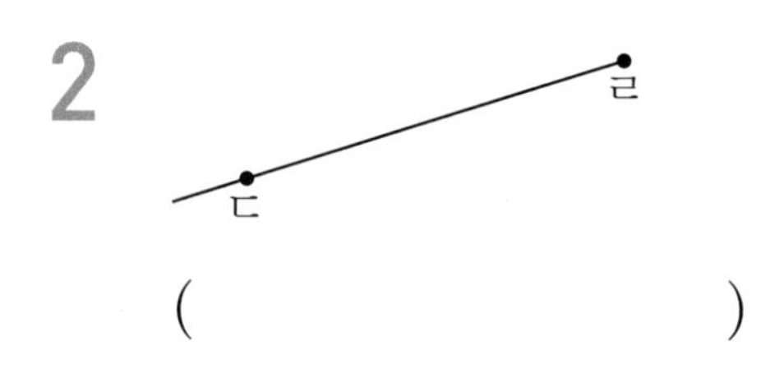

(　　　　　　　　)

3

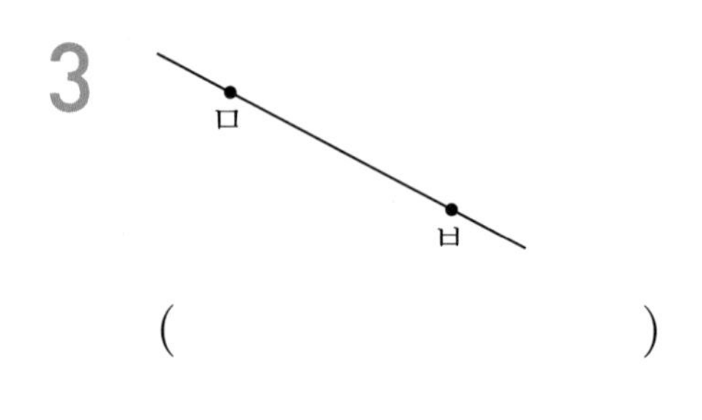

(　　　　　　　　)

4 ㅅ ㅇ

(　　　　　　　　)

5

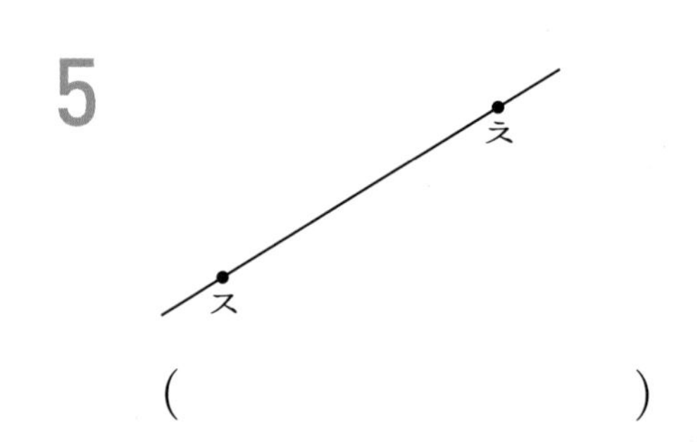

(　　　　　　　　)

[6~10] 각의 꼭짓점과 변을 써 보세요.

6

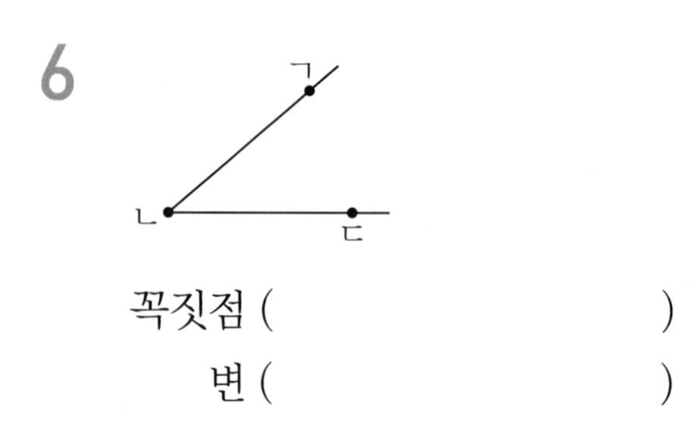

꼭짓점 (　　　　　　　　)

변 (　　　　　　　　)

7

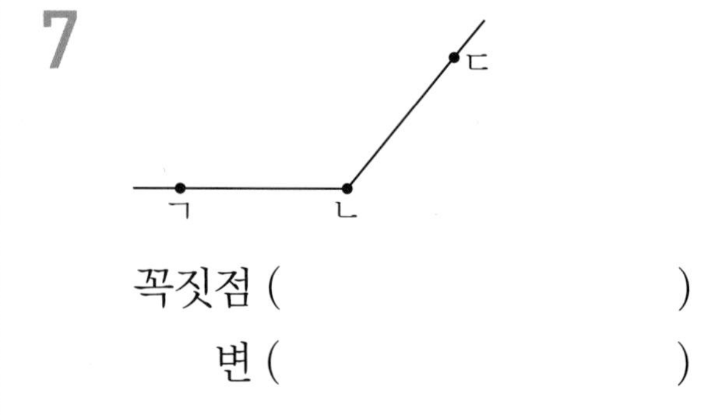

꼭짓점 (　　　　　　　　)

변 (　　　　　　　　)

8

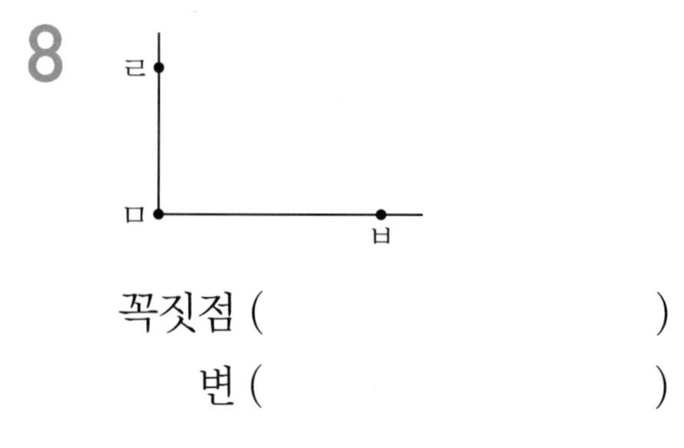

꼭짓점 (　　　　　　　　)

변 (　　　　　　　　)

9

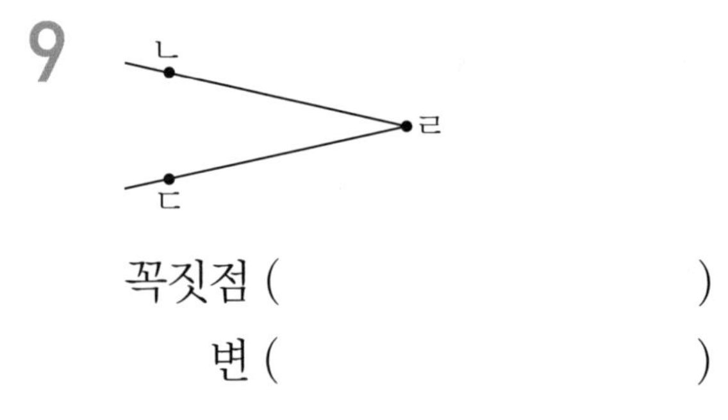

꼭짓점 (　　　　　　　　)

변 (　　　　　　　　)

10

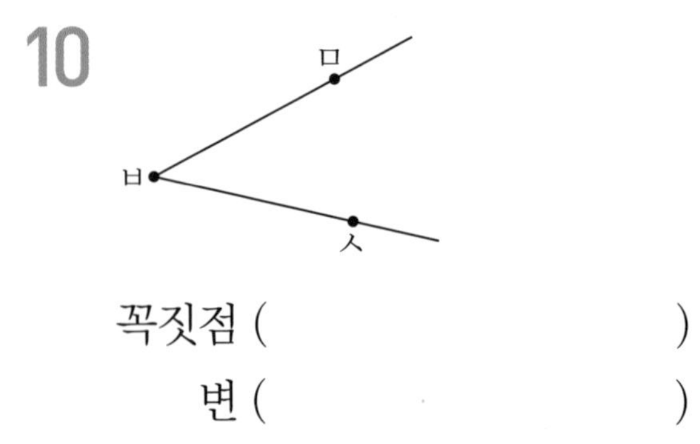

꼭짓점 (　　　　　　　　)

변 (　　　　　　　　)

[11~15] 각을 완성해 보세요.

11 각 ㄱㄴㄷ

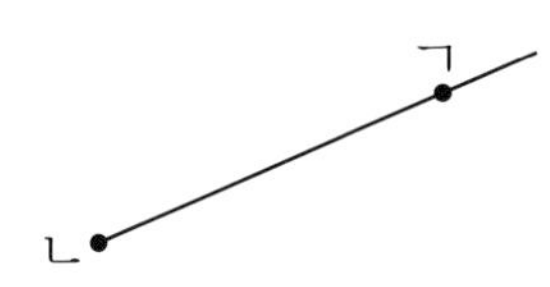

12 각 ㄴㄱㄷ

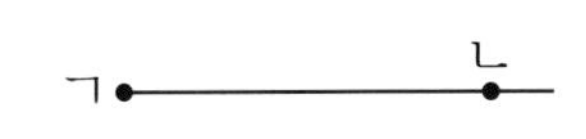

13 각 ㄷㄹㅁ

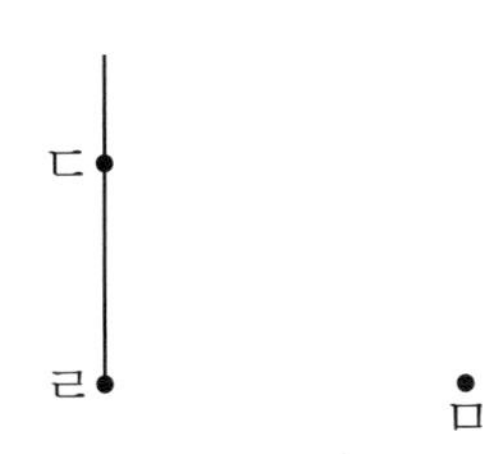

14 각 ㄹㅁㅂ

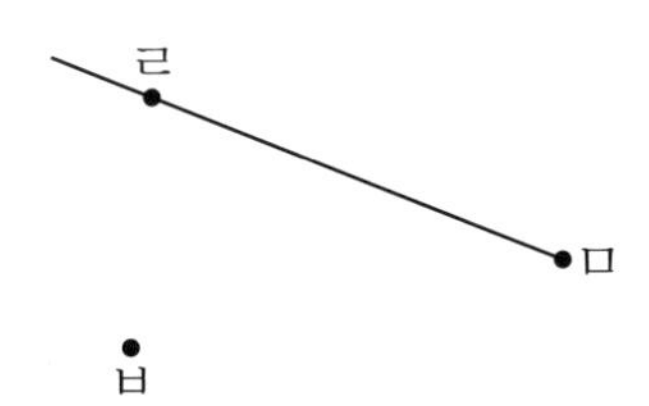

15 각 ㅁㄷㄹ

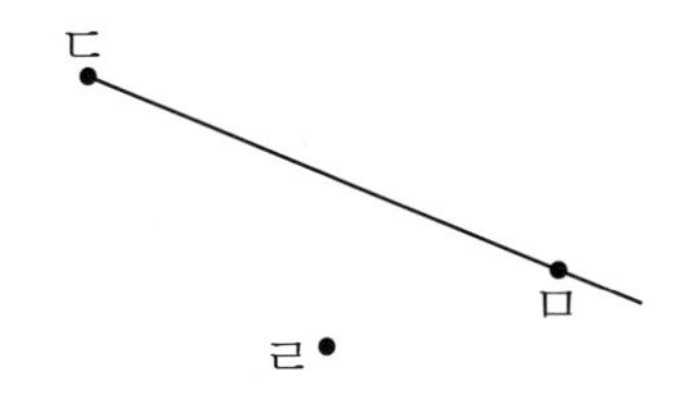

[16~20] 직각을 모두 찾아 ∟ 로 표시해 보세요.

16

17

18

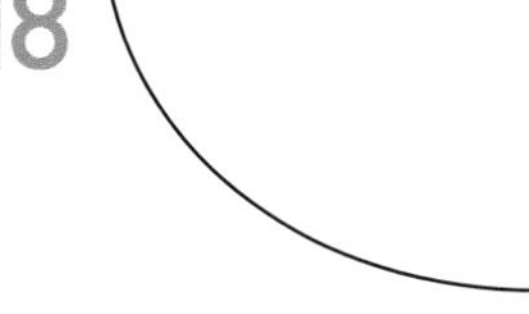

19

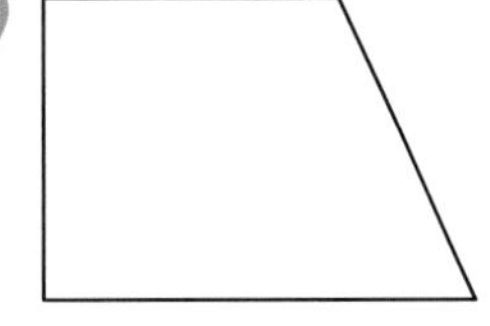

20

교과서 개념 확인 문제

1 선분에 ○표, 직선에 △표 하세요.

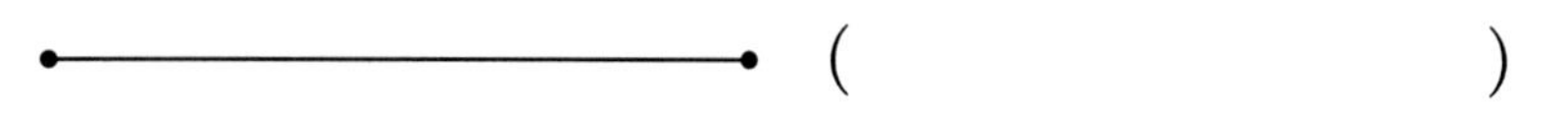
( )

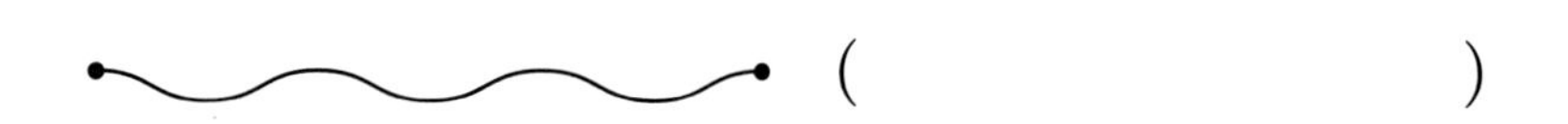
( )

( )

2 각을 찾아 ○표 하세요.

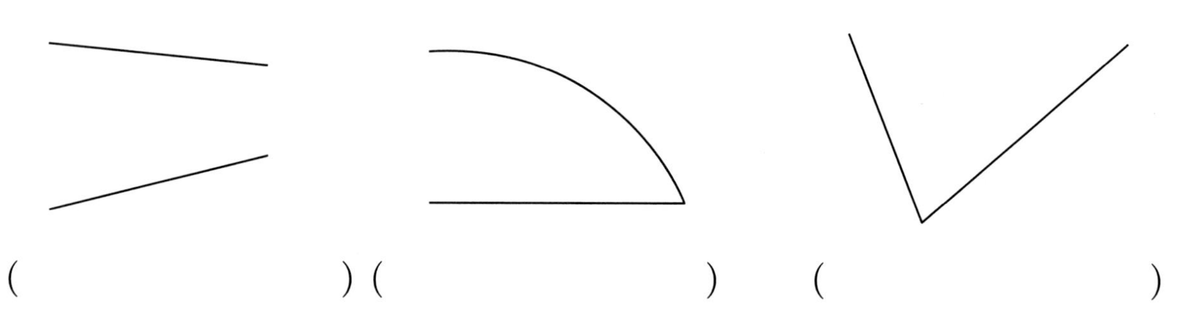

( ) ( ) ( )

3 □ 안에 알맞은 말을 써넣으세요.

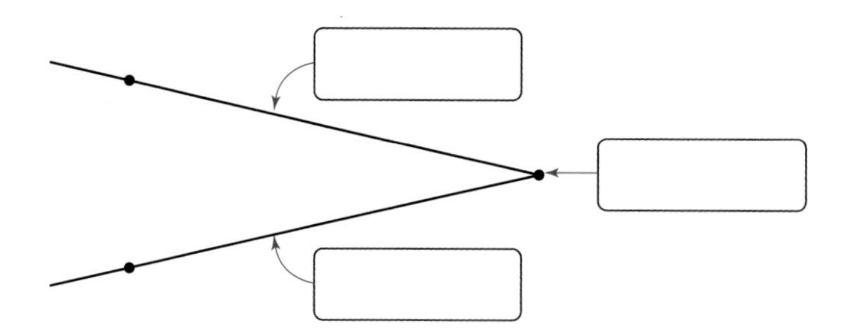

4 도형의 이름을 써 보세요.

(1) ㄱ ㄴ

( )

(2) ㄷ ㄹ

( )

5 삼각자의 어느 부분을 이용하면 직각을 그릴 수 있는지 ○표 하세요.

(1)

(2)

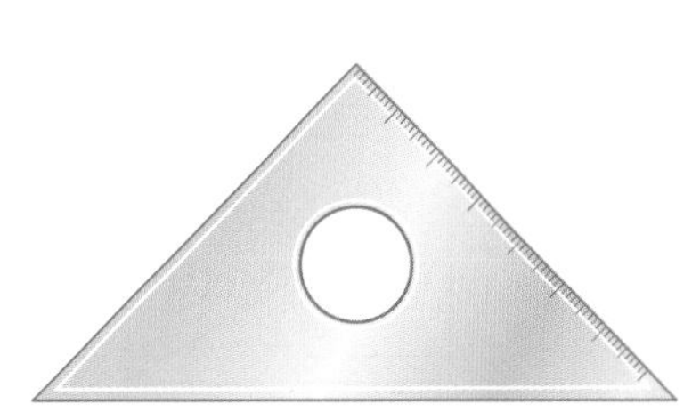

6 관계있는 것끼리 선으로 이어 보세요.

반직선 ㅁㅂ •

반직선 ㅂㅁ •

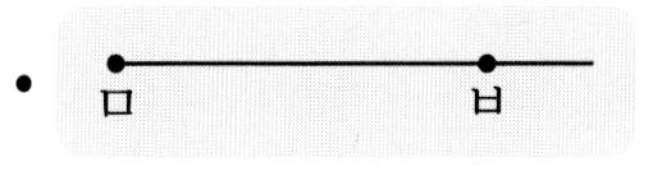

• ㅁ ㅂ (직선 위 두 점)

7 직선 ㄴㄷ을 그려 보세요.

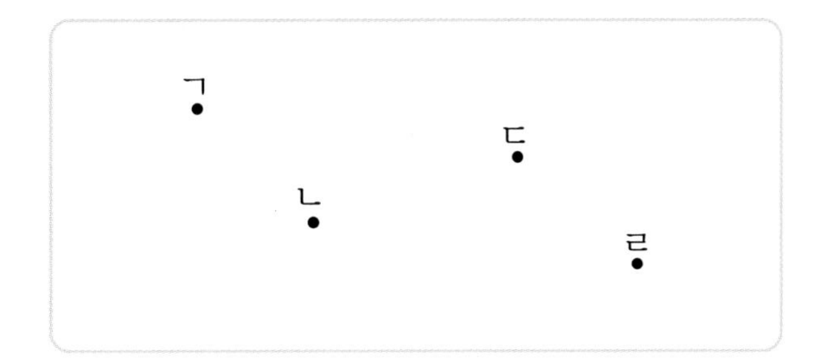

8 각을 읽어 보세요.

(1)

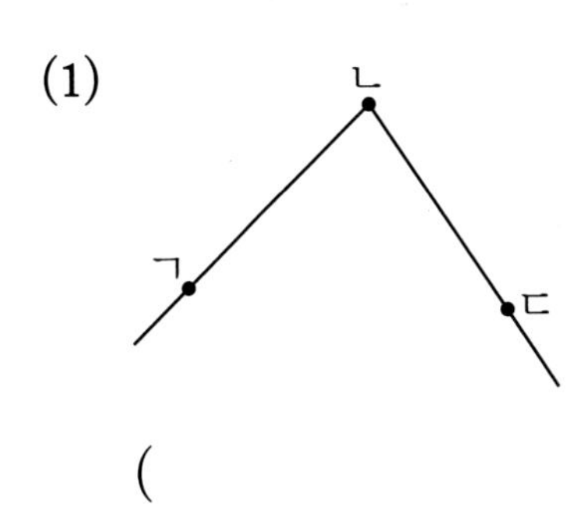

(　　　　　　　　)

(2)

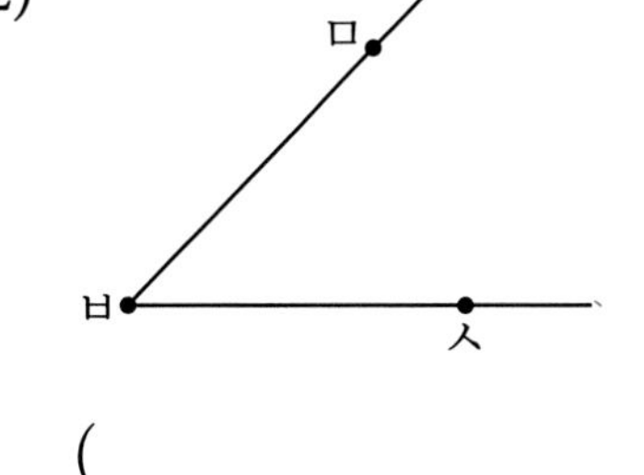

(　　　　　　　　)

9 보기와 같이 직각을 모두 찾아 ∟ 로 표시해 보세요.

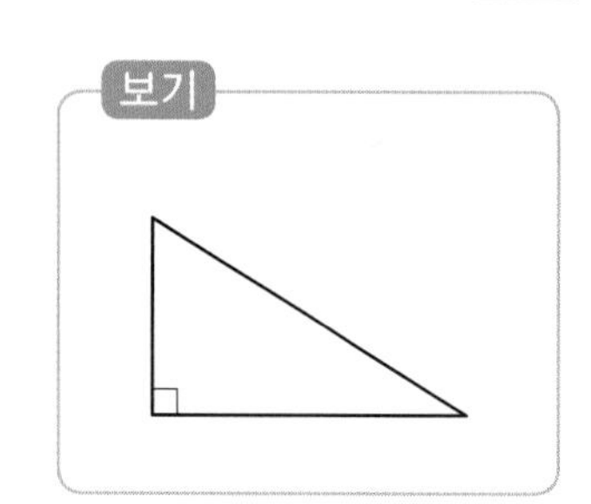

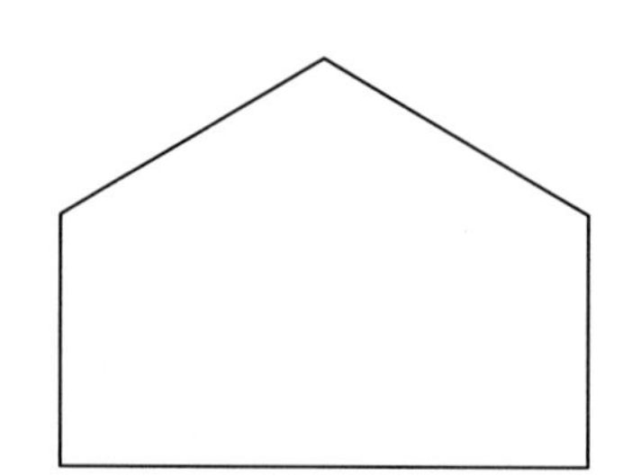

10 점을 이어서 각을 그려 보세요.

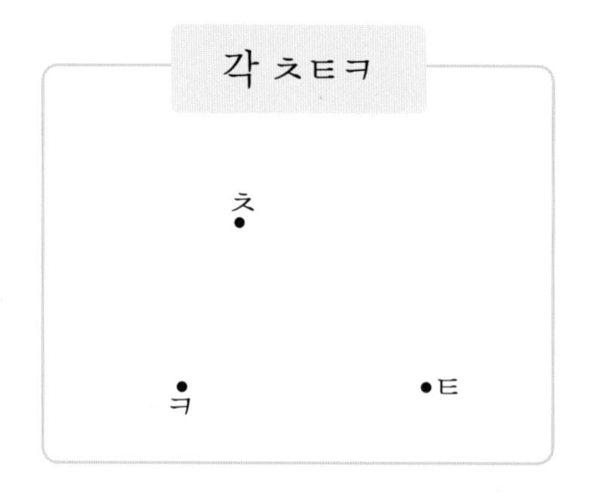

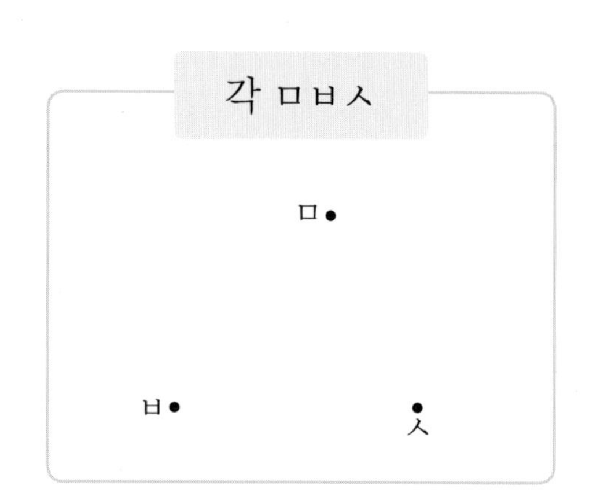

11 도형에서 각은 모두 몇 개인지 써 보세요.

(1)

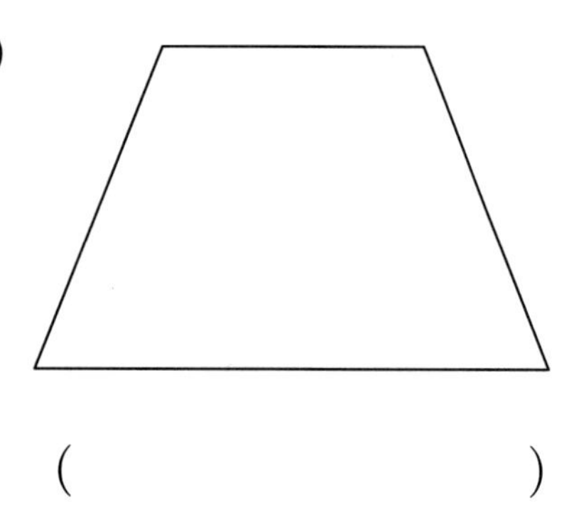

( )

(2)

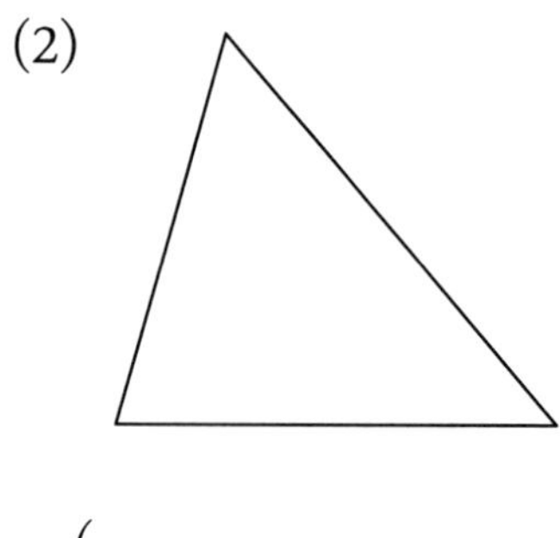

( )

12 도형에서 찾을 수 있는 직각은 모두 몇 개인지 써 보세요.

(1)

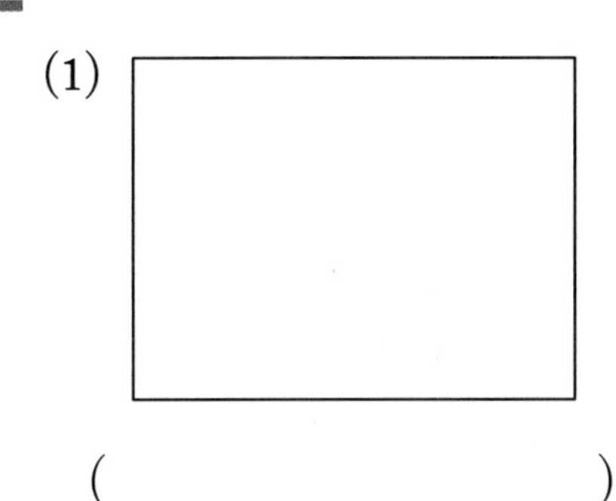

(　　　　　　　　)

(2)

(　　　　　　　　)

13 각이 많은 도형부터 차례로 기호를 써 보세요.

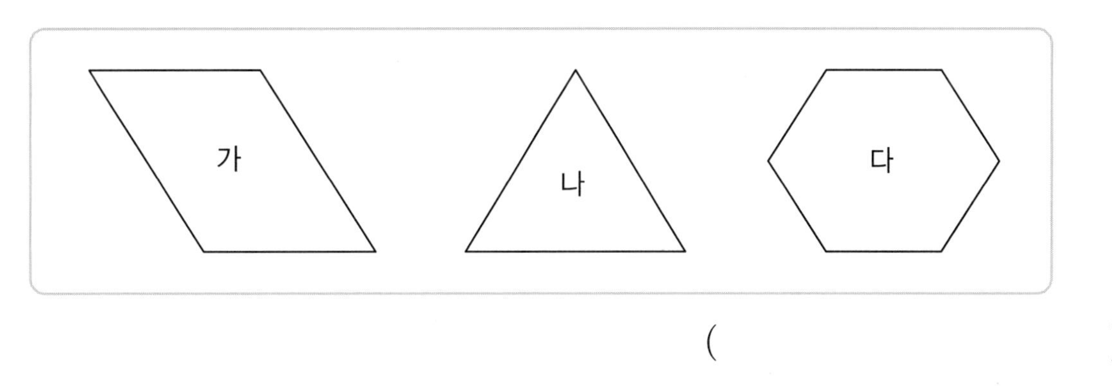

(　　　　　　　　)

14 직각을 찾아 읽어 보세요.

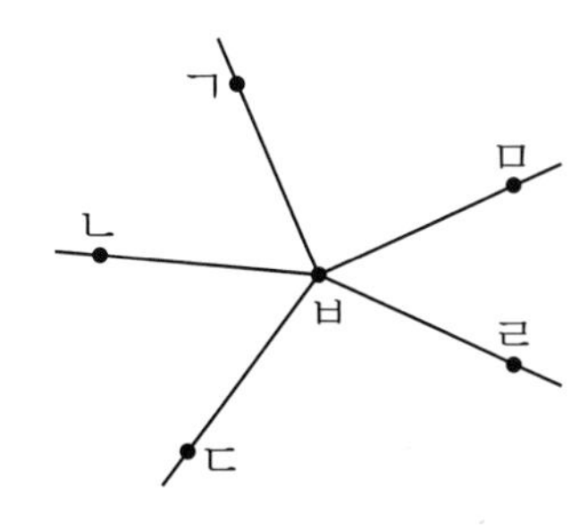

(　　　　　　　　)

교과서 개념 잡기

개념 4 직각삼각형 알아보기

- 한 각이 직각인 삼각형을 직각삼각형이라고 합니다.

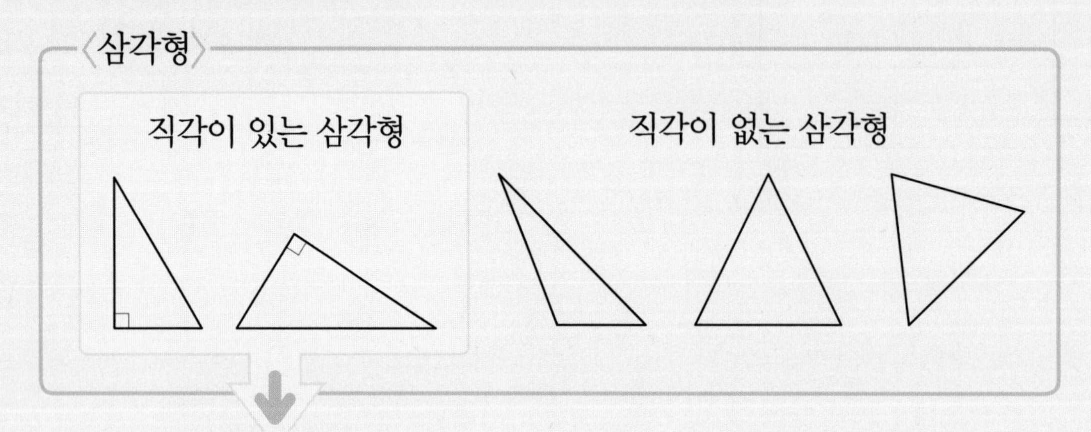

직각삼각형

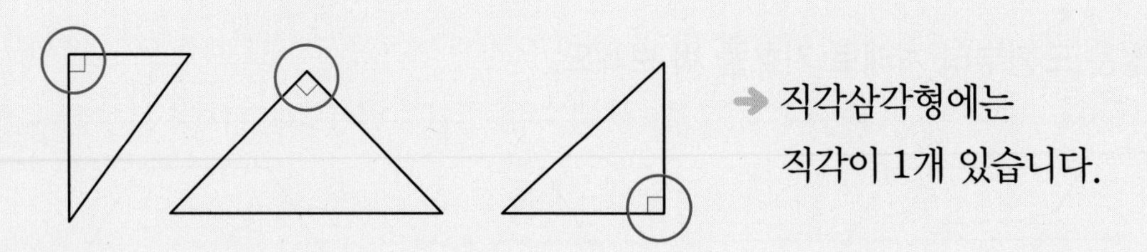

➔ 직각삼각형에는 직각이 1개 있습니다.

- 직각삼각형 찾기

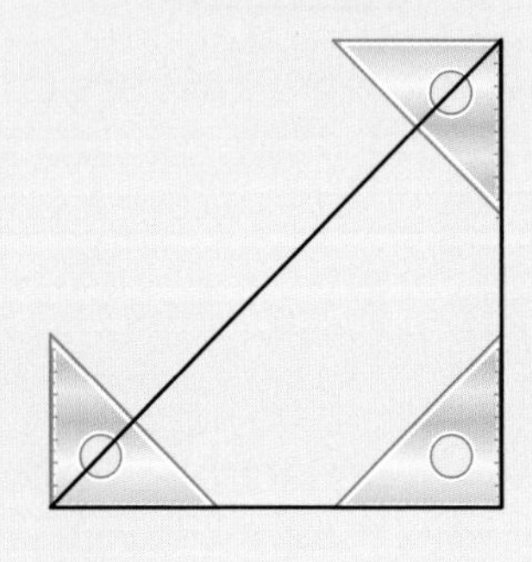

직각 삼각자의 직각인 부분을 대어 보았을 때 직각이 1개 있으면 직각삼각형입니다.

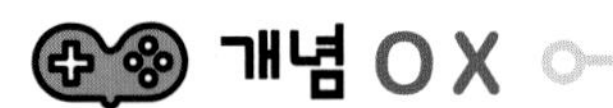

개념 OX

직각삼각형 모양인 물건을 모두 찾아 ◯표 하세요.

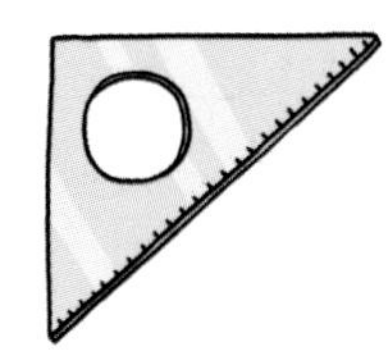

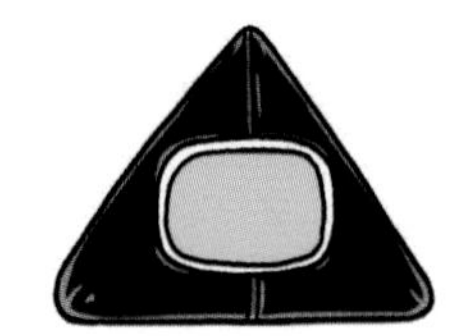

정답과 풀이 p.11

1 직각삼각형을 모두 찾아 기호를 써 보세요.

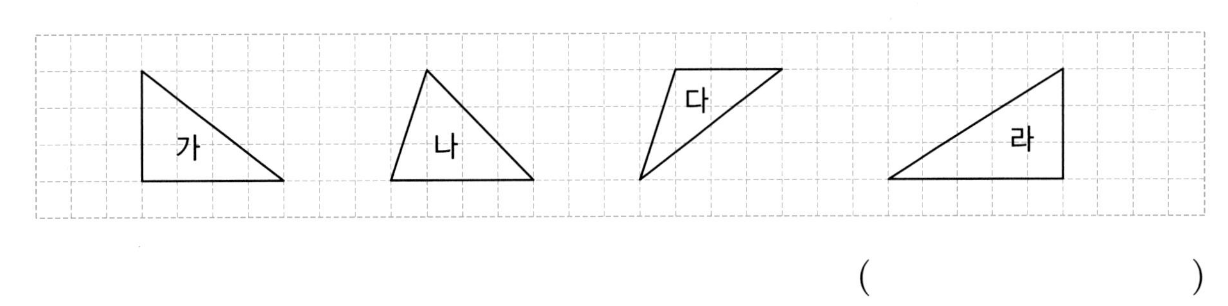

(   )

2 직각삼각형에서 직각을 찾아 ∟ 로 표시해 보세요.

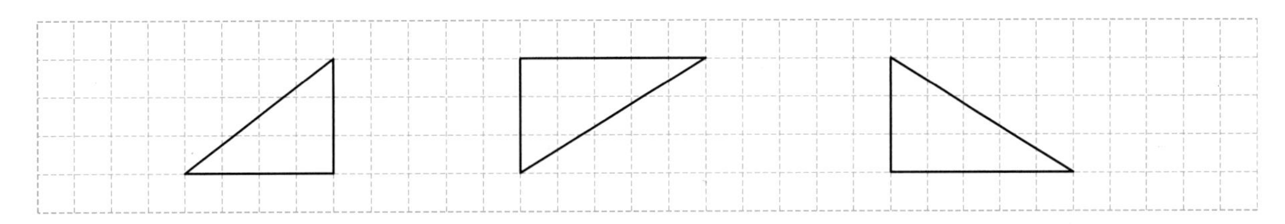

3 직각 삼각자를 이용하여 주어진 선분을 한 변으로 하는 직각삼각형을 그려 보세요.

(1)

(2)

4 점 종이에 직각삼각형을 2개 그려 보세요.

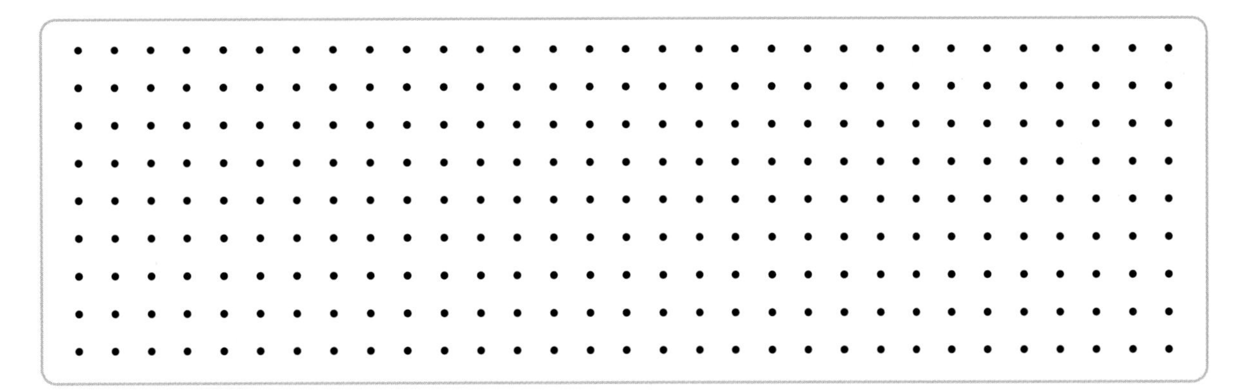

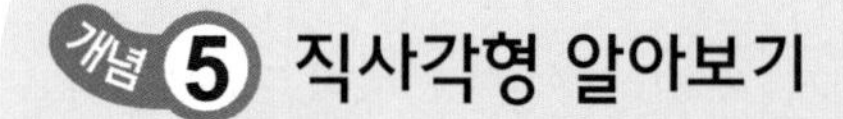

개념 5 직사각형 알아보기

• 네 각이 모두 직각인 사각형을 직사각형이라고 합니다.

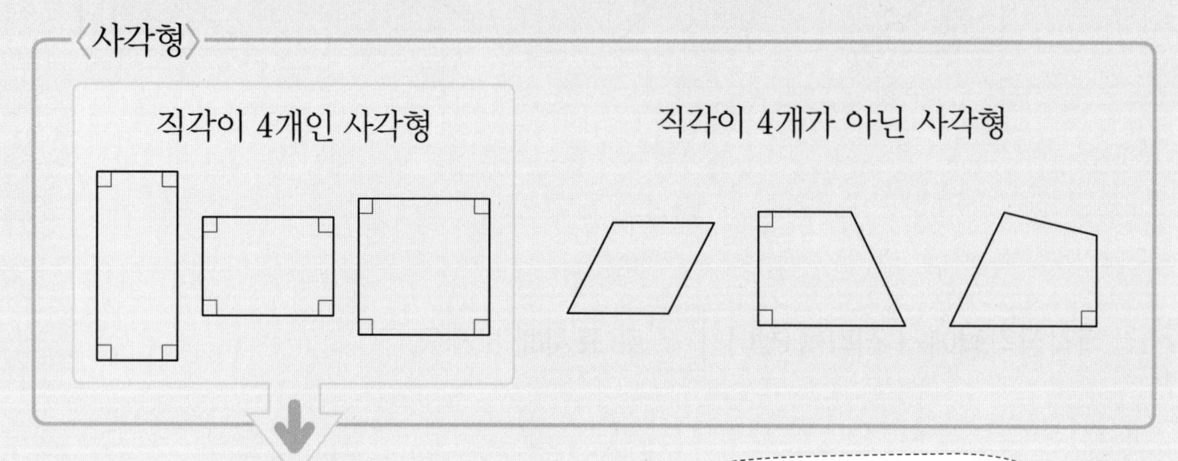

직사각형

정사각형은 직사각형이에요.
직사각형은 정사각형이 아니에요.

개념 6 정사각형 알아보기

• 네 각이 모두 직각이고 네 변의 길이가 모두 같은 사각형을 정사각형이라고 합니다.

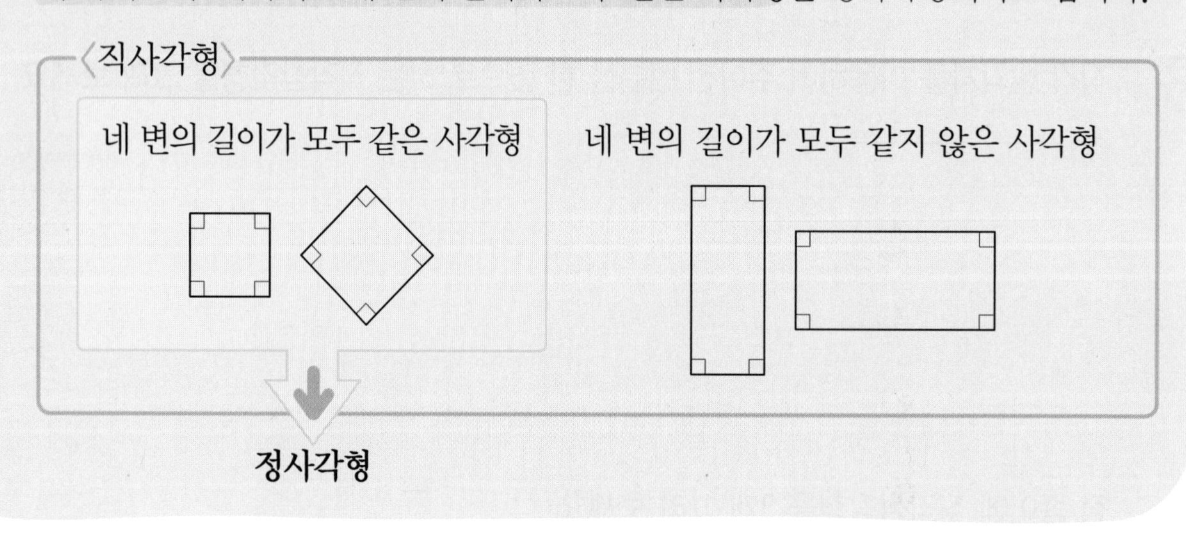

개념 OX

직사각형 모양인 물건을 모두 찾아 ○표 하세요.

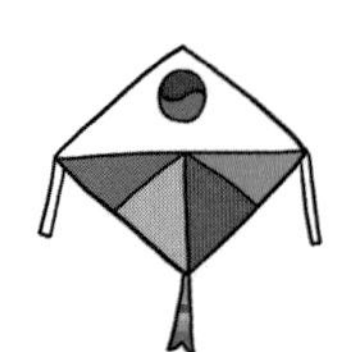

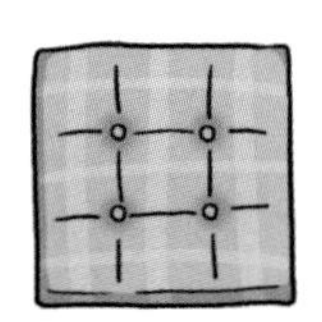

2 단원

1 직사각형을 모두 찾아 기호를 써 보세요.

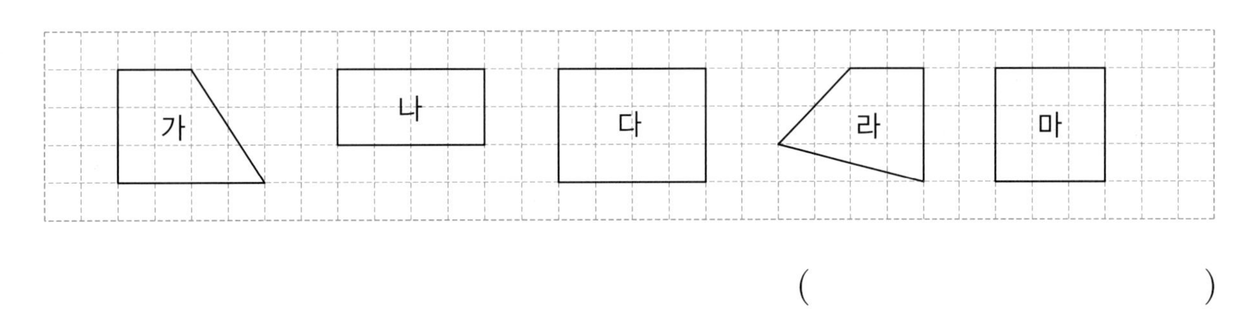

( )

2 정사각형을 모두 찾아 기호를 써 보세요.

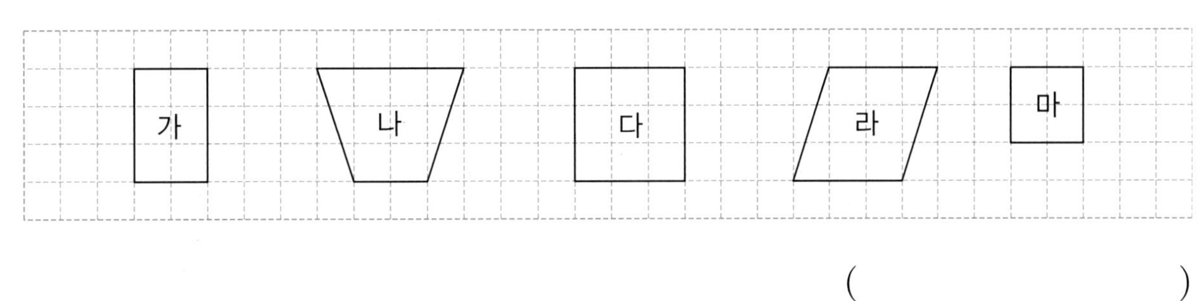

( )

3 직사각형에서 직각을 모두 찾아 ⌞ 로 표시하고 직각이 모두 몇 개인지 써 보세요.

( )

4 점 종이에 직사각형과 정사각형을 각각 그려 보세요.

직사각형

정사각형

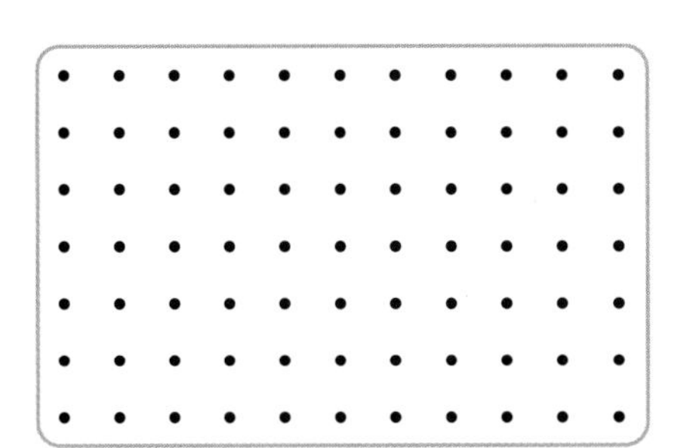

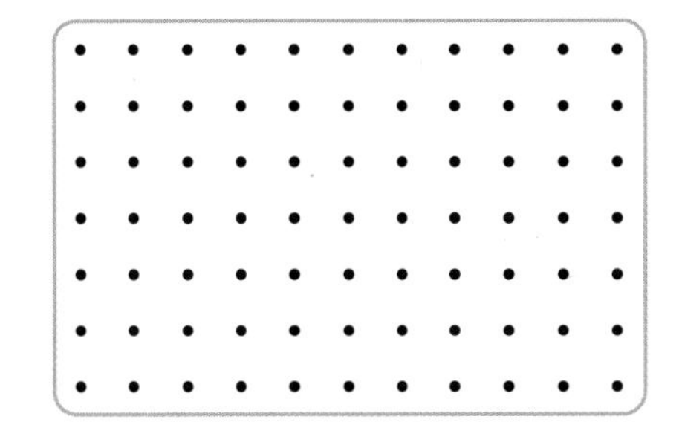

다음과 같은 순서로 색칠해 보세요.

① 직각삼각형을 빨간색으로, 정사각형을 파란색으로 색칠해 보세요.

② 직사각형을 초록색으로 색칠해 보세요.

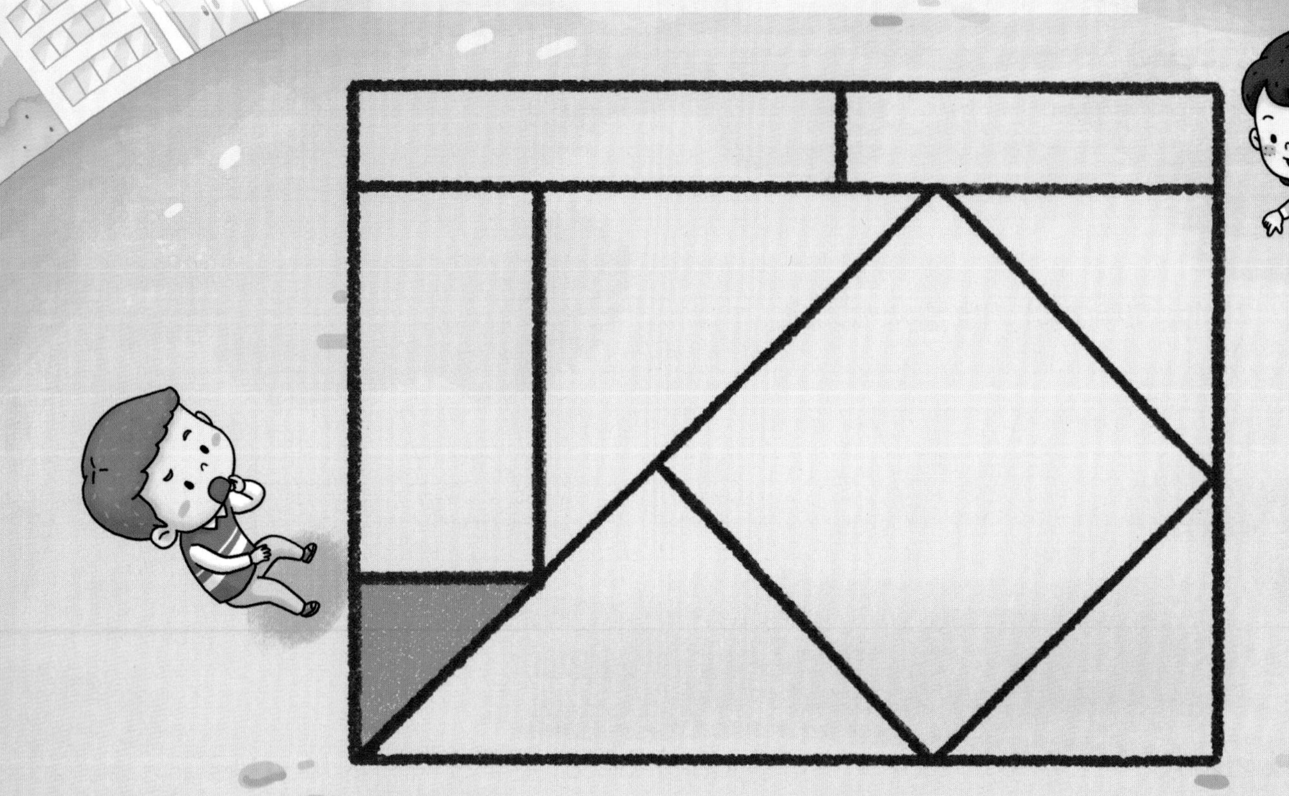

2
단원

집중! 드릴 문제

[1~5] 직각삼각형을 찾아 ◯표 하세요.

1

(   )

2

(   )

3

(   )

4

(   )

5

(   )

[6~10] 직사각형을 찾아 ◯표 하세요.

6

(   )

7

(   )

8

(   )

9

(   )

10

(   )

[11~15] 정사각형을 찾아 ○표 하세요.

11

( )

12

( )

13

( )

14

( )

15

( )

[16~20] 모눈종이에 그어진 선분을 이용하여 직사각형 또는 정사각형을 완성해 보세요.

16

직사각형

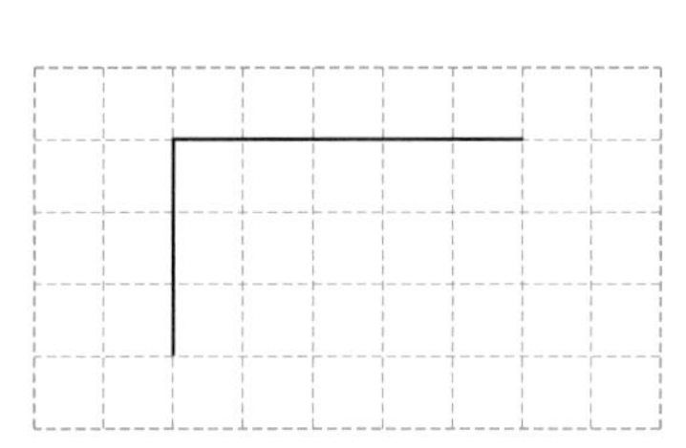

17

정사각형

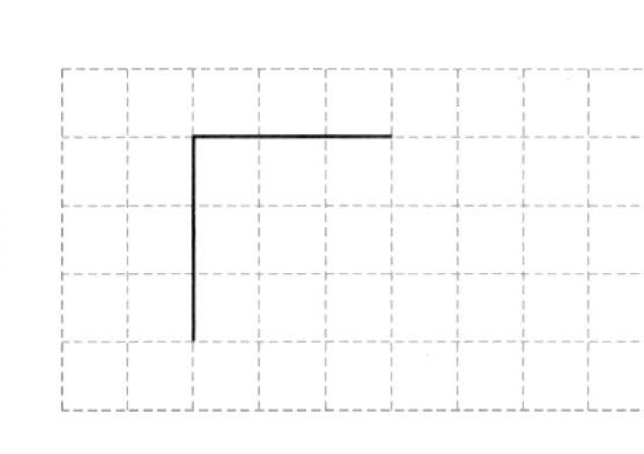

18

직사각형

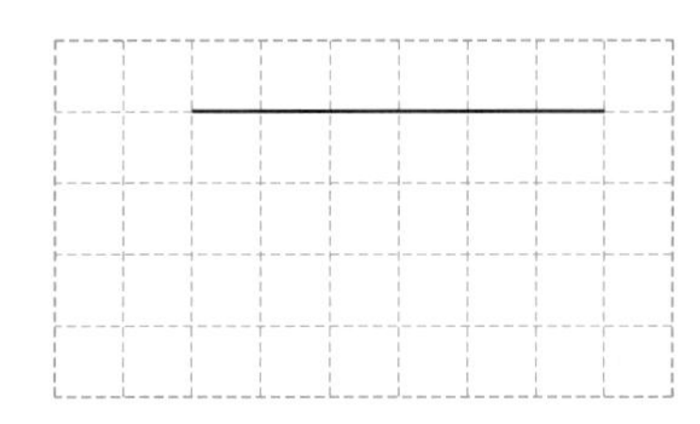

19

직사각형

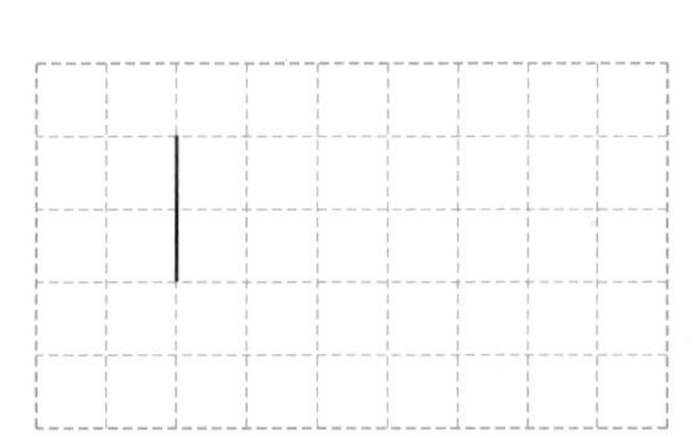

20

정사각형

교과서 개념 확인 문제

1 도형을 보고 □ 안에 알맞은 말을 써넣으세요.

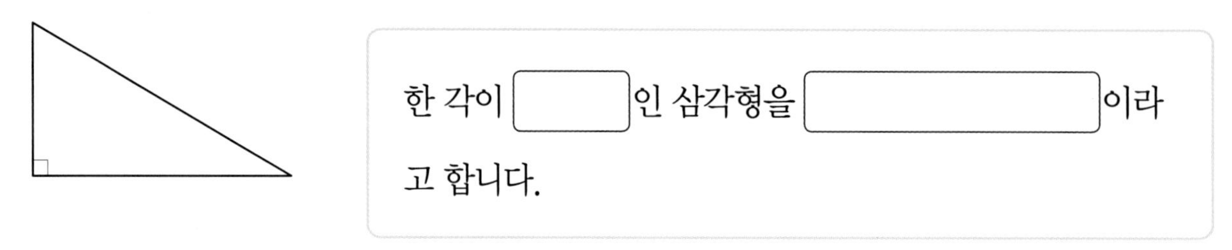

한 각이 [ ]인 삼각형을 [ ]이라고 합니다.

2 도형을 보고 □ 안에 알맞은 말을 써넣으세요.

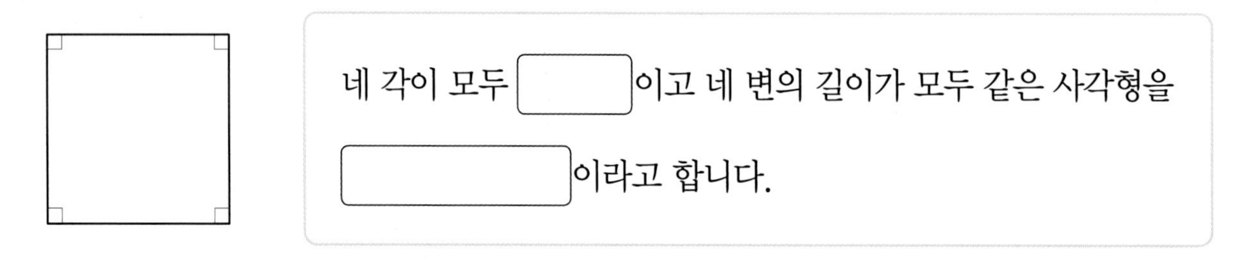

네 각이 모두 [ ]이고 네 변의 길이가 모두 같은 사각형을 [ ]이라고 합니다.

3 도형을 보고 물음에 답하세요.

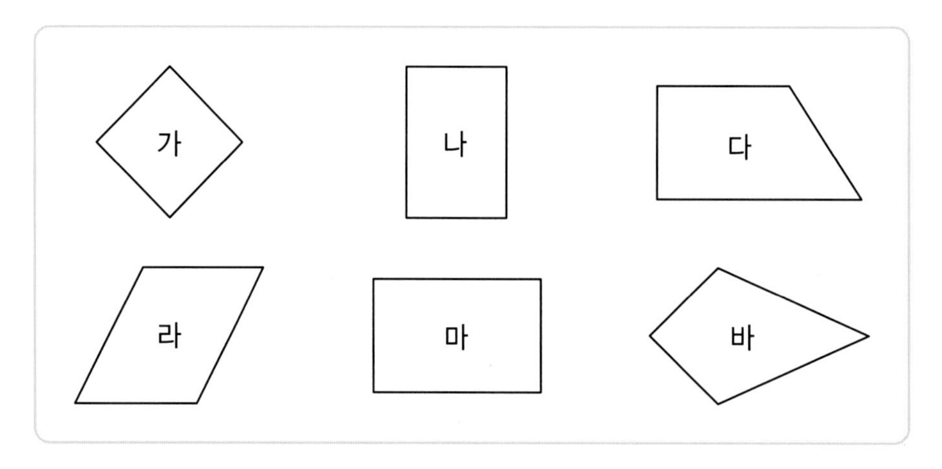

(1) 직사각형을 모두 찾아 기호를 써 보세요.

( )

(2) 정사각형을 찾아 기호를 써 보세요.

( )

4 모눈종이에 그어진 선분을 한 변으로 하는 정사각형을 그려 보세요.

(1)

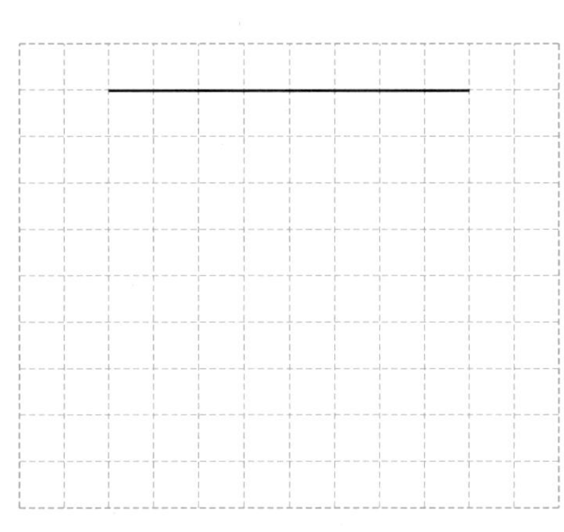

(2)

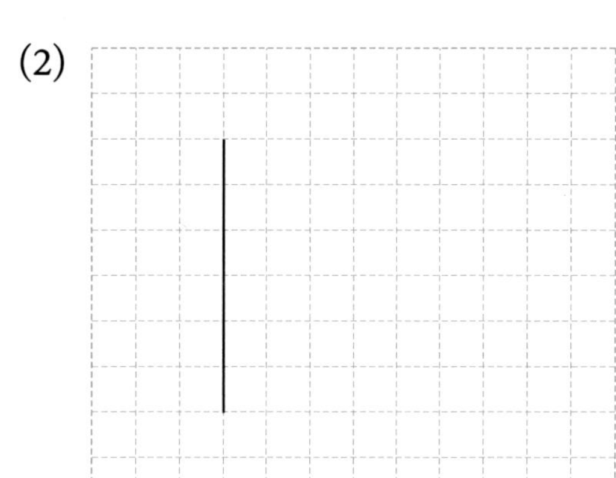

5 모눈종이에 그어진 선분을 한 변으로 하는 직각삼각형을 그려 보세요.

(1)

(2)

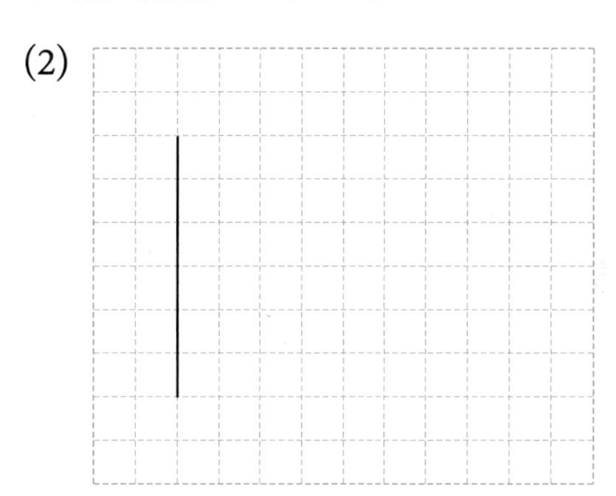

6 직사각형입니다. □ 안에 알맞은 수를 써넣으세요.

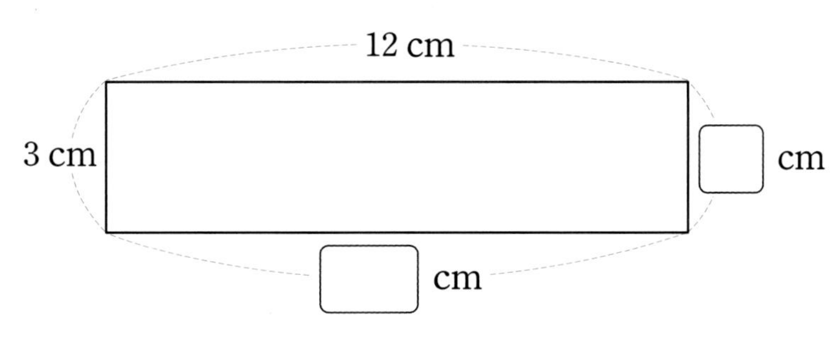

7 점 ㄱ을 옮겨서 직각삼각형이 되게 하려고 합니다. 점 ㄱ을 어느 점으로 옮겨야 하는지 번호를 써 보세요.

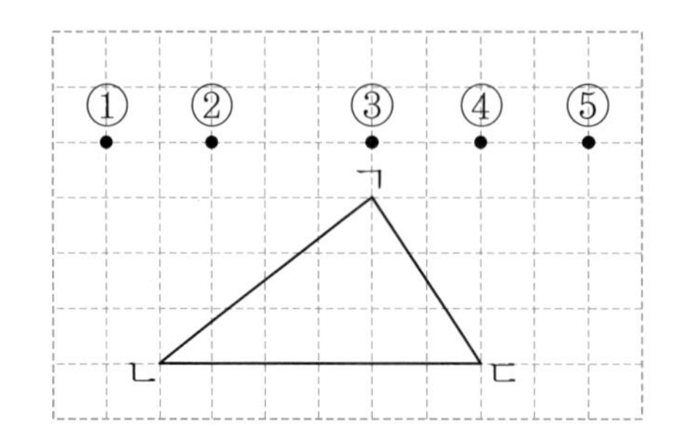

(　　　　　　　　)

8 어떤 도형에 대한 설명인지 써 보세요.

- 사각형입니다.
- 직각이 4개 있습니다.
- 네 변의 길이가 모두 같습니다.

(　　　　　　　　)

9 다음 도형이 직사각형이 아닌 이유를 써 보세요.

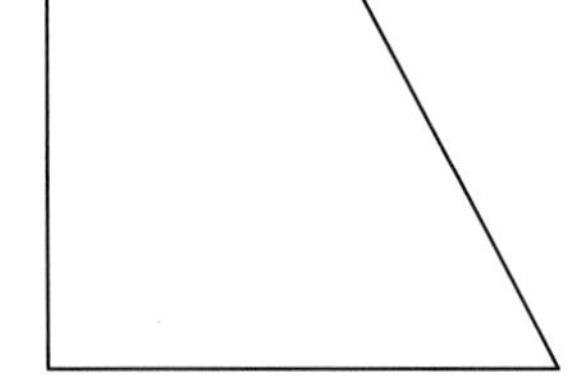

이유

10 정사각형의 한 변의 길이가 5 cm일 때, 네 변의 길이의 합은 몇 cm인지 구해 보세요.

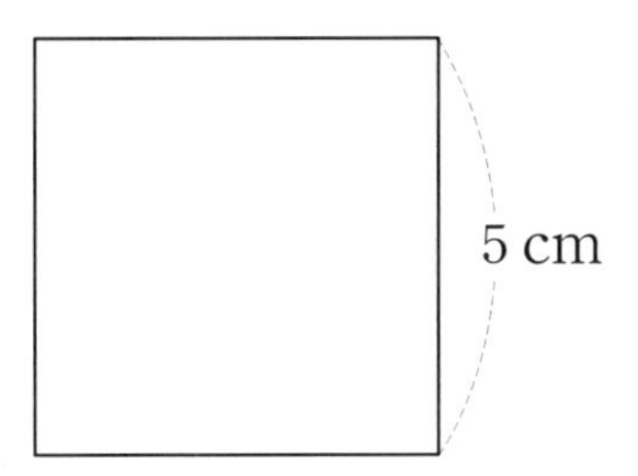

(　　　　　　　)

2 단원

11 시계의 긴바늘과 짧은바늘이 이루는 각이 직각인 시계를 찾아 시각을 써 보세요.

(　　　)　(　　　)　(　　　)

12 칠교판의 모양 조각 7개 중에서 직각삼각형 모양은 모두 몇 개인지 써 보세요.

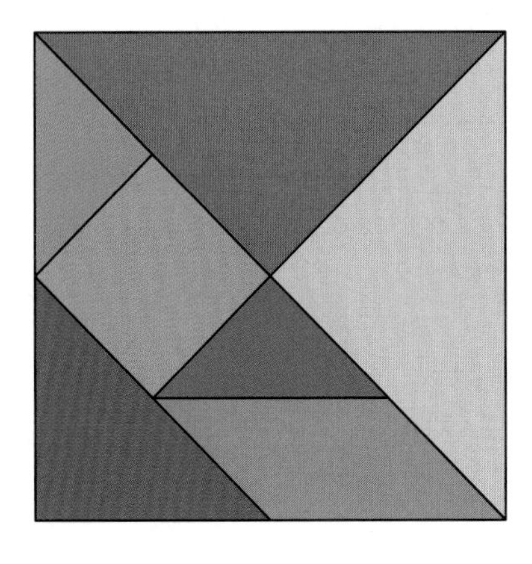

(　　　　　　　)

맞은 개수

1 도형을 보고 물음에 답하세요.

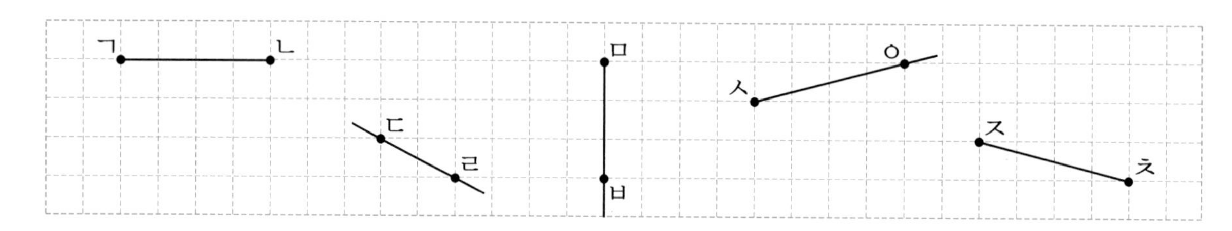

(1) 선분을 모두 찾아 이름을 써 보세요. ( )

(2) 반직선을 모두 찾아 이름을 써 보세요. ( )

(3) 직선을 찾아 이름을 써 보세요. ( )

2 세 점을 이용하여 각 ㄷㄴㄱ을 그려 보세요.

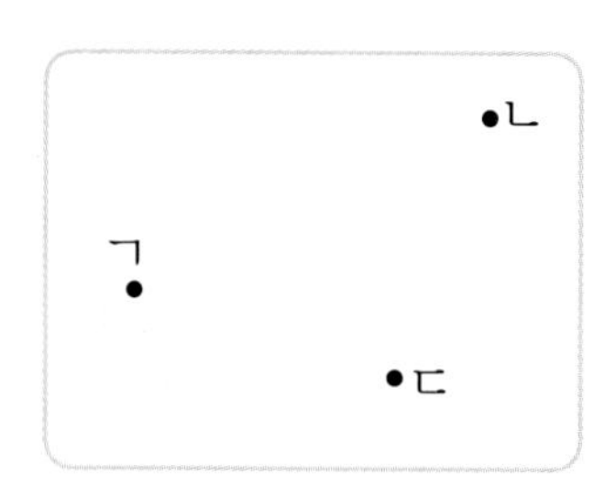

3 도형을 보고 물음에 답하세요.

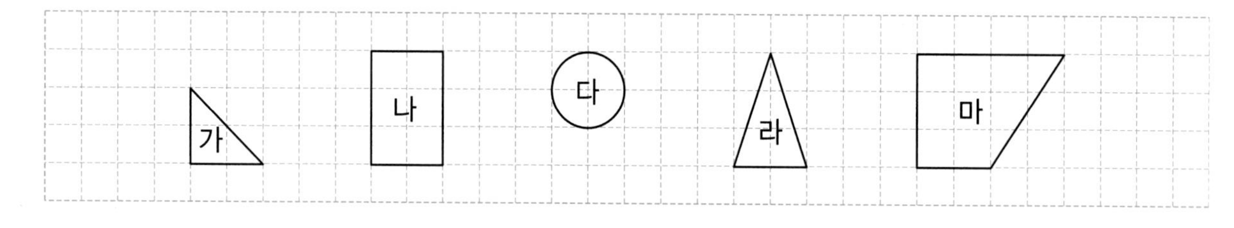

(1) 도형에서 직각을 모두 찾아 ∟ 로 표시해 보세요.

(2) 직각이 가장 많은 도형을 찾아 기호를 써 보세요. ( )

4 직사각형을 모두 찾아 기호를 써 보세요.

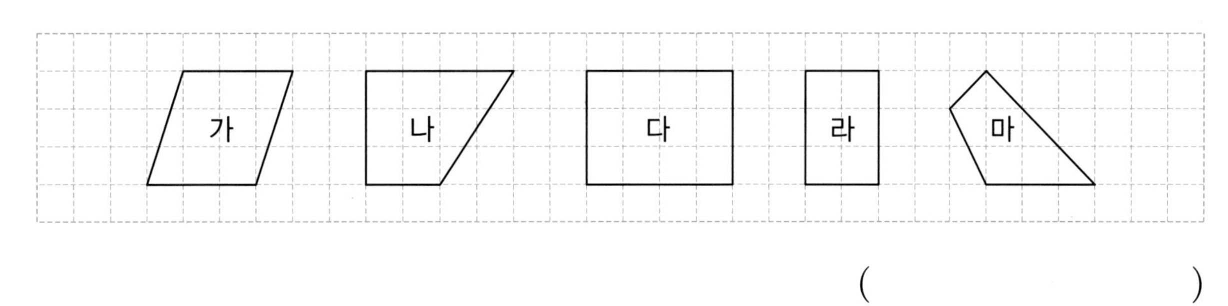

( )

5 직각 삼각자를 이용하여 주어진 선분을 한 변으로 하는 직각삼각형을 그려 보세요.

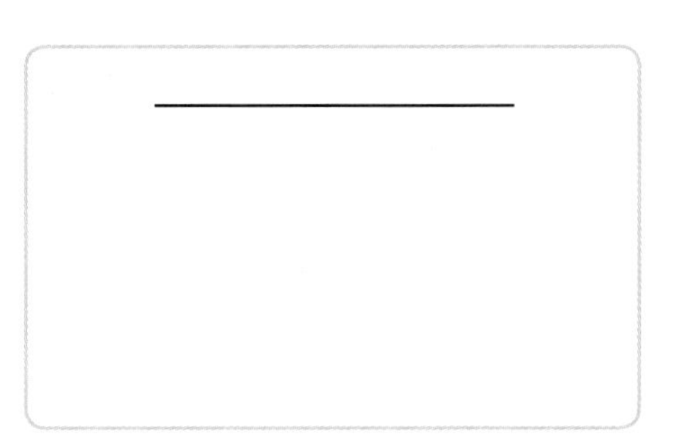

6 정사각형에 대해 잘못 설명한 사람은 누구인지 써 보세요.

태형: 정사각형은 꼭짓점이 4개야.
윤기: 정사각형은 각이 4개야.
시혁: 정사각형에서 직각은 1개만 찾을 수 있어.
지민: 정사각형의 네 변의 길이는 모두 같아.

( )

7 도형을 보고 잘못 설명한 것을 찾아 기호를 써 보세요.

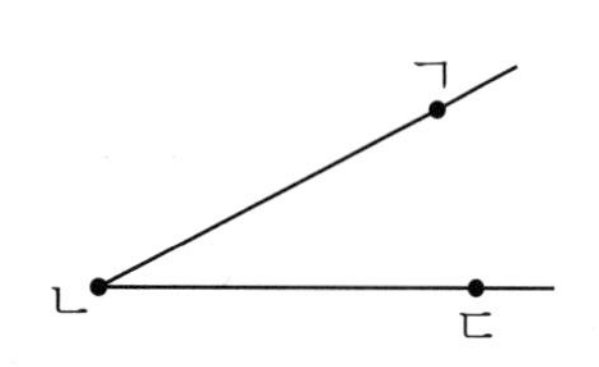

㉠ 각의 꼭짓점은 점 ㄷ입니다.
㉡ 변은 2개입니다.
㉢ 각의 꼭짓점은 1개입니다.
㉣ 각 ㄱㄴㄷ이라고 읽습니다.

( )

8 다음 직각삼각형의 같은 점을 써 보세요.

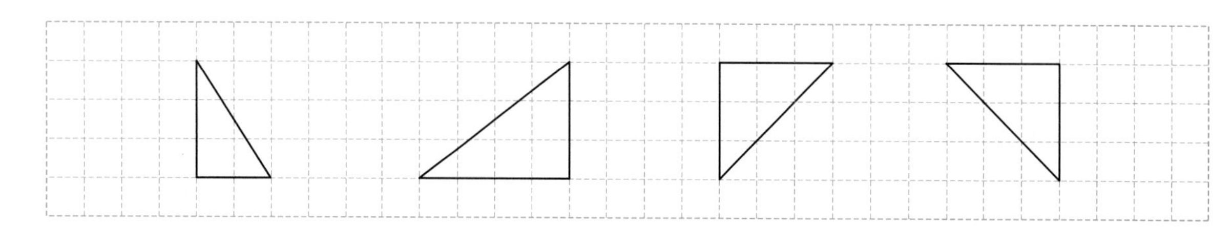

같은 점 위의 직각삼각형은 모두 한 각이 [ ]입니다.

9 각의 개수가 적은 도형부터 순서대로 기호를 써 보세요.

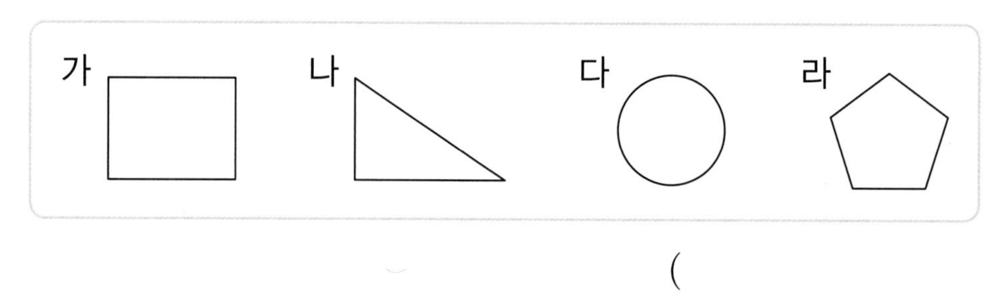

( )

10 도형의 이름으로 알맞은 것을 모두 찾아 기호를 써 보세요.

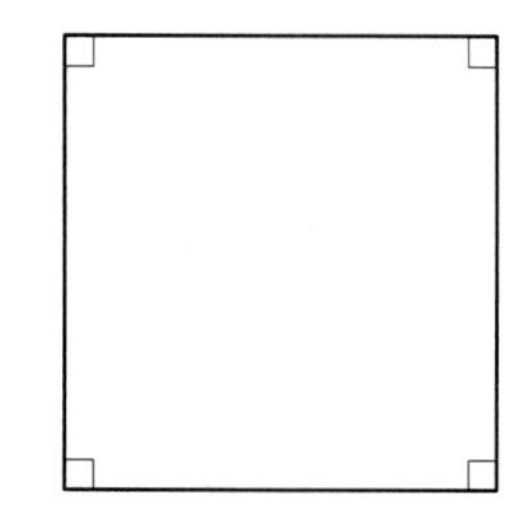

㉠ 삼각형 ㉡ 직각삼각형
㉢ 직사각형 ㉣ 정사각형

( )

3 나눗셈

학습 계획표

내용	쪽수	날짜	확인
교과서 개념 잡기	62~65쪽	월 일	
교과서 개념 play / 집중! 드릴 문제	66~69쪽	월 일	
교과서 개념 확인 문제	70~73쪽	월 일	
교과서 개념 잡기	74~77쪽	월 일	
교과서 개념 play / 집중! 드릴 문제	78~81쪽	월 일	
교과서 개념 확인 문제	82~85쪽	월 일	
개념 확인평가	86~88쪽	월 일	

교과서 개념 잡기

개념 1 똑같이 나누기 (1)

• 바둑돌 8개를 접시 2개에 똑같이 나누어 놓기

① 1개씩 번갈아 가며 놓기

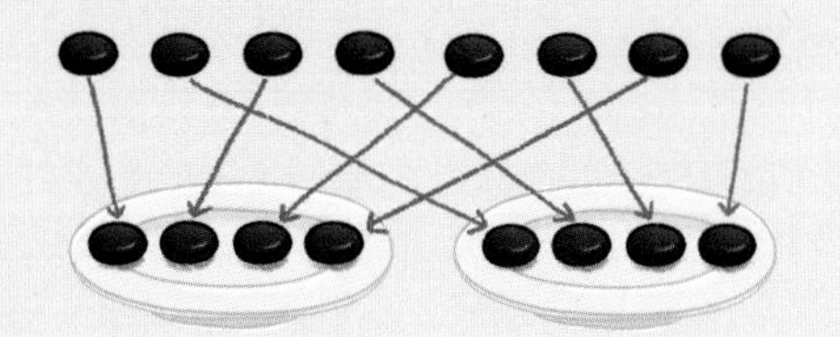

② 2개씩 번갈아 가며 놓기

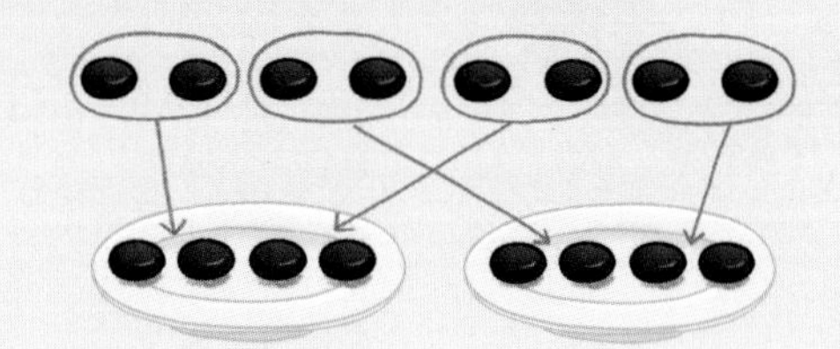

8을 2로 나누면 4가 됩니다.

$$8 \div 2 = 4$$

$8 \div 2 = 4$와 같은 식을 나눗셈식이라 하고 8 나누기 2는 4와 같습니다라고 읽습니다. 이때 4는 8을 2로 나눈 몫, 8은 나누어지는 수, 2는 나누는 수라고 합니다.

• 바둑돌 12개를 접시 4개에 똑같이 나누어 놓기

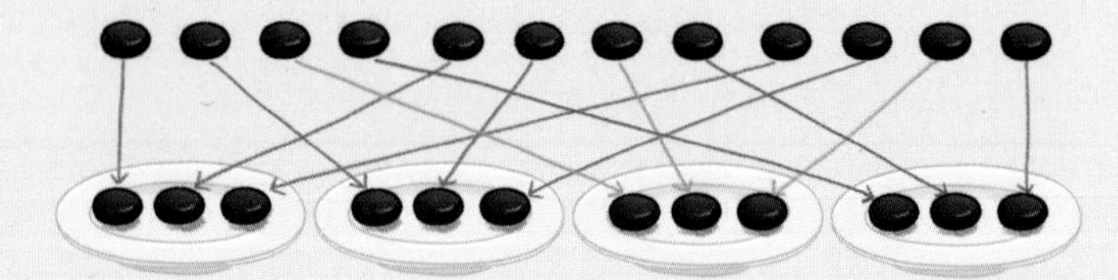

나눗셈식 $12 \div 4 = 3$ (12: 나누어지는 수, 4: 나누는 수, 3: 몫)

읽기 12 나누기 4는 3과 같습니다.

체크 Play

준비물 붙임딱지

과자 12개를 접시 2개에 똑같이 나누어 담으려고 합니다. 접시에 과자 붙임딱지를 알맞게 붙이고, □ 안에 알맞은 수를 써넣으세요.

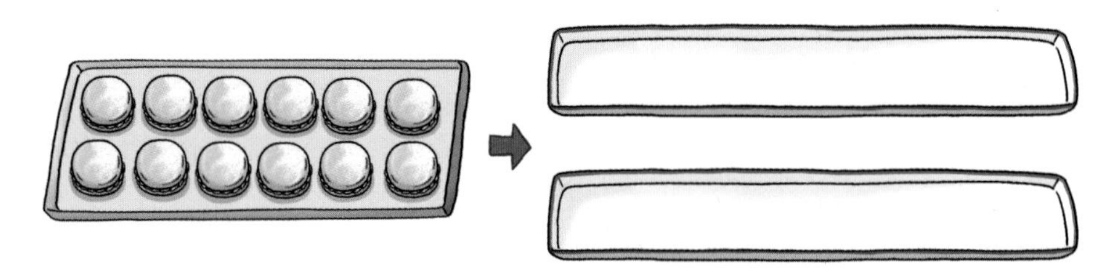

➜ 한 접시에 □개씩 담을 수 있습니다.

정답과 풀이 p.15

1 토마토 12개를 접시 3개에 똑같이 나누어 담으려고 합니다. 접시 한 개에 토마토를 몇 개씩 담을 수 있는지 접시에 ○를 그려 알아보세요.

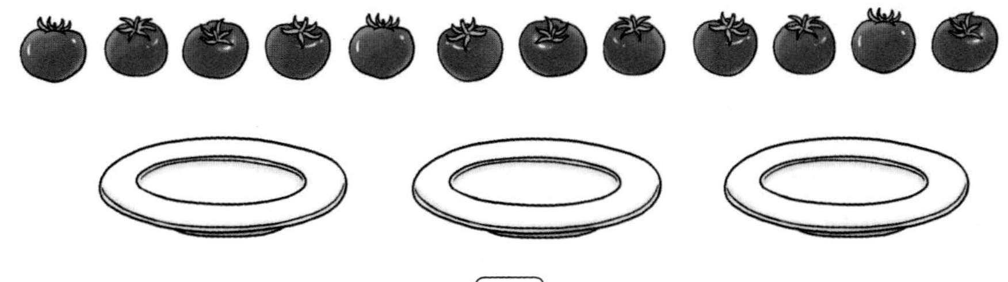

접시 한 개에 토마토를 □개씩 담을 수 있습니다.

2 나눗셈식을 읽어 보세요.

(1) $10 \div 2 = 5$ ➜ □ 나누기 □은/는 □와/과 같습니다.

(2) $42 \div 7 = 6$ ➜ □ 나누기 □은/는 □와/과 같습니다.

3 테니스공 28개를 상자 4개에 똑같이 나누어 담으려고 합니다. 상자 한 개에 테니스공을 몇 개씩 담을 수 있는지 나눗셈식으로 나타내어 보세요.

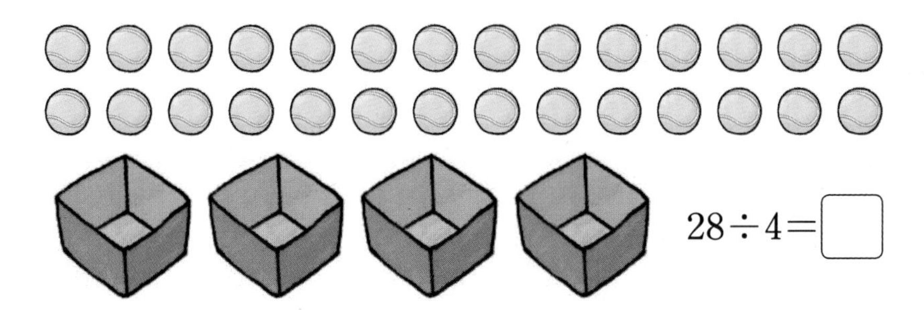

$28 \div 4 =$ □

4 참외 30개를 봉지 6개에 똑같이 나누어 담으려고 합니다. 봉지 한 개에 참외를 몇 개씩 담을 수 있는지 나눗셈식으로 나타내어 보세요.

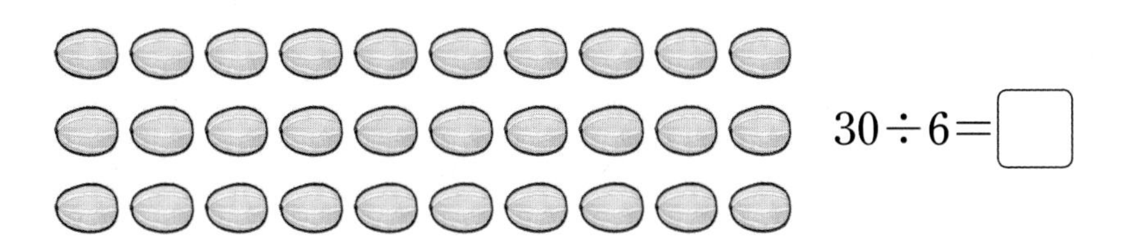

$30 \div 6 =$ □

3 단원

개념 2 똑같이 나누기 (2)

- 바둑돌 8개를 2개씩 덜어 내기

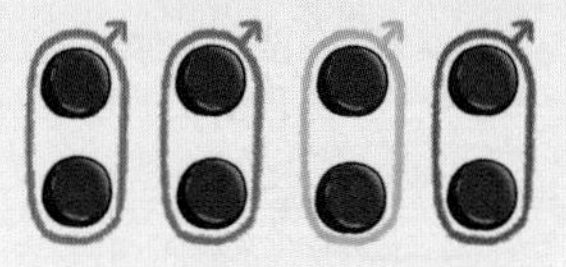

바둑돌 8개를 2개씩 덜어 내면
4번 덜어 낼 수 있습니다.

뺄셈으로 나타내기 $8-2-2-2-2=0$

2개씩 4번 덜어 낼 수 있습니다.

바둑돌의 수가 0이 될 때까지 덜어 내야 해요.

8에서 2씩 4번 빼면 0이 됩니다.
이것을 나눗셈식으로 나타내면 $8 \div 2 = 4$입니다.

$8-2-2-2-2=0$ (4번) → $8 \div 2 = 4$ (빼는 수: 2, 뺀 횟수: 4)

- 땅콩 28개를 4개씩 묶기

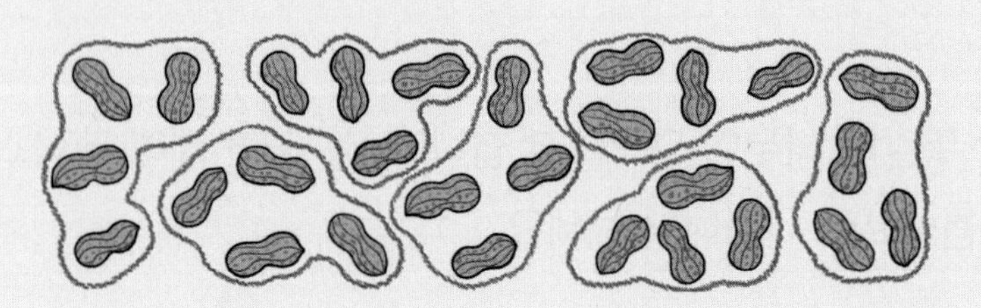

땅콩 28개를 4개씩 묶으면 7 묶음이 됩니다.

$28-4-4-4-4-4-4-4=0$ → 나눗셈식 $28 \div 4 = 7$ (묶음 수)

개념 OX

오른쪽 뺄셈식을 보고 나눗셈식으로 바르게 나타낸 친구에게 ◯표 하세요.

$15-3-3-3-3-3=0$

[1~2] 사과 24개를 한 바구니에 4개씩 담으려면 바구니가 몇 개 필요한지 알아보세요.

1 사과 24개를 4개씩 덜어 내면 몇 번 덜어 낼 수 있는지 뺄셈으로 알아보세요.

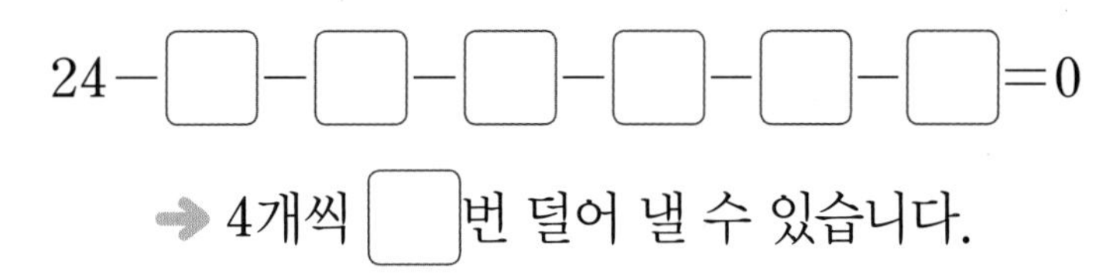

$24-\square-\square-\square-\square-\square-\square=0$

➔ 4개씩 $\square$번 덜어 낼 수 있습니다.

3 단원

2 필요한 바구니는 몇 개일까요?

(　　　　　　　　)

3 뺄셈식을 보고 $\square$ 안에 알맞은 수를 써넣으세요.

(1) $18-3-3-3-3-3-3=0$

$18\div 3=\square$

(2) $35-7-7-7-7-7=0$

$35\div 7=\square$

4 초콜릿 40개를 한 명에게 5개씩 주면 몇 명에게 나누어 줄 수 있는지 나눗셈식으로 나타내어 보세요.

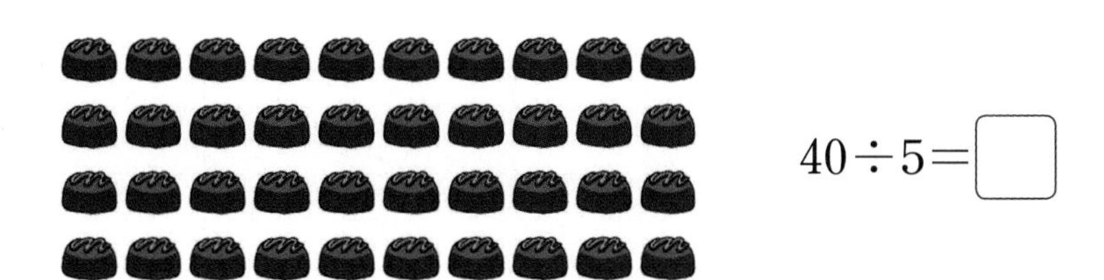

$40\div 5=\square$

교과서 개념  바구니에 사과와 포도 담기

준비물 붙임딱지

나무에 매달린 사과를 따서 한 바구니에 3개씩 담으려고 합니다.
바구니에 사과 붙임딱지를 붙이고 나눗셈식을 완성해 보세요.

나무에 매달린 포도를 따서 한 바구니에 4송이씩 담으려고 합니다.
바구니에 포도 붙임딱지를 붙이고 나눗셈식을 완성해 보세요.

포도 16송이
바구니에
4송이씩
담아 봐.
□ ÷ □ = □
전체 포도 송이 수를 자유롭게 정하여 문제를 풀어 보세요.
□ ÷ □ = □

3 단원

집중! 드릴 문제

[1~4] 바둑돌을 접시에 똑같이 나누어 놓으려고 합니다. 접시 1개에 바둑돌을 몇 개씩 놓을 수 있는지 접시에 ○를 그려 알아보세요.

1

바둑돌 6개

접시 1개에 바둑돌을 □개씩 놓을 수 있습니다.

2

바둑돌 12개

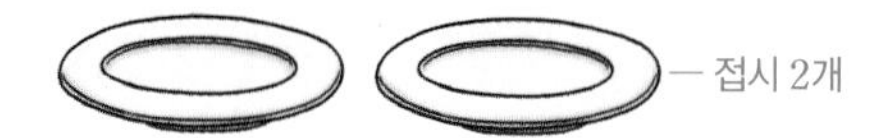

접시 1개에 바둑돌을 □개씩 놓을 수 있습니다.

3

바둑돌 9개

접시 3개

접시 1개에 바둑돌을 □개씩 놓을 수 있습니다.

4

바둑돌 15개

접시 1개에 바둑돌을 □개씩 놓을 수 있습니다.

[5~8] 그림을 보고 □ 안에 알맞은 수를 써넣으세요.

5

$8 \div 2 =$ □

6

$12 \div 3 =$ □

7

$10 \div 2 =$ □

8

$24 \div 4 =$ □

[9~14] 뺄셈식을 나눗셈식으로 나타내려고 합니다. □ 안에 알맞은 수를 써넣으세요.

9 뺄셈식 $10-2-2-2-2-2=0$

나눗셈식 $10\div2=\square$

10 뺄셈식 $14-7-7=0$

나눗셈식 $14\div7=\square$

11 뺄셈식 $20-5-5-5-5=0$

나눗셈식 $20\div5=\square$

12 뺄셈식 $24-4-4-4-4-4-4=0$

나눗셈식 $24\div4=\square$

13 뺄셈식 $30-6-6-6-6-6=0$

나눗셈식 $30\div6=\square$

14 뺄셈식 $54-9-9-9-9-9-9=0$

나눗셈식 $54\div9=\square$

[15~18] 사탕을 주어진 수만큼 묶으면 몇 묶음인지 알아보세요.

15 4개씩 묶기

$12\div4=\square$

16 5개씩 묶기

$15\div5=\square$

17 3개씩 묶기

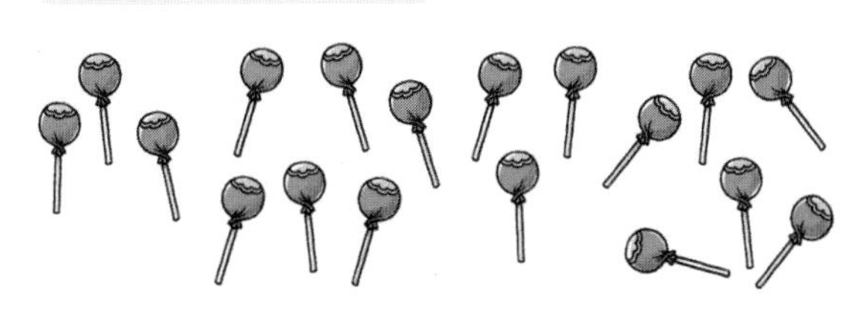

$18\div3=\square$

18 6개씩 묶기

$24\div6=\square$

3 단원

교과서 개념 확인 문제

1 딸기 20개를 접시 4개에 똑같이 나누어 담으려고 합니다. 물음에 답하세요.

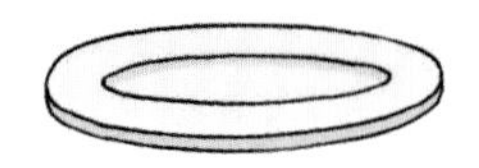 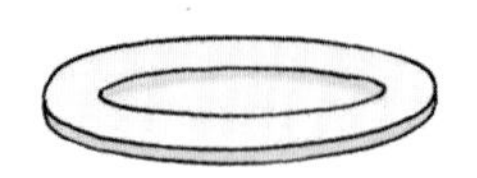 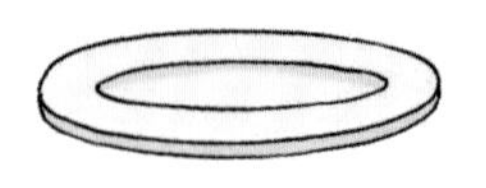 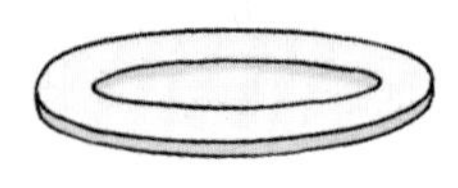

(1) 딸기 20개를 똑같이 나누어 접시 위에 ○를 그려 보세요.

(2) 한 접시에 딸기를 □개씩 놓아야 합니다.

(3) 나눗셈식으로 나타내면 $20 \div 4 = \square$입니다.

2 나눗셈의 몫이 5인 것에 ○표 하세요.

$15 \div 5 = 3$	$35 \div 7 = 5$
(　　　　)	(　　　　)

3 나눗셈식을 읽어 보세요.

(1) $21 \div 7 = 3$ (　　　　　　　　)

(2) $36 \div 9 = 4$ (　　　　　　　　)

4 그림을 보고 □ 안에 알맞은 수를 써넣으세요.

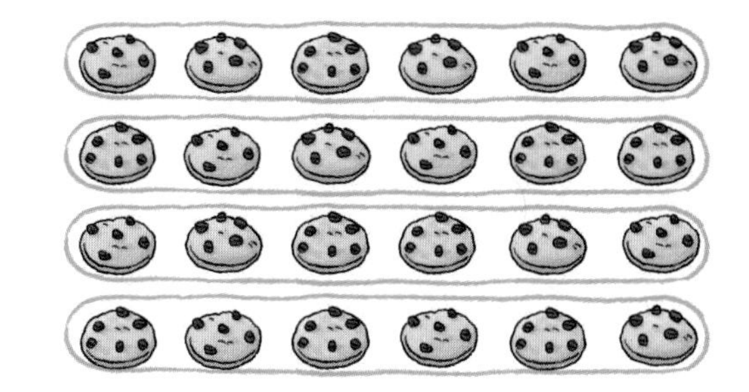

$24-6-\square-\square-\square=0$

➔ $24\div 6=\square$

5 뺄셈식을 나눗셈식으로 나타내려고 합니다. □ 안에 알맞은 수를 써넣으세요.

(1) $42-7-7-7-7-7-7=0$ ➔ $42\div\square=\square$

(2) $72-9-9-9-9-9-9-9-9=0$ ➔ $72\div\square=\square$

3 단원

6 과자 30개를 한 봉지에 6개씩 담으면 몇 봉지가 되는지 알아보려고 합니다. 물음에 답하세요.

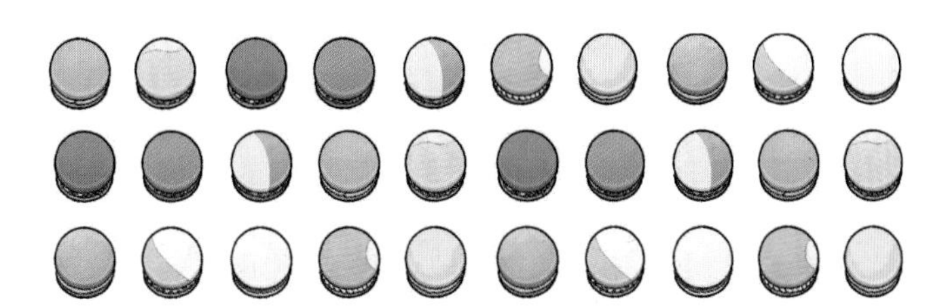

(1) 30에서 6을 몇 번 빼면 0이 되는지 뺄셈식을 쓰고 답을 구해 보세요.

식 $30-\square-\square-\square-\square-\square=0$

답 □번

(2) 나눗셈식으로 나타내어 보세요.

$\square\div\square=\square$

7 다음 중 $20 \div 5 = 4$를 뺄셈식으로 바르게 나타낸 것을 찾아 기호를 써 보세요.

㉠ $20-5-5-4-4=0$
㉡ $20-4-4-4-4-4=0$
㉢ $20-5-5-5-5=0$

(　　　　　　　　　)

8 다음을 뺄셈식과 나눗셈식으로 각각 나타내어 보세요.

(1) 15에서 3씩 5번 빼면 0이 됩니다.

뺄셈식 $15-\square-\square-\square-\square-\square=0$

나눗셈식 $\square \div \square = \square$

(2) 28에서 7씩 4번 빼면 0이 됩니다.

뺄셈식 $28-\square-\square-\square-\square=0$

나눗셈식 $\square \div \square = \square$

9 귤이 16개 있습니다. 한 명에게 귤을 2개씩 주면 몇 명에게 나누어 줄 수 있을까요?

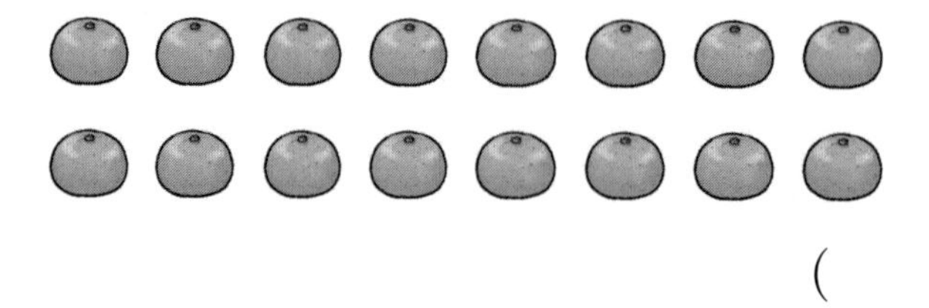

(　　　　　　　　　)

10 도넛 24개를 접시에 똑같이 나누어 담으려고 합니다. 접시의 수에 따라 담을 수 있는 도넛의 수를 구해 보세요.

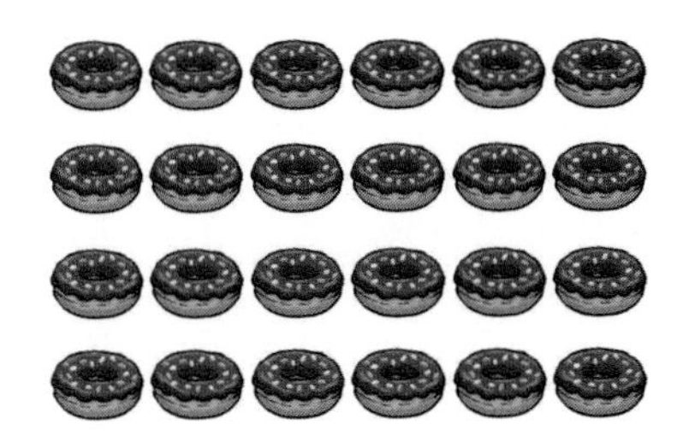

• 접시 4개에 놓을 때: 한 접시에 □개씩 담을 수 있습니다.

• 접시 3개에 놓을 때: 한 접시에 □개씩 담을 수 있습니다.

11 구슬 40개를 5명이 똑같이 나누어 가지려고 합니다. 한 명이 구슬을 몇 개씩 가질 수 있는지 나눗셈식을 쓰고 답을 구해 보세요.

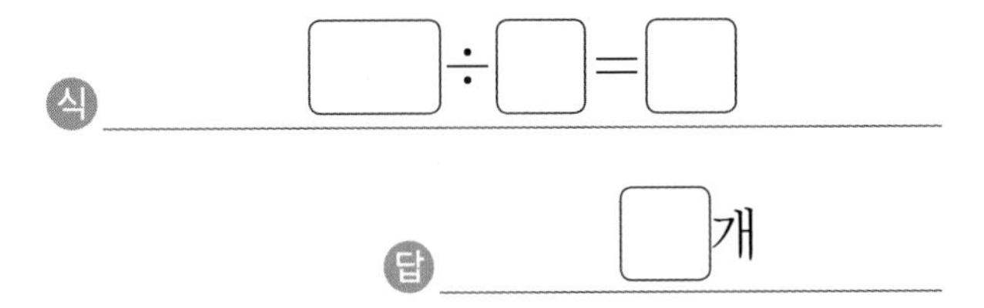

12 감자 63개를 한 상자에 9개씩 담으려면 필요한 상자는 몇 개인지 나눗셈식을 쓰고 답을 구해 보세요.

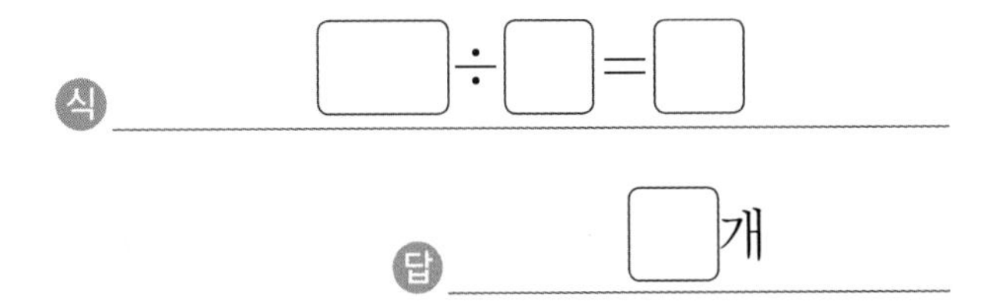

교과서 개념 잡기

개념 3 곱셈과 나눗셈의 관계

• 복숭아 20개를 똑같이 나누기

복숭아의 수 $5\times4=20$

$4\times5=20$

① 친구 5명이 똑같이 나눌 때

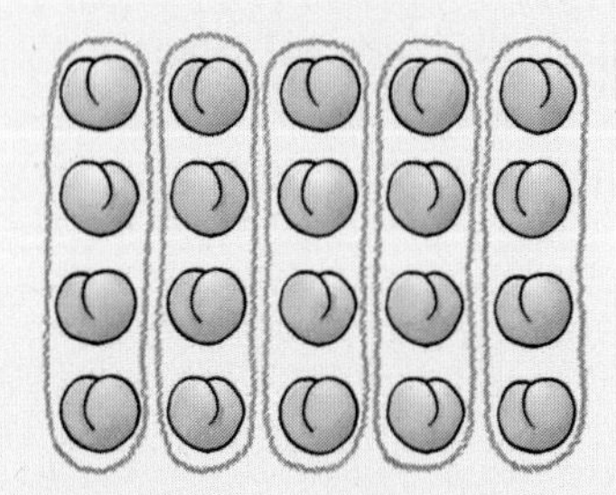

한 명은 4개씩 가질 수 있습니다.

➜ $20\div5=4$

② 친구 4명이 똑같이 나눌 때

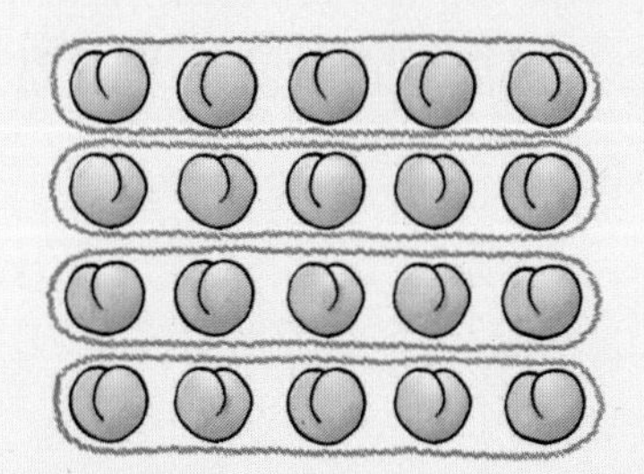

한 명은 5개씩 가질 수 있습니다.

➜ $20\div4=5$

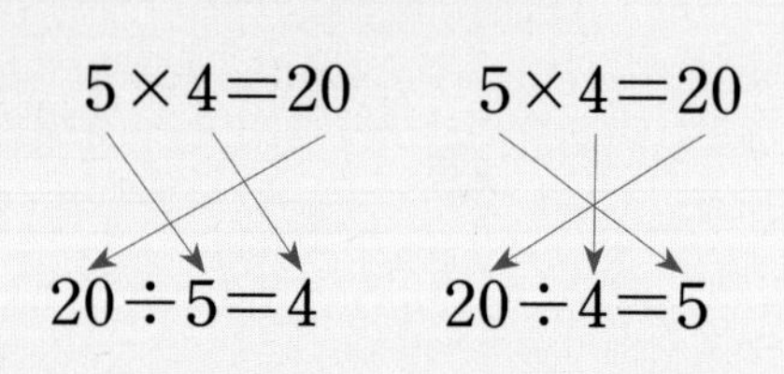

나눗셈식을 곱셈식으로 나타내기

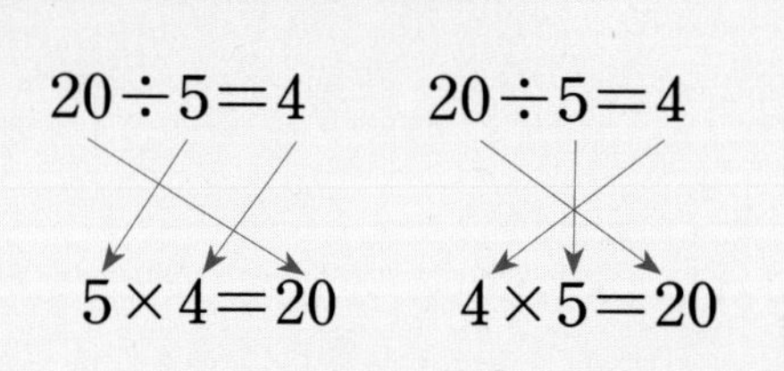

개념 OX

곱셈식을 보고 나눗셈식으로 바르게 나타낸 친구에게 ○표 하세요.

$5\times8=40$ ➜

[1~3] **바나나 27개를 똑같이 나누면 한 명이 몇 개씩 가질 수 있는지 알아보세요.**

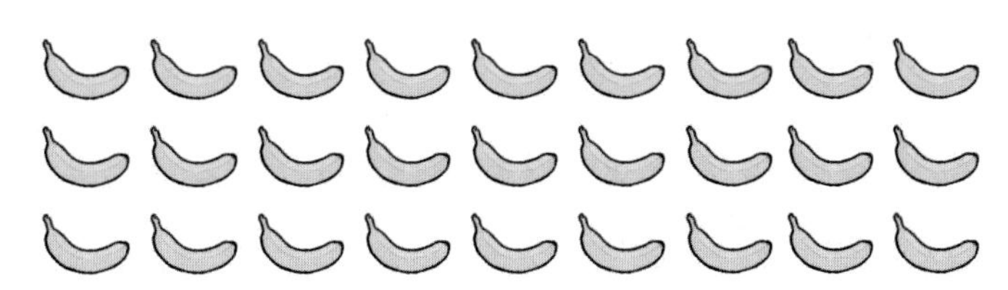

1 바나나의 수를 곱셈식으로 나타내어 보세요.

$9 \times \square = 27$

2 친구 9명이 똑같이 나누면 한 명은 몇 개씩 가질 수 있을까요?

$27 \div \square = \square$ ➔ 한 명은 □개씩 가질 수 있습니다.

3 친구 3명이 똑같이 나누면 한 명은 몇 개씩 가질 수 있을까요?

$27 \div \square = \square$ ➔ 한 명은 □개씩 가질 수 있습니다.

[4~5] **그림을 보고 □ 안에 알맞은 수를 써넣으세요.**

4

$8 \times 4 = 32$ ➔ $32 \div 8 = \square$, $32 \div 4 = \square$

5

$9 \times 2 = 18$ ➔ $18 \div 9 = \square$, $18 \div 2 = \square$

개념 4 나눗셈의 몫을 곱셈식으로 구하기

- 가지 21개를 3개씩 묶었을 때 묶음 수 구하기

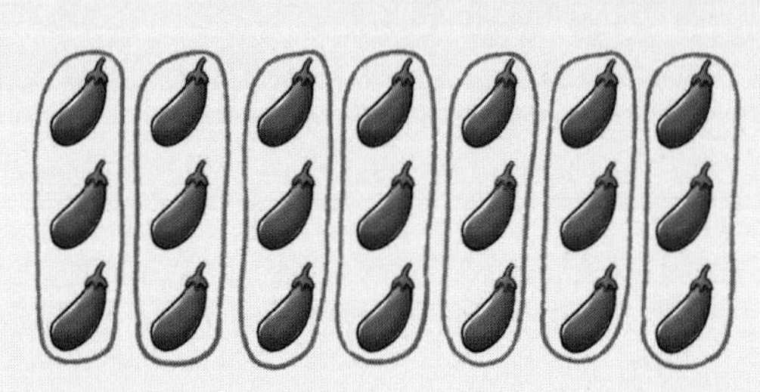

가지의 묶음 수를 나타내는 나눗셈식:

$21 \div 3 = 7$ — 가지 21개를 3개씩 묶으면 7묶음이 됩니다.

나눗셈의 몫을 구할 수 있는 곱셈식:

$3 \times \boxed{7} = 21$ — '몇 묶음'을 □로 나타냅니다.

➜ $3 \times 7 = 21$이므로 $21 \div 3$의 몫은 7입니다.

$21 \div 3 = \square$의 몫 □는 $3 \times 7 = 21$을 이용해 구할 수 있습니다.

$3 \times 7 = 21$

$21 \div 3 = \square$

개념 5 나눗셈의 몫을 곱셈구구로 구하기

- 곱셈표를 이용하여 $40 \div 5$의 몫 구하기

×	1	2	3	4	5	6	7	8	9
1	1	2	3	4	5	6	7	8	9
2	2	4	6	8	10	12	14	16	18
3	3	6	9	12	15	18	21	24	27
4	4	8	12	16	20	24	28	32	36
5	5	10	15	20	25	30	35	40	45
6	6	12	18	24	30	36	42	48	54
7	7	14	21	28	35	42	49	56	63
8	8	16	24	32	40	48	56	64	72
9	9	18	27	36	45	54	63	72	81

① 곱셈표의 가로나 세로에서 나누는 수인 5의 단 곱셈구구를 찾습니다.

② 5의 단 곱셈구구에서 곱이 나누어지는 수인 40이 되는 곱셈식을 찾습니다. ➜ $5 \times 8 = 40$

③ ②에서 찾은 곱셈식을 보고 나눗셈의 몫을 구합니다.

$5 \times 8 = 40$ ➜ $40 \div 5 = 8$

개념 OX

$12 \div 2$의 몫을 구할 때 필요한 곱셈식을 바르게 찾은 친구에게 ○표 하세요.

$2 \times 6 = 12$

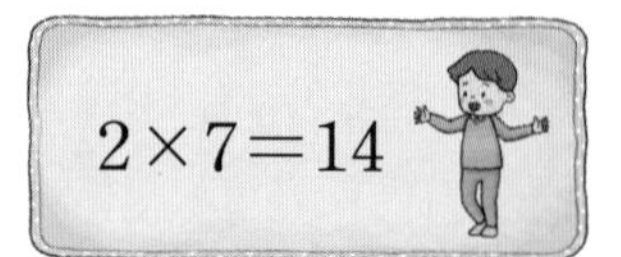

[1~3] 당근 36개를 9개씩 묶으면 몇 묶음인지 알아보세요.

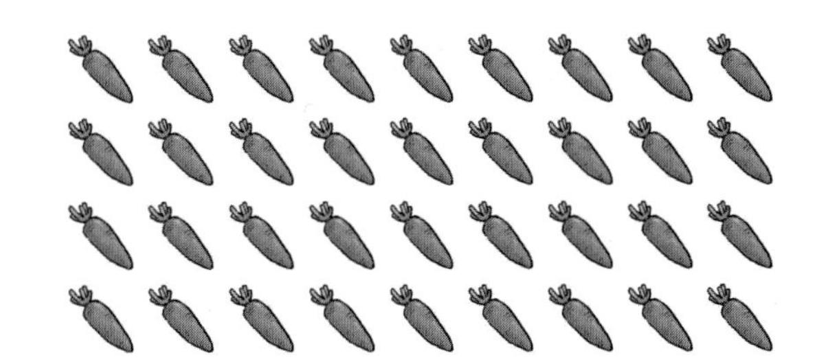

1 9개씩 묶으면 몇 묶음인지 나눗셈식으로 나타내어 보세요.

$36 \div 9 = \square$

2 위 1번의 나눗셈의 몫을 구할 수 있는 곱셈식을 써 보세요.

$9 \times \square = 36$

3 나눗셈 36÷9의 몫을 곱셈식으로 구해 보세요.

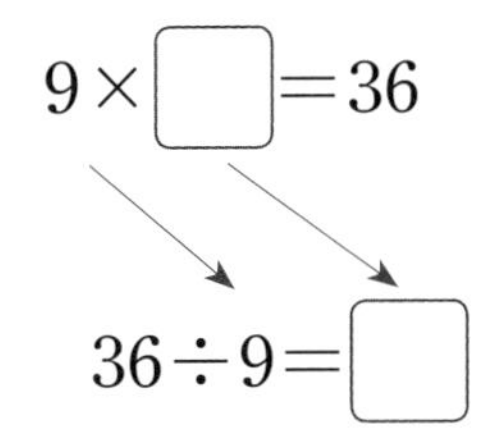

$9 \times \square = 36$

$36 \div 9 = \square$

[4~5] 오이 27개를 3명에게 똑같이 나누어 주려고 합니다. 한 명에게 몇 개씩 줄 수 있는지 알아보세요.

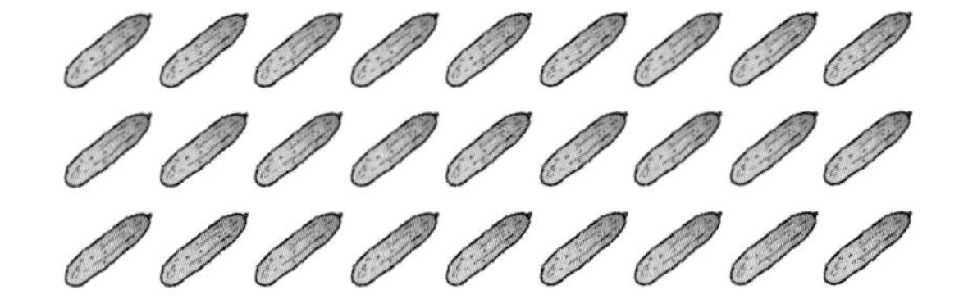

4 한 명에게 몇 개씩 줄 수 있는지 나눗셈식으로 나타내어 보세요.

$27 \div 3 = \square$

5 나눗셈 27÷3의 몫을 곱셈구구로 구해 보세요.

3의 단 곱셈구구에서 $3 \times \square = 27$이므로 $27 \div 3 = \square$입니다.

3 단원

교과서 개념  집 찾아가기

준비물 붙임딱지

꿀을 모은 꿀벌들이 집을 찾아가려고 합니다. 나눗셈의 몫에 알맞은 꿀벌을 붙여 보고 나눗셈식을 곱셈식으로 나타내어 보세요.

$42 \div 6 =$ ◯
□ × □ = □
□ × □ = □

$35 \div 7 =$ ◯
□ × □ = □
□ × □ = □

$56 \div 8 =$ ◯
□ × □ = □
□ × □ = □

$32 \div 4 =$ ◯
□ × □ = □
□ × □ = □

$16 \div 2 =$ ◯
□ × □ = □
□ × □ = □

$28 \div 7 =$ ◯
□ × □ = □
□ × □ = □

$8 \div 4 =$ ◯
□ × □ = □
□ × □ = □

$12 \div 3 =$ ◯
□ × □ = □
□ × □ = □

$27 \div 9 =$ ◯
□ × □ = □
□ × □ = □

$18 \div 2 =$ ◯

$\square \times \square = \square$

$\square \times \square = \square$

$30 \div 6 =$ ◯

$\square \times \square = \square$

$\square \times \square = \square$

$10 \div 5 =$ ◯

$\square \times \square = \square$

$\square \times \square = \square$

$15 \div 3 =$ ◯

$\square \times \square = \square$

$\square \times \square = \square$

$36 \div 9 =$ ◯

$\square \times \square = \square$

$\square \times \square = \square$

$30 \div 5 =$ ◯

$\square \times \square = \square$

$\square \times \square = \square$

$18 \div 3 =$ ◯

$\square \times \square = \square$

$\square \times \square = \square$

$72 \div 8 =$ ◯

$\square \times \square = \square$

$\square \times \square = \square$

$24 \div 8 =$ ◯

$\square \times \square = \square$

$\square \times \square = \square$

집중! 드릴 문제

[1~6] 곱셈식을 나눗셈식으로 나타내어 보세요.

1

$3\times4=12$ → $12\div3=\square$, $12\div4=\square$

2

$2\times8=16$ → $16\div2=\square$, $16\div8=\square$

3

$4\times5=20$ → $20\div4=\square$, $20\div5=\square$

4

$8\times6=48$ → $48\div8=\square$, $48\div6=\square$

5

$7\times8=56$ → $56\div7=\square$, $56\div8=\square$

6

$5\times9=45$ → $45\div5=\square$, $45\div9=\square$

[7~12] 나눗셈식을 곱셈식으로 나타내어 보세요.

7

$10\div2=5$ → $2\times5=\square$, $5\times2=\square$

8

$14\div2=7$ → $2\times7=\square$, $7\times2=\square$

9

$24\div3=8$ → $3\times8=\square$, $8\times3=\square$

10

$24\div6=4$ → $6\times4=\square$, $4\times6=\square$

11

$42\div7=6$ → $7\times6=\square$, $6\times7=\square$

12

$72\div9=8$ → $9\times8=\square$, $8\times9=\square$

[13~19] 나눗셈의 몫을 곱셈식으로 구해 보세요.

13 $2\times6=12$이므로

$12\div2$의 몫은 ☐입니다.

14 $6\times3=18$이므로

$18\div6$의 몫은 ☐입니다.

15 $5\times8=40$이므로

$40\div5$의 몫은 ☐입니다.

16 $7\times4=28$이므로

$28\div7$의 몫은 ☐입니다.

17 $4\times9=36$이므로

$36\div4$의 몫은 ☐입니다.

18 $9\times7=63$이므로

$63\div9$의 몫은 ☐입니다.

19 $8\times8=64$이므로

$64\div8$의 몫은 ☐입니다.

[20~24] 곱셈표에서 나누어지는 수를 찾아 ○표 하고, 나눗셈의 몫을 구해 보세요.

20

×	1	2	3	4	5	6	7	8	9
3	3	6	9	12	15	18	21	24	27

$15\div3=$ ☐

21

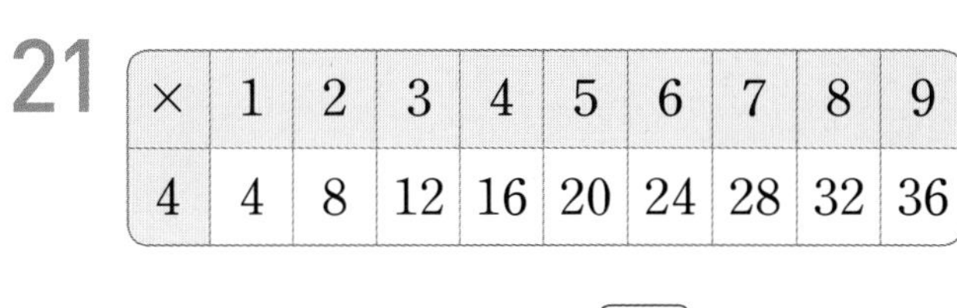

×	1	2	3	4	5	6	7	8	9
4	4	8	12	16	20	24	28	32	36

$16\div4=$ ☐

22

×	1	2	3	4	5	6	7	8	9
6	6	12	18	24	30	36	42	48	54

$42\div6=$ ☐

23

×	1	2	3	4	5	6	7	8	9
7	7	14	21	28	35	42	49	56	63

$35\div7=$ ☐

24

×	1	2	3	4	5	6	7	8	9
9	9	18	27	36	45	54	63	72	81

$27\div9=$ ☐

교과서 개념 확인 문제

1 그림을 보고 □ 안에 알맞은 수를 써넣으세요.

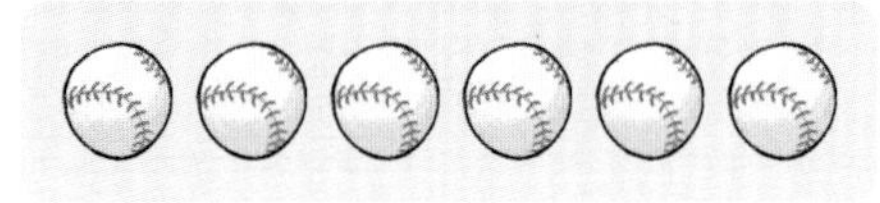 

$6 \times 4 = 24$ ➔ $24 \div 6 = \square$

2 주어진 나눗셈의 몫을 구할 때 필요한 곱셈구구를 써 보세요.

(1) $32 \div 8$ ➔ □의 단 곱셈구구

(2) $49 \div 7$ ➔ □의 단 곱셈구구

3 관계있는 것끼리 선으로 이어 보세요.

$48 \div 6 = 8$ •	• $9 \times 3 = 27$
$27 \div 9 = 3$ •	• $6 \times 8 = 48$

4 곱셈표를 이용하여 나눗셈의 몫을 구해 보세요.

×	1	2	3	4	5	6	7	8	9
6	6	12	18	24	30	36	42	48	54

$54 \div 6 = \square$

5 곱셈식을 나눗셈식으로 나타내어 보세요.

$5 \times 3 = 15$

$15 \div 3 = \square$

$15 \div \square = \square$

6 나눗셈식을 곱셈식으로 나타내어 보세요.

$56 \div 7 = 8$

$\square \times \square = \square$

$\square \times \square = \square$

7 관계있는 것끼리 선으로 이어 보세요.

나눗셈식	곱셈식	몫
$25 \div 5 = \square$	$2 \times 7 = 14$	8
$14 \div 2 = \square$	$5 \times 5 = 25$	5
$48 \div 6 = \square$	$6 \times 8 = 48$	7

8 나눗셈의 몫을 구해 보세요.

(1) $12 \div 2$

(2) $45 \div 5$

(3) $18 \div 6$

(4) $54 \div 9$

교과서 개념 확인 문제

9 빈칸에 알맞은 수를 써넣으세요.

(1)

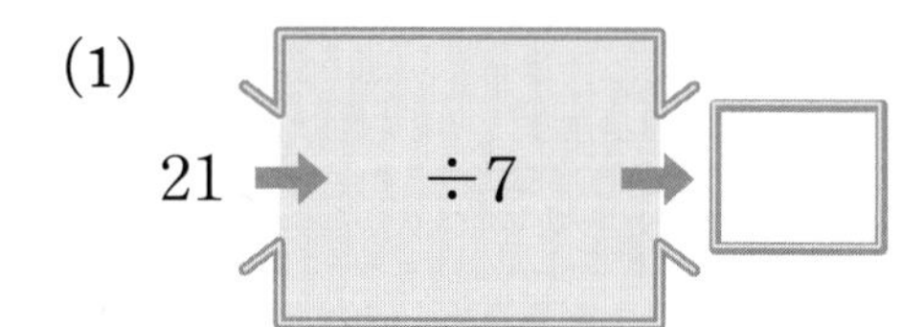

(2)

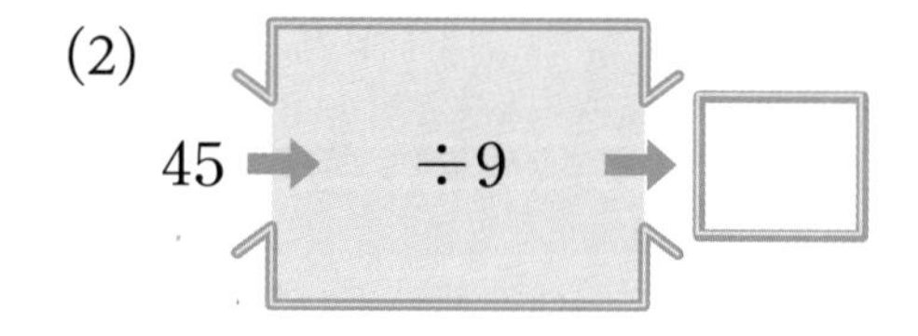

10 몫의 크기를 비교하여 ○ 안에 >, =, <를 알맞게 써넣으세요.

(1) $72 \div 8$ ○ $81 \div 9$

(2) $24 \div 6$ ○ $35 \div 5$

11 빈칸에 알맞은 수를 써넣으세요.

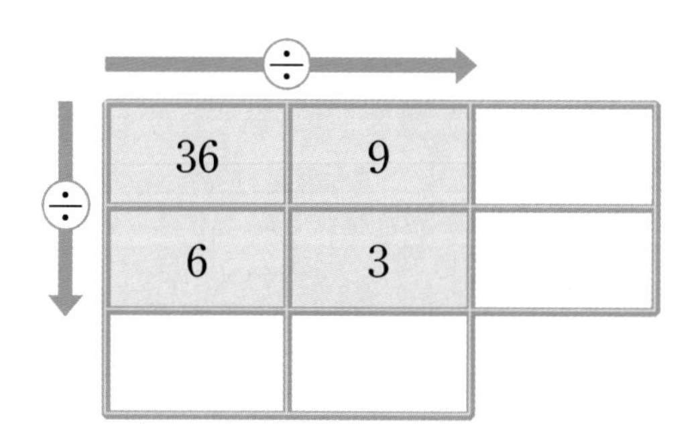

12 나눗셈의 몫을 구하고, 나눗셈식을 곱셈식으로 나타내어 보세요.

$24 \div 8 = \square$ ➔ $\square \times \square = 24$

13 나눗셈의 몫이 가장 큰 것의 기호를 써 보세요.

㉠ $24 \div 6$ ㉡ $20 \div 4$ ㉢ $32 \div 4$

(   )

14 그림을 보고 곱셈식과 나눗셈식을 각각 2개씩 써 보세요.

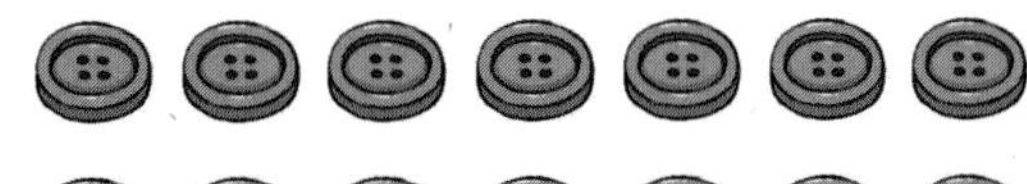

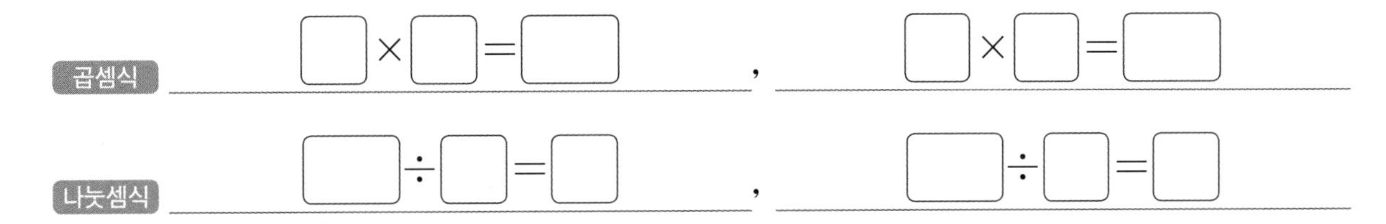

15 빵 18개를 3바구니에 똑같이 나누어 담으려고 합니다. 한 바구니에 몇 개씩 담아야 하는지 구해 보세요.

(   )

16 63쪽짜리 동화책을 하루에 9쪽씩 매일 읽으려고 합니다. 이 책을 모두 읽으려면 며칠이 걸리는지 나눗셈식을 쓰고 답을 구해 보세요.

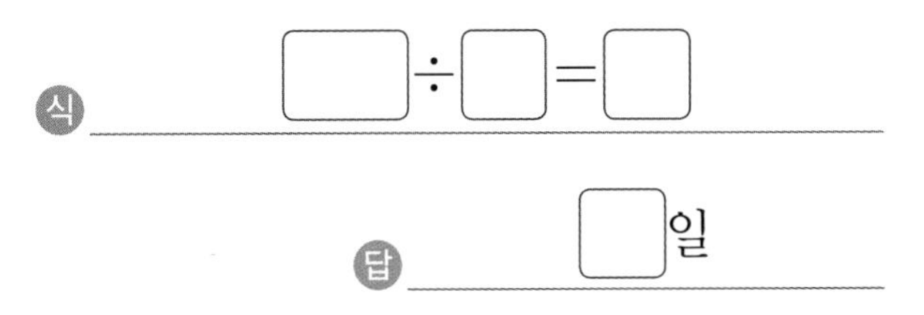

개념 확인평가

3. 나눗셈

맞은 개수

1 귤 32개를 4명이 똑같이 나누어 먹으려고 합니다. 한 명이 귤을 몇 개씩 먹을 수 있는지 접시에 ○를 그려 알아보세요.

한 명이 귤을 □개씩 먹을 수 있습니다. ➔ $32 \div 4 = \square$

2 뺄셈식을 보고 □ 안에 알맞은 수를 써넣으세요.

(1) $8-2-2-2-2=0$

➔ $8 \div 2 = \square$

(2) $42-7-7-7-7-7-7=0$

➔ $42 \div 7 = \square$

3 $30 \div 5$의 몫을 구하려고 합니다. 곱셈표에서 나누어지는 수 30을 찾아 ○표 하고 □ 안에 알맞은 수를 써넣으세요.

×	1	2	3	4	5	6	7	8	9
5	5	10	15	20	25	30	35	40	45

➔ $30 \div 5 = \square$

4 빈칸에 알맞은 수를 써넣으세요.

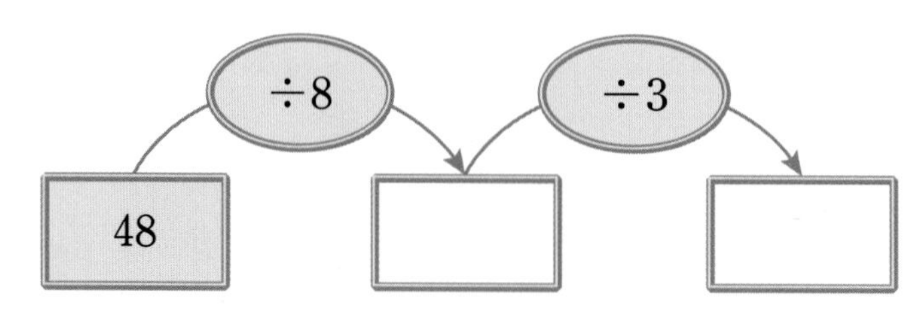

5 곱셈식을 나눗셈식으로, 나눗셈식을 곱셈식으로 나타내어 보세요.

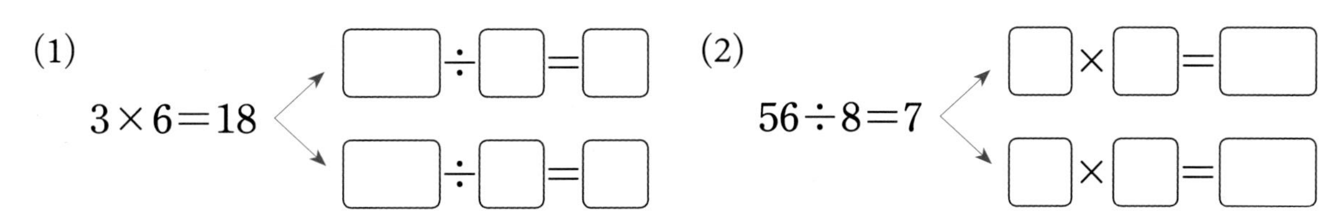

(1) $3 \times 6 = 18$ → $\square \div \square = \square$, $\square \div \square = \square$

(2) $56 \div 8 = 7$ → $\square \times \square = \square$, $\square \times \square = \square$

6 몫의 크기를 비교하여 ○ 안에 >, =, <를 알맞게 써넣으세요.

$24 \div 4$ 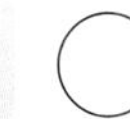 $48 \div 6$

7 관계있는 것끼리 선으로 이어 보세요.

나눗셈식	곱셈식	몫
$10 \div 2 = \square$ •	• $9 \times 4 = 36$ •	• 4
$28 \div 4 = \square$ •	• $2 \times 5 = 10$ •	• 7
$36 \div 9 = \square$ •	• $4 \times 7 = 28$ •	• 5

8 나눗셈의 몫을 구하고, 나눗셈식을 곱셈식으로 나타내어 보세요.

(1) $24 \div 3 = \square$ → $3 \times \square = \square$

(2) $49 \div 7 = \square$ → $7 \times \square = \square$

9 그림을 보고 곱셈식과 나눗셈식을 각각 2개씩 써 보세요.

곱셈식 ____________, ____________

나눗셈식 ____________, ____________

10 초콜릿 27개를 3명이 똑같이 나누어 가지려고 합니다. 한 명이 초콜릿을 몇 개씩 가질 수 있는지 나눗셈식을 쓰고 답을 구해 보세요.

11 연필 40자루를 한 명에게 5자루씩 주려고 합니다. 몇 명에게 나누어 줄 수 있는지 나눗셈식을 쓰고 답을 구해 보세요.

12 길이가 24 cm인 철사를 이용하여 가장 큰 정사각형을 1개 만들었습니다. 만든 정사각형의 한 변의 길이는 몇 cm일까요?

(　　　　　　　　)

4 곱셈

학습 계획표

내용	쪽수	날짜		확인
교과서 개념 잡기	90~93쪽	월	일	
교과서 개념 play / 집중! 드릴 문제	94~97쪽	월	일	
교과서 개념 확인 문제	98~101쪽	월	일	
교과서 개념 잡기	102~105쪽	월	일	
교과서 개념 play / 집중! 드릴 문제	106~109쪽	월	일	
교과서 개념 확인 문제	110~113쪽	월	일	
개념 확인평가	114~116쪽	월	일	

교과서 개념 잡기

개념 1 (몇십)×(몇) 구하기

• 20×3을 수 모형으로 알아보기

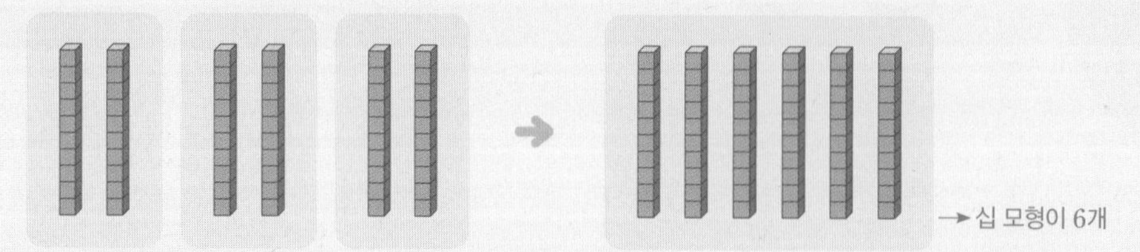

십 모형의 수: 2×3=6 ➔ 십 모형이 6개이므로 60입니다.

• 20×3의 계산 방법 알아보기

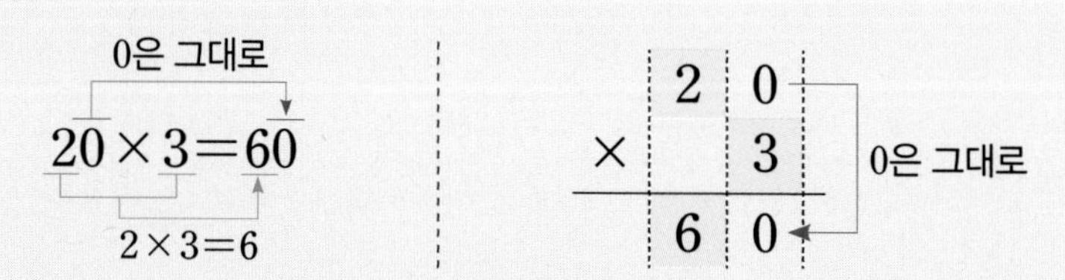

20×3은 2×3의 계산 결과에 0을 붙입니다.
2×3=6이고 계산한 6에 0을 붙이면 20×3=60입니다.

➔ (몇십)×(몇)은 (몇)×(몇)의 계산 결과에 0을 붙입니다.

개념 OX

수 모형을 보고 곱셈식으로 바르게 나타낸 친구를 찾아 ○표 하세요.

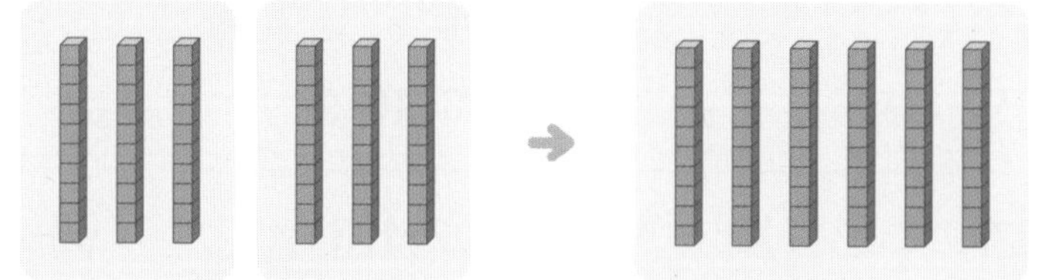

1 수 모형으로 40×2의 계산 과정을 나타낸 그림입니다. □ 안에 알맞은 수를 써넣으세요.

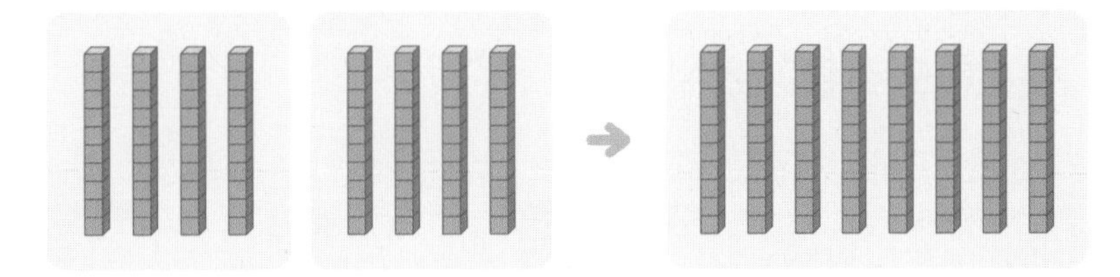

십 모형이 $4 \times 2=$□(개)이므로 $40 \times 2=$□입니다.

2 그림을 보고 □ 안에 알맞은 수를 써넣으세요.

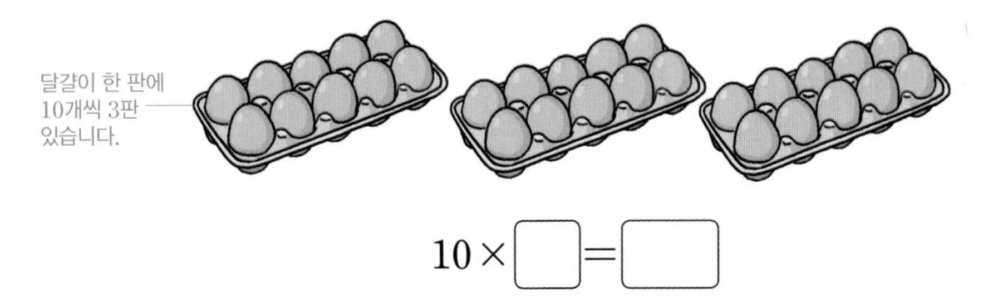

달걀이 한 판에
10개씩 3판
있습니다.

$10 \times$□$=$□

3 □ 안에 알맞은 수를 써넣으세요.

0은 그대로

$30 \times 3=$□□

$3 \times 3=$□

4 계산해 보세요.

(1) 10×9 (2) 20×2 (3) 20×4

개념 2 (몇십몇)×(몇) 구하기 (1)

• 12×3을 수 모형으로 알아보기

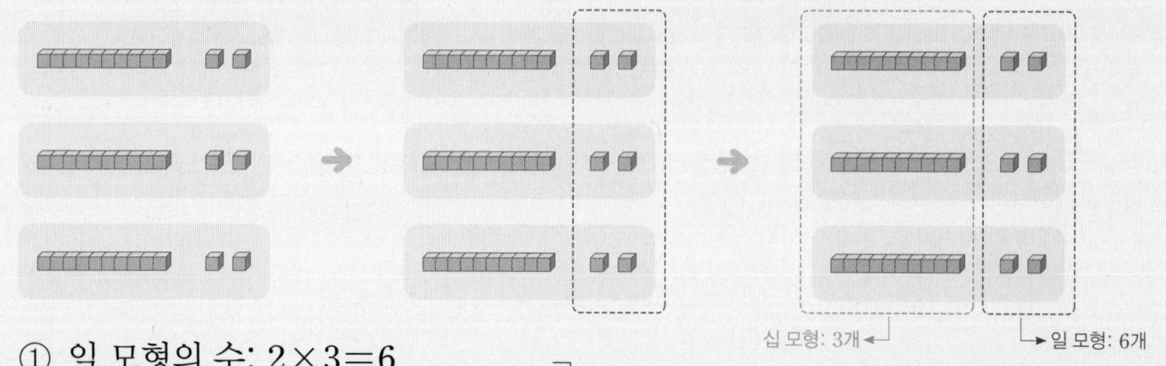

① 일 모형의 수: 2×3=6
② 십 모형의 수: 1×3=3
➔ 십 모형이 3개이므로 30입니다.
➔ 36

12×3의 계산 방법 알아보기

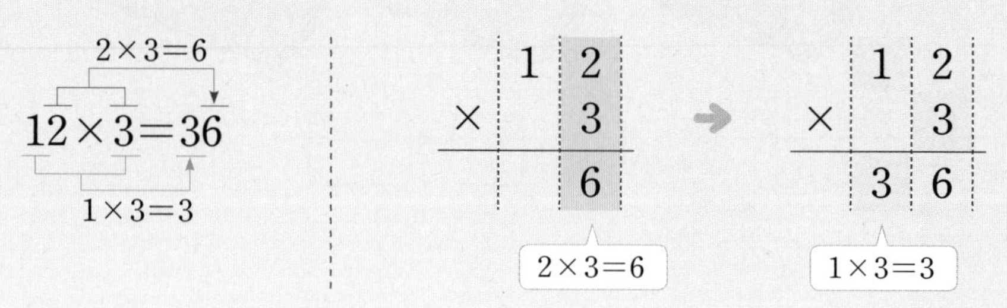

개념 OX

수 모형을 보고 곱셈식으로 바르게 나타낸 친구를 찾아 ○표 하세요.

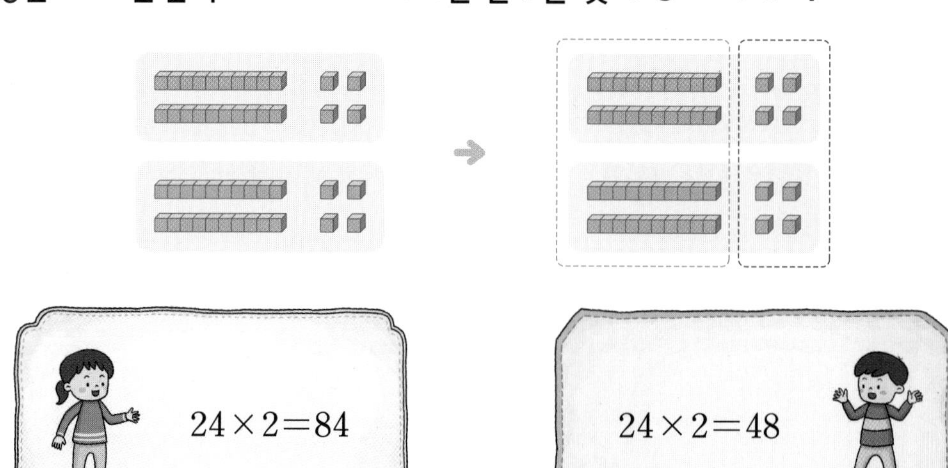

1 수 모형으로 23×3의 계산 과정을 나타낸 그림입니다. □ 안에 알맞은 수를 써넣으세요.

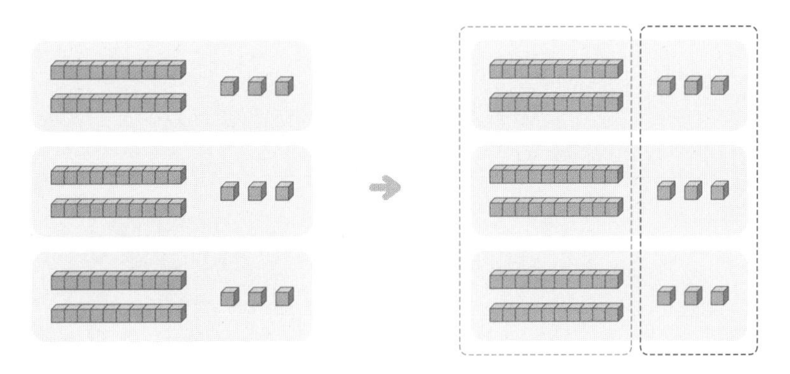

일 모형은 $3 \times 3 =$ □(개)이고, 십 모형은 $2 \times 3 =$ □(개)이므로

$23 \times 3 =$ □입니다.

2 그림을 보고 □ 안에 알맞은 수를 써넣으세요.

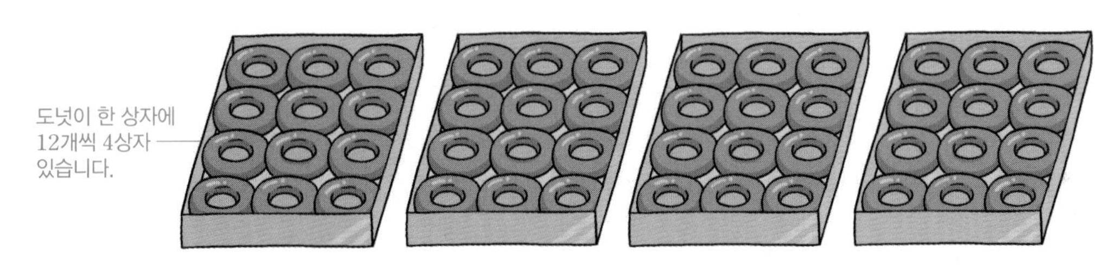

$12 \times 4 =$ □

3 □ 안에 알맞은 수를 써넣으세요.

	3	4
×		2

→

	3	4
×		2
		□

→

	3	4
×		2
	□	□

4 계산해 보세요.

(1) 21×4 (2) 13×2 (3) 33×3

교과서 개념 play 튜브 완성하기

준비물 붙임딱지

계산 결과가 같은 것끼리 붙임딱지를 붙여 튜브를 완성해 보세요.

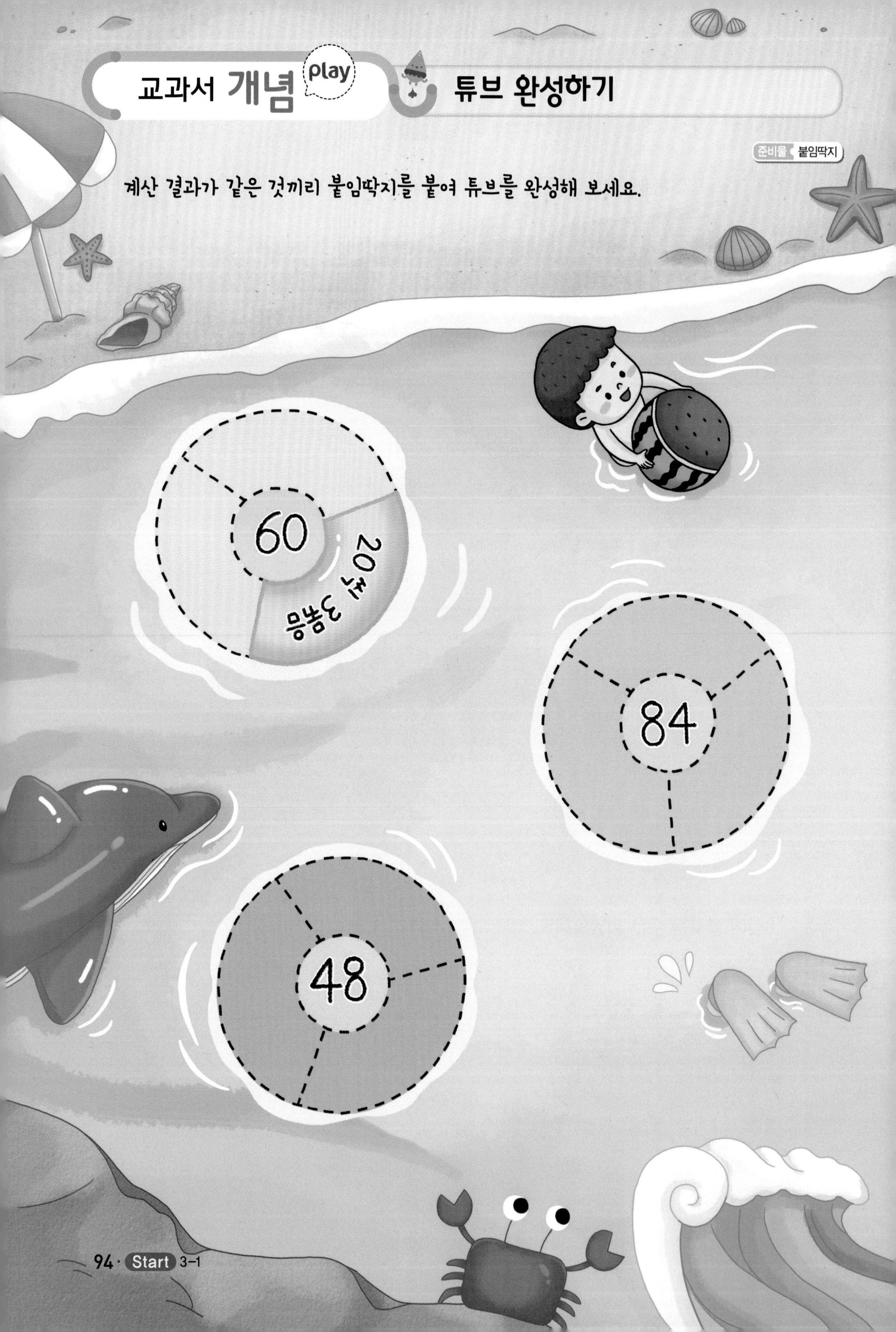

80
90
30 × 3
36
99
4
단원

집중! 드릴 문제

[1~7] 계산해 보세요.

1 10×4

2 20×3

3 30×3

4 30×2

5 40×2

6 20×4

7 10×6

[8~21] 계산해 보세요.

8 14×2

9 22×3

10 31×2

11 32×3

12 11×4

13 43×2

14 31×3

15 23×2

16 13×3

17 42×2

18 12×4

19 41×2

20 33×2

21 23×3

[22~27] 계산해 보세요.

22 $\begin{array}{r} 13 \\ \times \quad 2 \\ \hline \end{array}$

23 $\begin{array}{r} 34 \\ \times \quad 2 \\ \hline \end{array}$

24 $\begin{array}{r} 33 \\ \times \quad 3 \\ \hline \end{array}$

25 $\begin{array}{r} 21 \\ \times \quad 2 \\ \hline \end{array}$

26 $\begin{array}{r} 11 \\ \times \quad 8 \\ \hline \end{array}$

27 $\begin{array}{r} 12 \\ \times \quad 3 \\ \hline \end{array}$

교과서 개념 확인 문제

1 수 모형을 보고 물음에 답하세요.

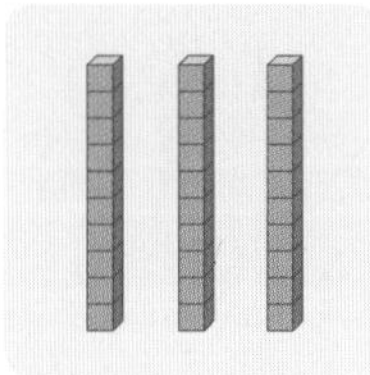 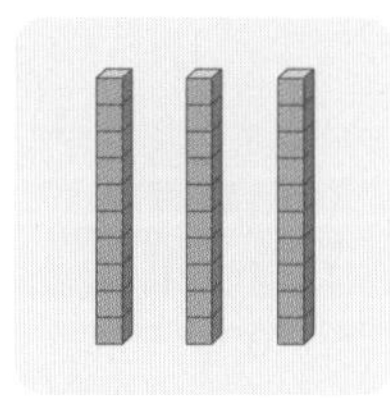 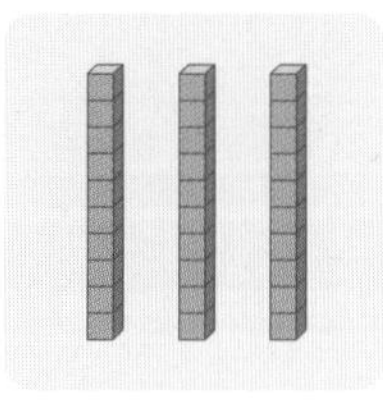

(1) 십 모형의 수를 곱셈식으로 나타내어 보세요.

(2) □ 안에 알맞은 수를 써넣으세요.

$30 \times \square = \square$

2 수 모형을 보고 □ 안에 알맞은 수를 써넣으세요.

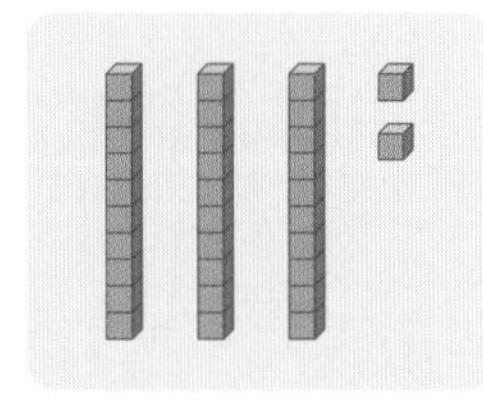 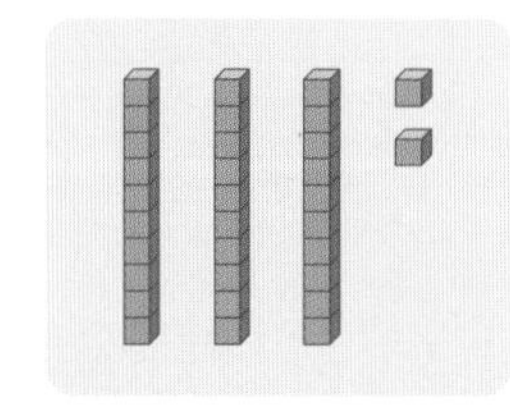 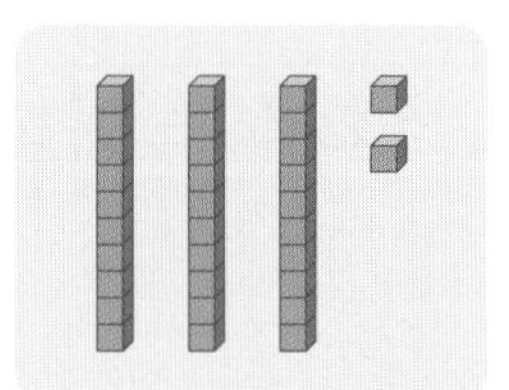

$32 \times \square = \square$

3 □ 안에 알맞은 수를 써넣으세요.

(1) 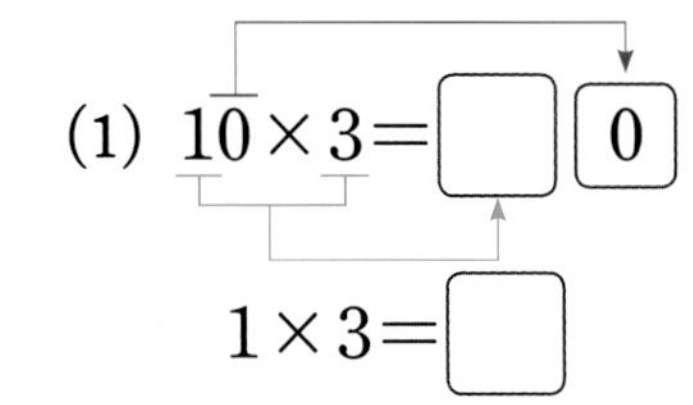

(2) 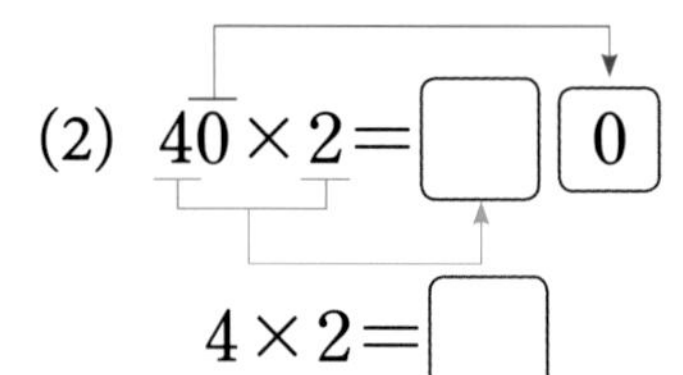

(3) $20 \times 3 = \square\square$

$2 \times 3 = \square$

(4) $10 \times 2 = \square\square$

$1 \times 2 = \square$

4 □ 안에 알맞은 수를 써넣으세요.

(1)

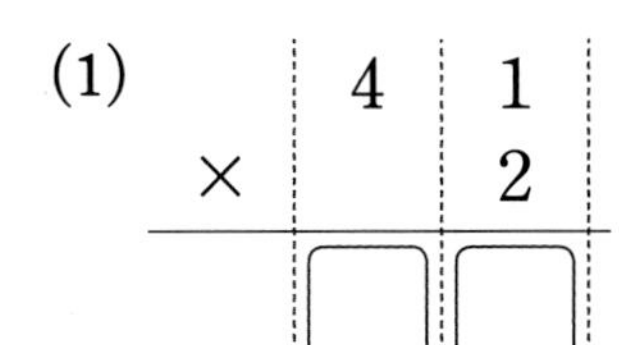

(2) $\begin{array}{r} 2\ 2 \\ \times\ \ 3 \\ \hline \square\ \square \end{array}$

(3) $\begin{array}{r} 3\ 3 \\ \times\ \ 3 \\ \hline \square\ \square \end{array}$

5 계산해 보세요.

(1) 11×6　　(2) 14×2　　(3) 34×2

6 계산 결과를 찾아 선으로 이어 보세요.

10×7 •	• 80
30×2 •	• 60
20×4 •	• 70

7 수직선을 보고 □ 안에 알맞은 수를 써넣으세요.

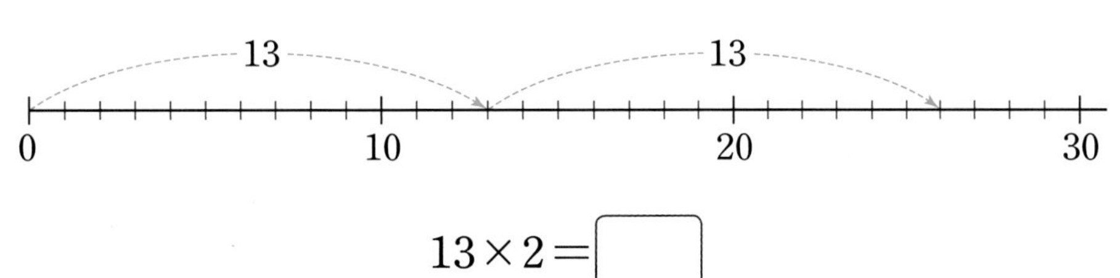

$13 \times 2 = \square$

4
단원

8 두 수의 곱을 구해 보세요.

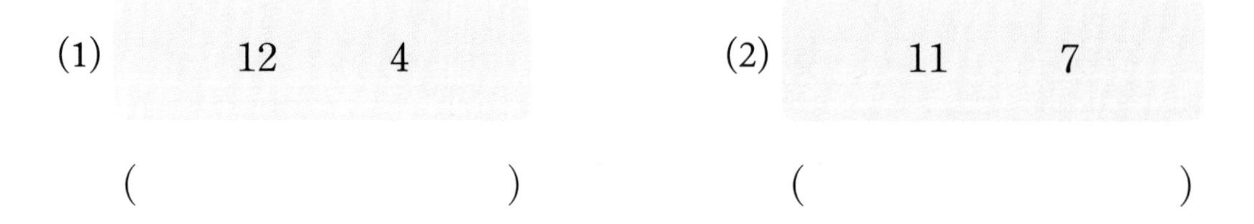

( ) ( )

9 빈 곳에 알맞은 수를 써넣으세요.

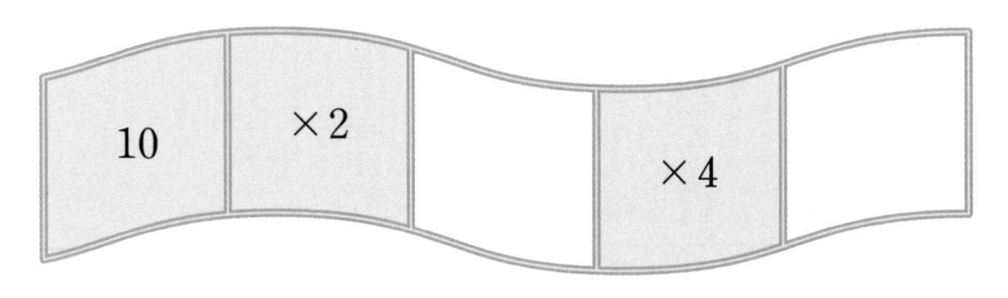

10 빈칸에 알맞은 수를 써넣으세요.

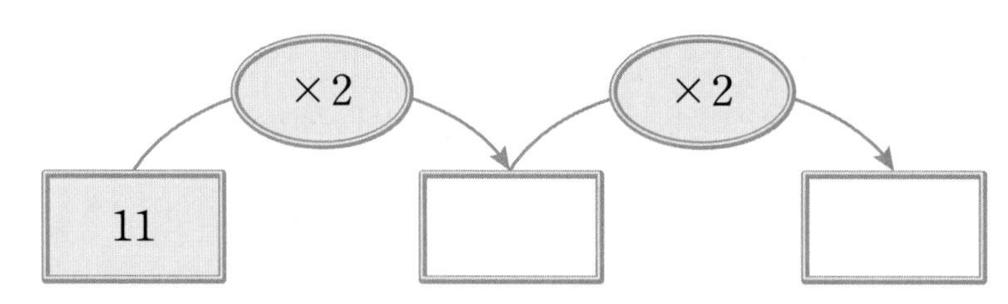

11 계산 결과를 비교하여 ○ 안에 >, =, <를 알맞게 써넣으세요.

(1) 14×2 ○ 20

(2) 20×4 ○ 31×2

12 색연필이 한 상자에 10자루씩 7상자 있습니다. □ 안에 알맞은 수를 써넣으세요.

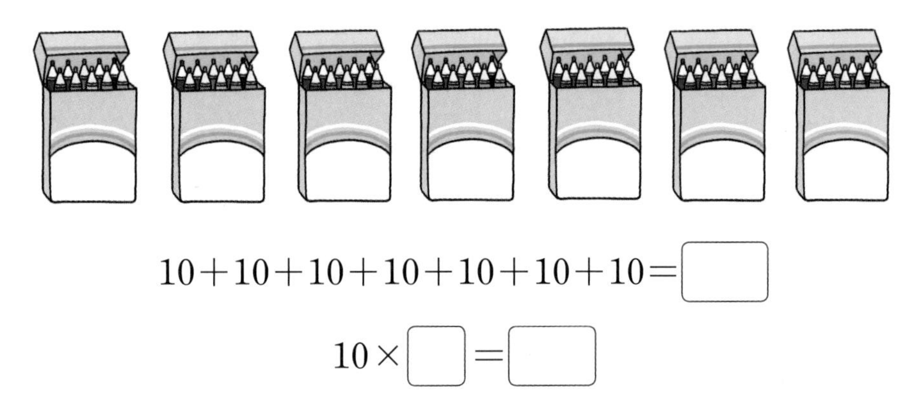

$10+10+10+10+10+10+10=\square$

$10\times\square=\square$

13 계산 결과가 가장 큰 것에 ○표 하세요.

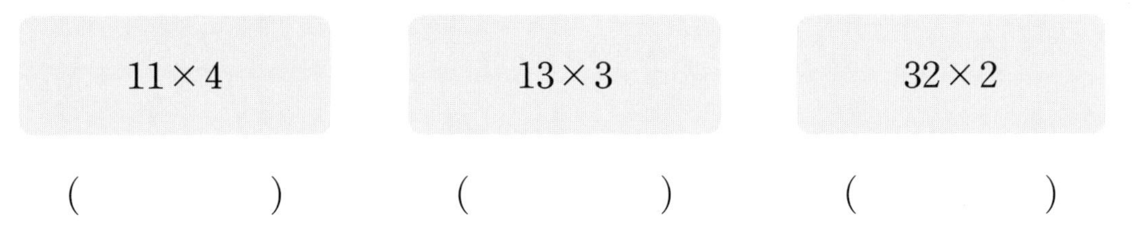

11×4	13×3	32×2
(　　　)	(　　　)	(　　　)

14 구슬이 한 묶음에 10개씩 4묶음이 있습니다. 구슬은 모두 몇 개인지 구해 보세요.

(　　　　　　)

15 윤기 어머니의 연세는 42세이고 윤기 할머니의 연세는 어머니의 연세의 2배입니다. 할머니의 연세는 몇 세인지 구해 보세요.

(　　　　　　)

4 단원

교과서 개념 잡기

개념 3 (몇십몇)×(몇) 구하기 (2) — 십의 자리에서 올림

63×2의 계산 방법 알아보기

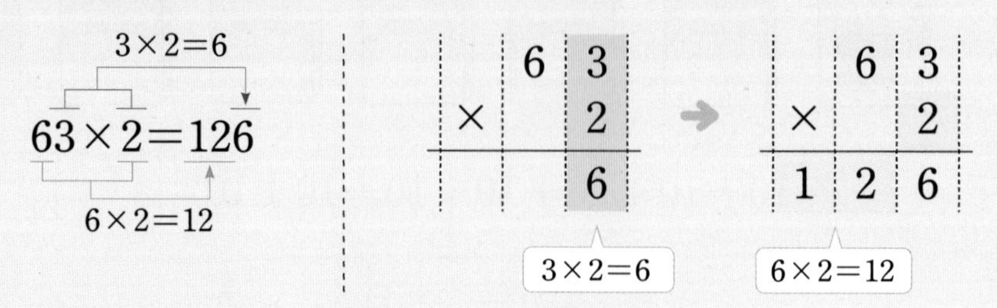

개념 4 (몇십몇)×(몇) 구하기 (3) — 일의 자리에서 올림

• 26×3을 수 모형으로 알아보기

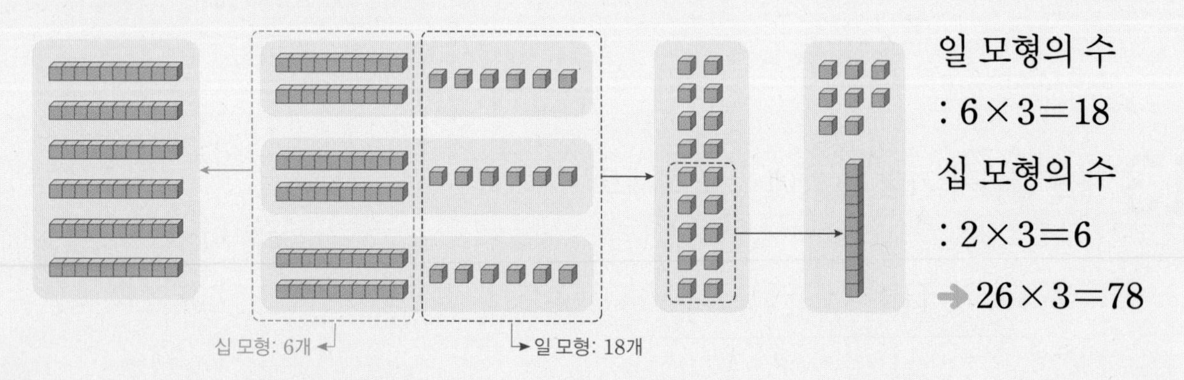

26×3의 계산 방법 알아보기

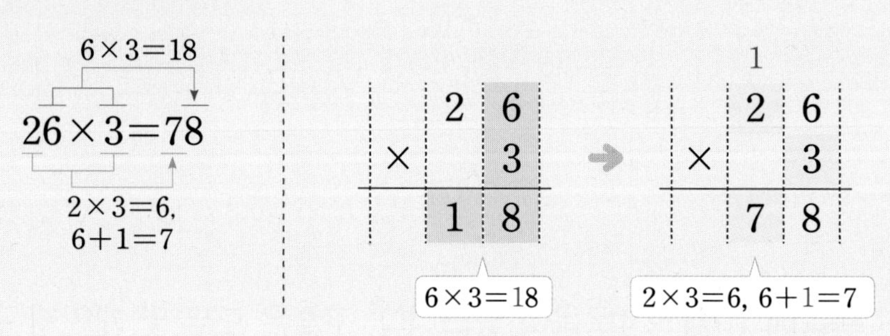

개념 OX

바르게 계산한 친구를 찾아 ○표 하세요.

1 수 모형으로 31×4의 계산 과정을 나타낸 그림입니다. □ 안에 알맞은 수를 써넣으세요.

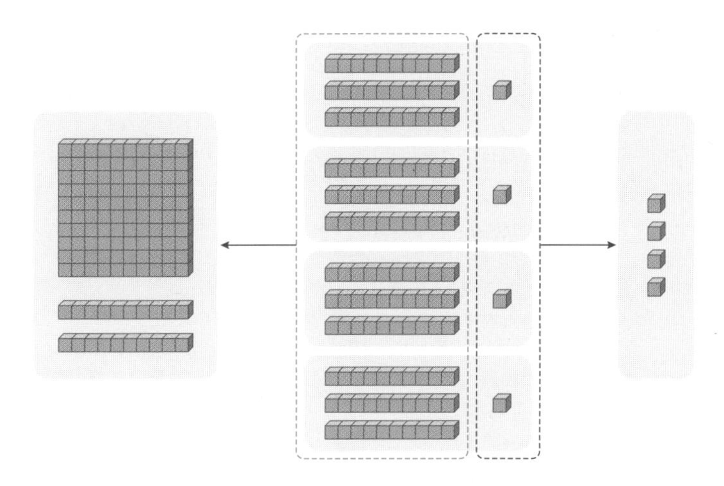

일 모형은 $1 \times 4 =$ □(개)이고, 십 모형은 $3 \times 4 =$ □(개)이므로

$31 \times 4 =$ □입니다.

2 □ 안에 알맞은 수를 써넣으세요.

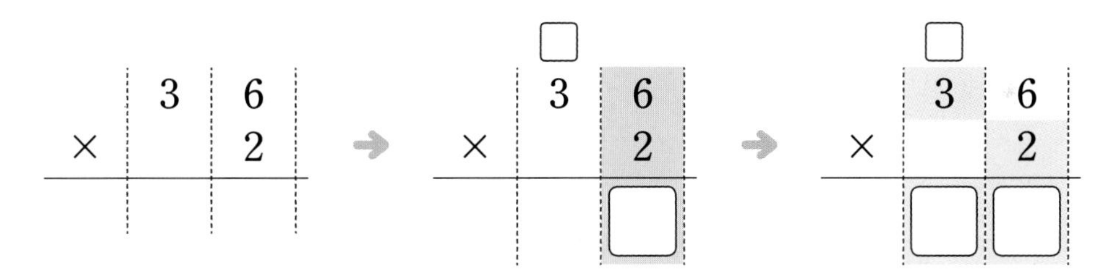

3 그림을 보고 □ 안에 알맞은 수를 써넣으세요.

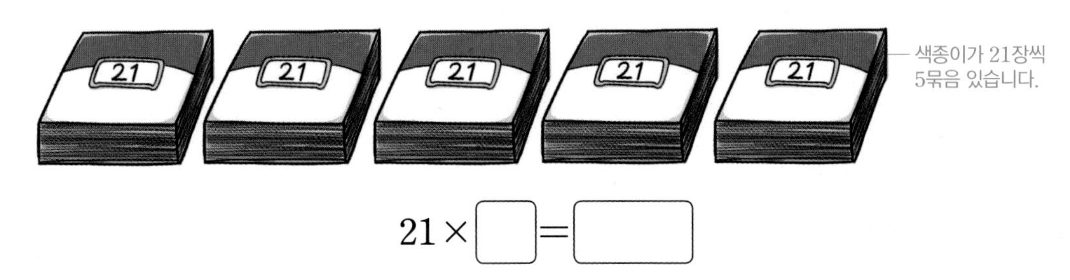

$21 \times$ □ $=$ □

4 계산해 보세요.

(1) 64×2　　(2) 37×2　　(3) 81×6

개념 5 (몇십몇)×(몇) 구하기 (4) — 십의 자리와 일의 자리에서 올림

• 34×4를 수 모형으로 알아보기

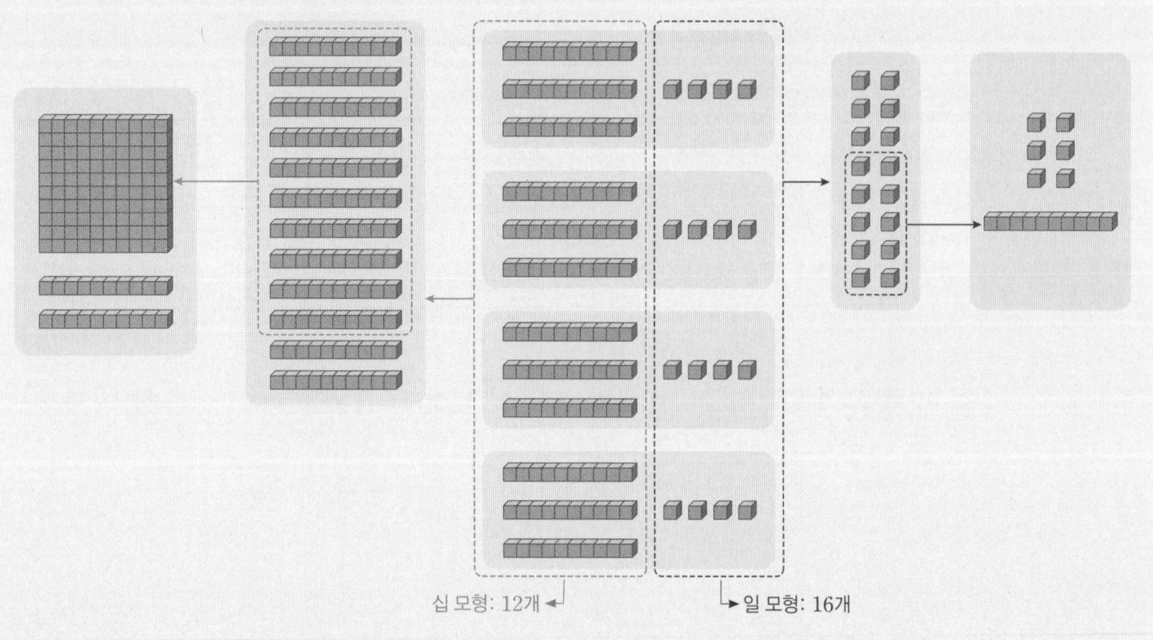

십 모형은 $3\times4=12$이므로 120이고, 일 모형은 $4\times4=16$이므로 $120+16=136$입니다. ➜ $34\times4=136$

34×4의 계산 방법 알아보기

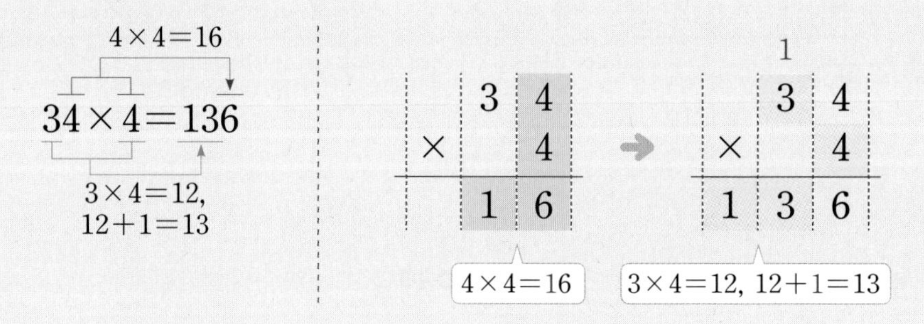

개념 OX

바르게 계산한 친구를 찾아 ○표 하세요.

1 수 모형으로 76×2의 계산 과정을 나타낸 그림입니다. □ 안에 알맞은 수를 써넣으세요.

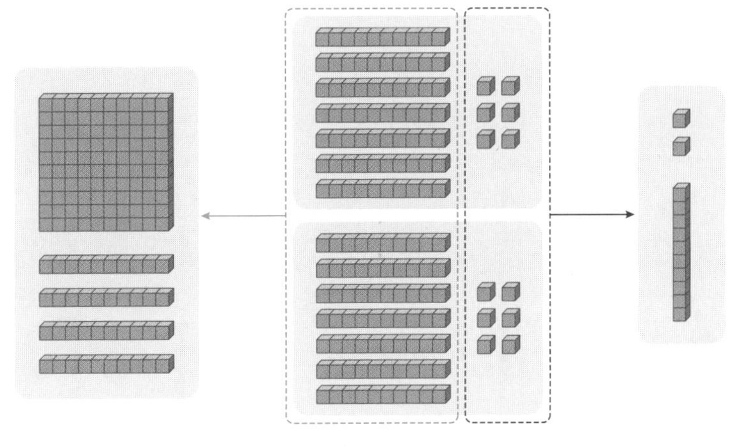

일 모형은 $6\times2=$□(개)이고, 십 모형은 $7\times2=$□(개)이므로

$76\times2=$□입니다.

2 □ 안에 알맞은 수를 써넣으세요.

(1)

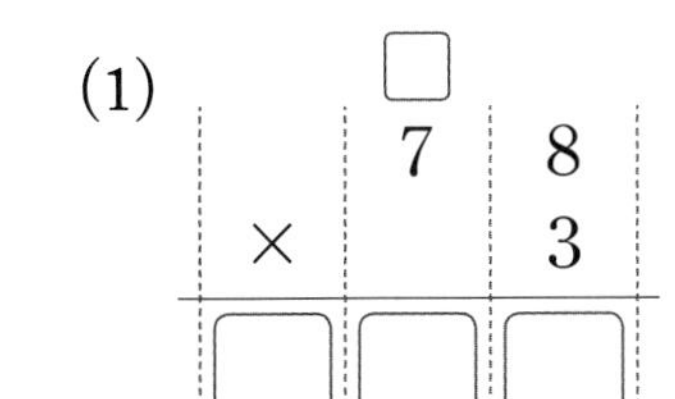

(2)

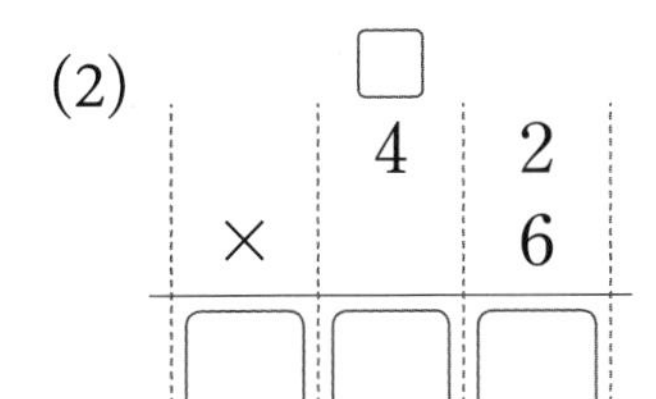

(3)

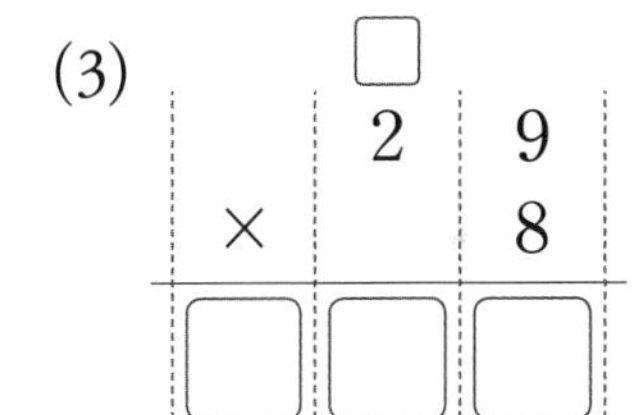

3 초콜릿이 한 상자에 16개씩 8상자 있습니다. □ 안에 알맞은 수를 써넣으세요.

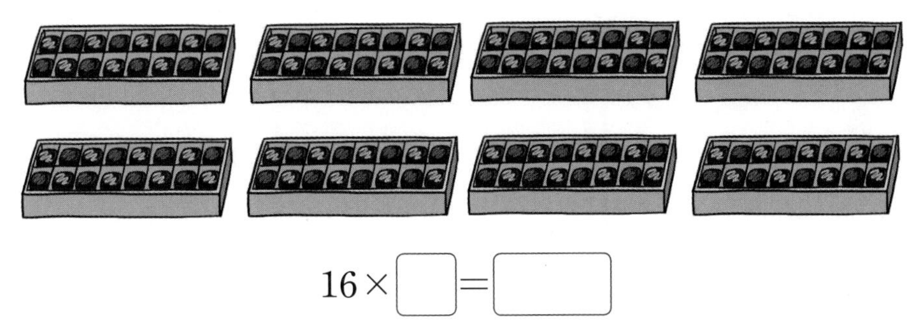

$16\times$□$=$□

4 계산해 보세요.

(1) 67×2

(2) 38×5

(3) 45×9

교과서 개념  꽃송이 완성하기

준비물 붙임딱지

알맞은 계산 결과가 적힌 붙임딱지를 붙여 꽃송이를 완성해 보세요.

36
× 2
25
× 3
19
× 6
93
× 5
64
× 5
43
× 5
94
× 4
4
단원

집중! 드릴 문제

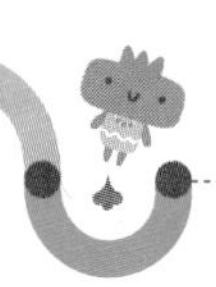

[1~12] 계산해 보세요.

1
$$\begin{array}{r} 1\ 7 \\ \times \quad 6 \\ \hline \end{array}$$

2
$$\begin{array}{r} 4\ 8 \\ \times \quad 3 \\ \hline \end{array}$$

3
$$\begin{array}{r} 5\ 4 \\ \times \quad 5 \\ \hline \end{array}$$

4
$$\begin{array}{r} 8\ 3 \\ \times \quad 2 \\ \hline \end{array}$$

5
$$\begin{array}{r} 3\ 3 \\ \times \quad 7 \\ \hline \end{array}$$

6
$$\begin{array}{r} 2\ 1 \\ \times \quad 6 \\ \hline \end{array}$$

7
$$\begin{array}{r} 5\ 3 \\ \times \quad 3 \\ \hline \end{array}$$

8
$$\begin{array}{r} 7\ 2 \\ \times \quad 3 \\ \hline \end{array}$$

9
$$\begin{array}{r} 1\ 8 \\ \times \quad 4 \\ \hline \end{array}$$

10
$$\begin{array}{r} 2\ 7 \\ \times \quad 5 \\ \hline \end{array}$$

11
$$\begin{array}{r} 8\ 9 \\ \times \quad 2 \\ \hline \end{array}$$

12
$$\begin{array}{r} 9\ 6 \\ \times \quad 3 \\ \hline \end{array}$$

[13~26] 계산해 보세요.

13 53×2

14 24×3

15 61×5

16 29×9

17 75×2

18 17×5

19 94×3

20 43×3

21 83×2

22 13×6

23 27×3

24 18×9

25 56×4

26 37×7

교과서 개념 확인 문제

1 □ 안에 알맞은 수를 써넣으세요.

	4	3
×		3

→

	4	3
×		3
		□

→

	4	3
×		3
□	□	□

2 빈 곳에 알맞은 수를 써넣으세요.

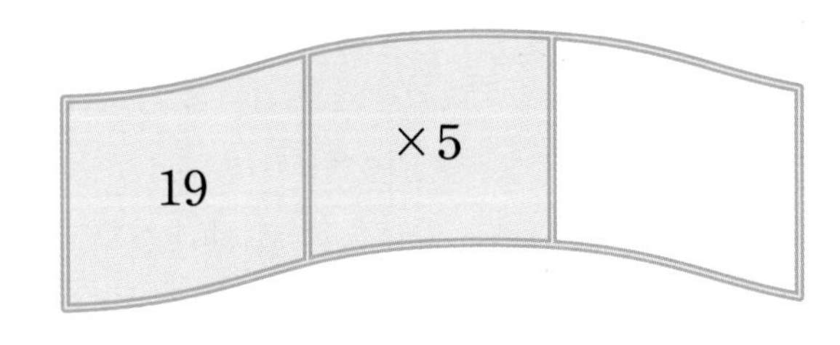

3 계산해 보세요.

(1)
$$\begin{array}{r} 5\ 6 \\ \times\quad 2 \\ \hline \end{array}$$

(2)
$$\begin{array}{r} 2\ 8 \\ \times\quad 3 \\ \hline \end{array}$$

(3) 41×4

(4) 92×3

4 빈칸에 알맞은 수를 써넣으세요.

×	32	43	54
4			

5 계산에서 잘못된 부분을 찾아서 바르게 고쳐 보세요.

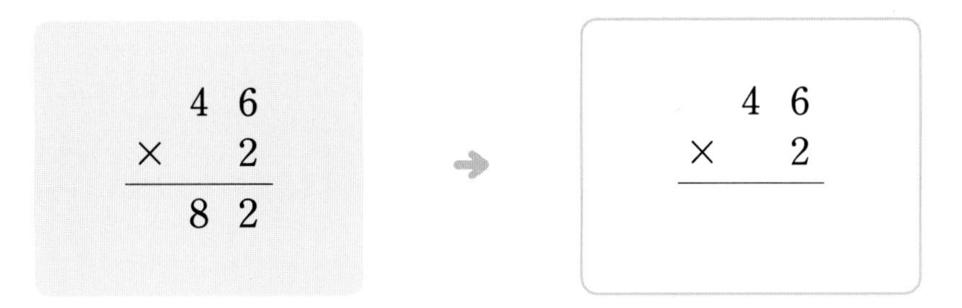

6 빈칸에 알맞은 수를 써넣으세요.

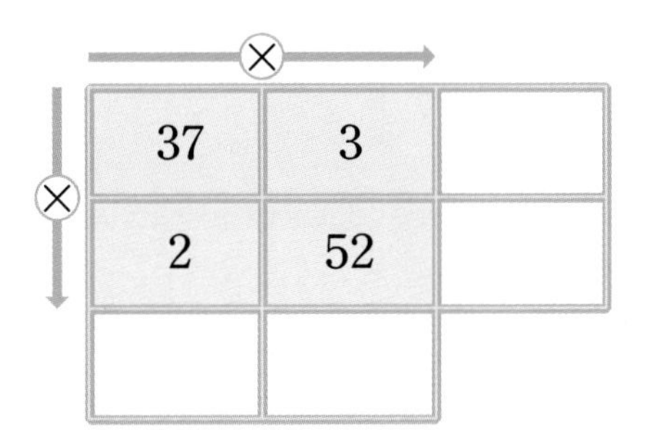

7 가장 큰 수와 가장 작은 수의 곱을 구해 보세요.

56 3 19 74

( )

8 곱셈식에서 [1]이 실제로 나타내는 수를 구해 보세요.

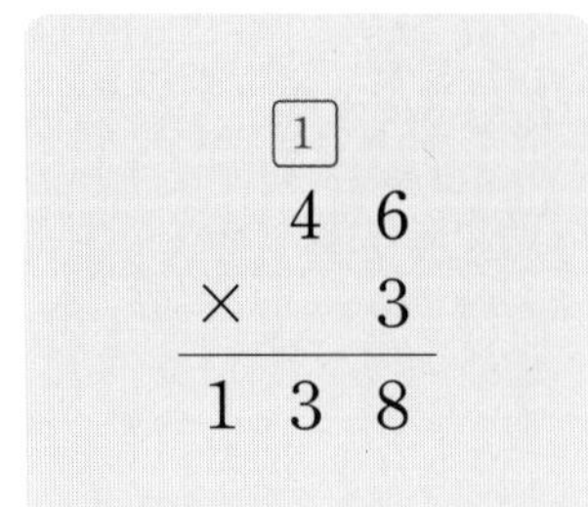

$$\begin{array}{r} \boxed{1} \\ 46 \\ \times\ \ 3 \\ \hline 138 \end{array}$$

( )

9 계산 결과를 찾아 선으로 이어 보세요.

		68
25×2		50
17×4		60

10 계산 결과를 비교하여 ○ 안에 >, =, <를 알맞게 써넣으세요.

64×3  97×2

11 주호는 길이가 63 m인 공원을 5바퀴 걸었습니다. 주호가 걸은 거리는 모두 몇 m인지 구해 보세요.

( )

12 연필 1타는 12자루입니다. 선생님께서 연필 6타를 학생들에게 나누어 주려고 합니다. 나누어 줄 연필은 모두 몇 자루인지 구해 보세요.

( )

13 빈칸에 알맞은 수를 써넣으세요.

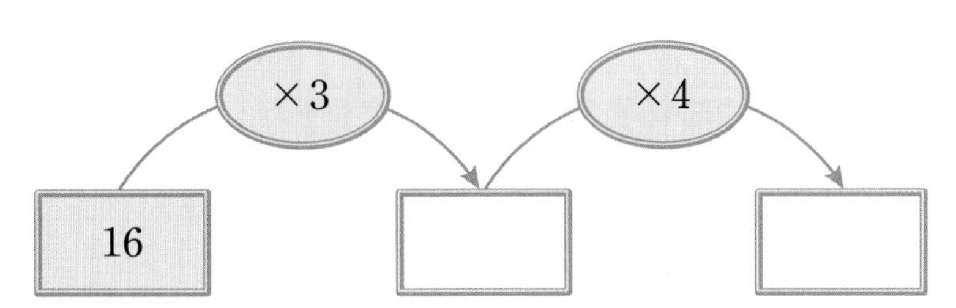

14 계산 결과가 다른 하나를 찾아 기호를 써 보세요.

㉠ 35×2 ㉡ 17×5 ㉢ 10×7

( )

개념 확인평가

4. 곱셈

맞은 개수

1 수 모형을 보고 곱셈식을 바르게 쓴 것을 찾아 기호를 써 보세요.

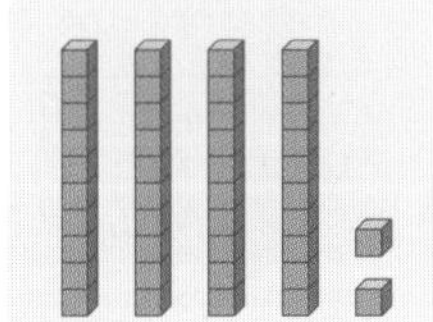 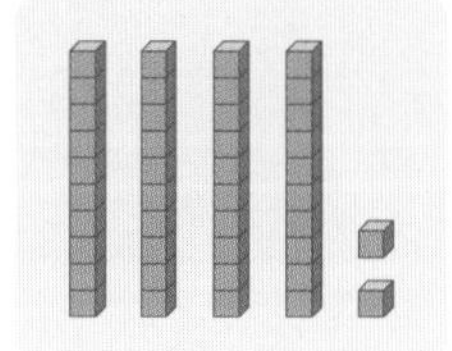 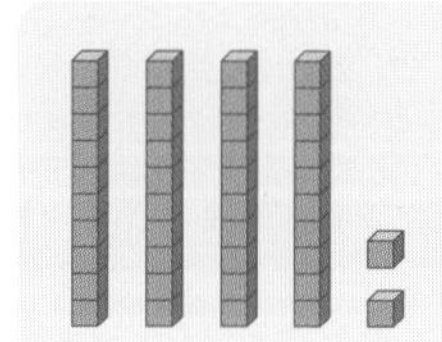

㉠ $42 \times 3 = 126$

㉡ $43 \times 2 = 86$

(　　　　　　　　)

2 수 모형을 보고 □ 안에 알맞은 수를 써넣으세요.

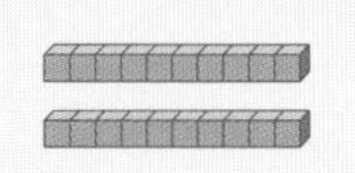 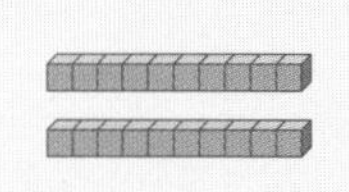 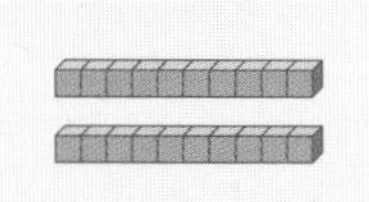 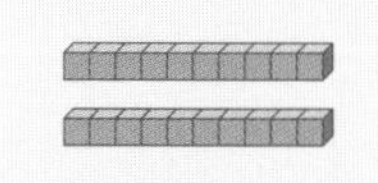

$20 \times 4 = \square$

3 그림을 보고 □ 안에 알맞은 수를 써넣으세요.

마카롱이 한 상자에 12개씩 3상자 있습니다.

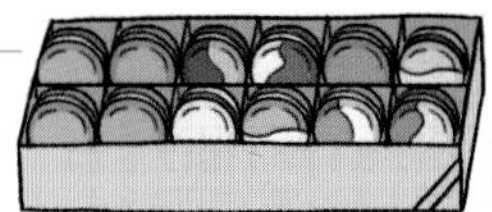  

$12 \times \square = \square$

4 바르게 계산한 것에 ○표 하세요.

$$\begin{array}{r} 53 \\ \times\ \ 2 \\ \hline 16 \end{array} \qquad \begin{array}{r} 84 \\ \times\ \ 2 \\ \hline 168 \end{array}$$

(　　　　)　　(　　　　)

5 계산해 보세요.

(1) $\begin{array}{r} 3\ 0 \\ \times \quad 2 \\ \hline \end{array}$

(2) $\begin{array}{r} 1\ 3 \\ \times \quad 3 \\ \hline \end{array}$

(3) $\begin{array}{r} 5\ 4 \\ \times \quad 2 \\ \hline \end{array}$

6 계산 결과를 찾아 선으로 이어 보세요.

40×2 • 15×6 •

• 70 • 80 • 90

7 계산 결과를 비교하여 ○ 안에 >, =, <를 알맞게 써넣으세요.

(1) 14×5 ○ 22×3

(2) 18×4 ○ 62×2

8 가장 큰 수와 가장 작은 수의 곱을 구해 보세요.

33	2	9	18

( )

9 계산 결과가 다른 하나를 찾아 기호를 써 보세요.

㉠ 41×6 ㉡ 93×2 ㉢ 82×3

( )

10 □ 안에 알맞은 수를 써넣으세요.

(1)

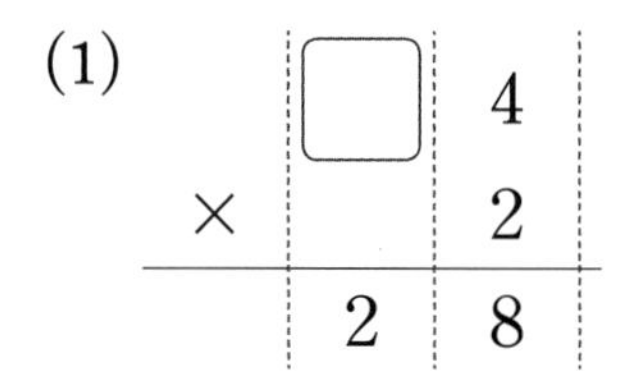

	□	4
×		2
	2	8

(2)

	5	□
×		4
2	0	8

11 석진이는 사탕을 한 봉지에 16개씩 담아 7봉지를 포장했습니다. 석진이가 포장한 사탕은 모두 몇 개인지 식을 쓰고 답을 구해 보세요.

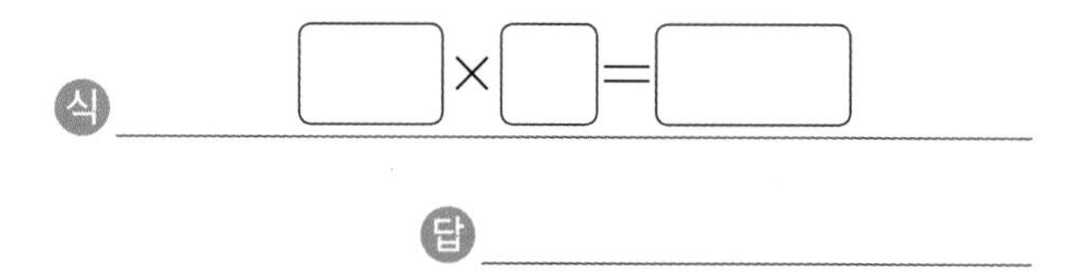

식 □ × □ = □

답

12 민지는 끈으로 겹치는 부분 없이 오른쪽과 같은 정사각형을 한 개 만들었습니다. 사용한 끈의 길이는 몇 cm인지 구해 보세요.

( )

5 길이와 시간

학습 계획표

내용	쪽수	날짜	확인
교과서 개념 잡기	118~121쪽	월 일	
교과서 개념 play / 집중! 드릴 문제	122~125쪽	월 일	
교과서 개념 확인 문제	126~129쪽	월 일	
교과서 개념 잡기	130~133쪽	월 일	
교과서 개념 play / 집중! 드릴 문제	134~137쪽	월 일	
교과서 개념 확인 문제	138~141쪽	월 일	
개념 확인평가	142~144쪽	월 일	

교과서 개념 잡기

개념 1 1 cm보다 작은 단위 알아보기

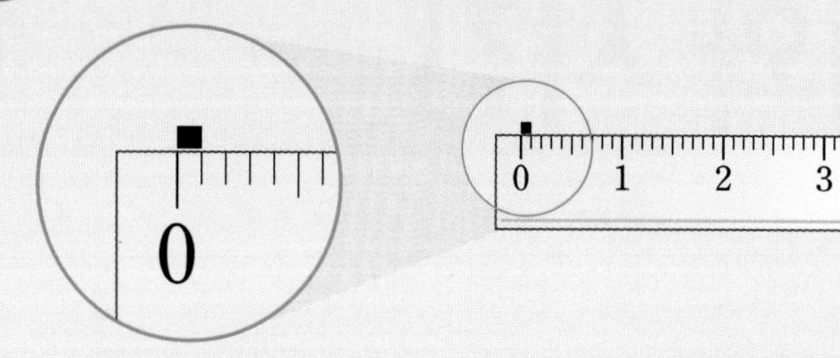

1 cm( )를 10칸으로 똑같이 나누었을 때( ) 작은 눈금 한 칸의 길이(▪)를 1 mm라 쓰고 1 밀리미터라고 읽습니다.

1 mm

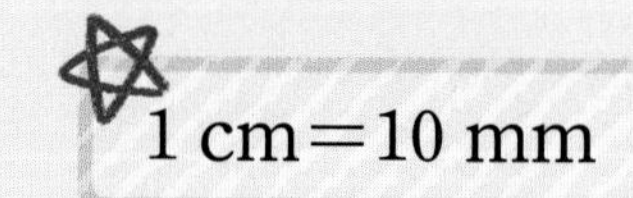

23 cm보다 5 mm 더 긴 것을 23 cm 5 mm라 쓰고
23 센티미터 5 밀리미터라고 읽습니다.
23 cm 5 mm는 235 mm입니다.

23 cm 5 mm=235 mm

개념 2 1 m보다 큰 단위 알아보기

1000 m를 1 km라 쓰고 1 킬로미터라고 읽습니다.

1 km

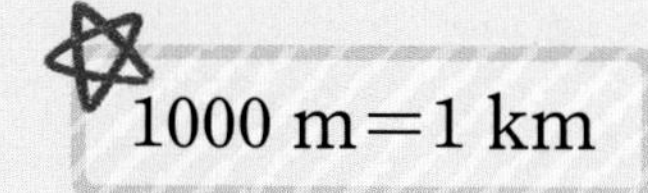

4 km보다 500 m 더 긴 것을 4 km 500 m라 쓰고
4 킬로미터 500 미터라고 읽습니다.
4 km 500 m는 4500 m입니다.

4 km 500 m=4500 m

체크 Play

준비물 붙임딱지

손톱의 길이, 광안대교의 길이를 재었습니다. 길이에 알맞은 사진을 찾아 붙여 보세요.

1 cm 5 mm=15 mm　　7 km 420 m=7420 m

[1~2] 주어진 길이를 쓰고 읽어 보세요.

1

3 cm 5 mm

쓰기

읽기 (   )

2

7 km 300 m

쓰기

읽기 (   )

[3~4] 주어진 선분의 길이를 알아보세요.

3

0 1 2 3 4 5 6 7 8 9 10 → □ cm □ mm

4

0 1 2 3 4 5 6 7 8 9 10 → □ cm □ mm

5 □ 안에 알맞은 수를 써넣으세요.

(1) 5 cm 3 mm = □ mm

(2) 76 mm = □ cm □ mm

(3) 4 km 620 m = □ m

(4) 3800 m = □ km □ m

5 단원

개념 3 길이와 거리를 어림하고 재어 보기

- 엄지손가락 너비를 기준으로 어림하기

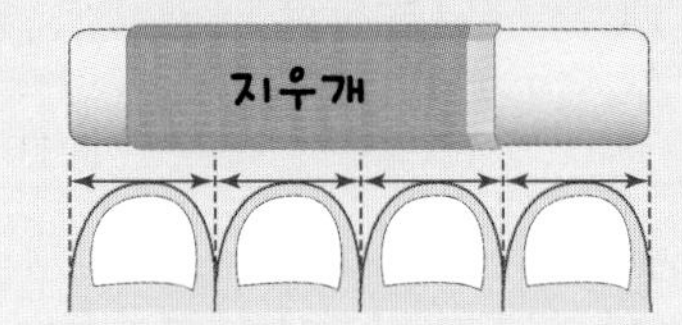

지우개의 길이는 엄지손가락 너비의 약 4배이므로 약 4 cm입니다.

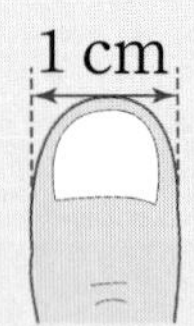

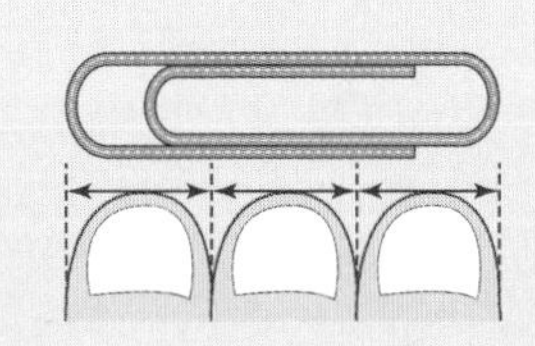

클립의 길이는 엄지손가락 너비의 약 3배이므로 약 3 cm입니다.

- 그림지도에서 거리 어림하기

① 학교에서 우체국까지의 거리: 약 1 km
→ 학교에서 편의점까지의 거리의 2배입니다.

② 학교에서 기차역까지의 거리: 약 2 km
→ 학교에서 편의점까지의 거리의 4배입니다.

③ 학교에서 약 1 km 500 m 떨어진 곳에 있는 장소: 병원, 소방서
→ 1 km 500 m는 500 m의 3배이므로 학교에서 편의점까지의 거리의 3배인 곳을 알아봅니다.

체크 Play

준비물 붙임딱지

색연필 심의 길이, 버스의 길이, 이순신대교의 길이를 어림하였습니다. 어림한 길이에 알맞은 사진을 찾아 붙여 보세요.

약 3 mm	약 12 m	약 2 km

[1~2] 물건의 길이를 어림하고 자로 재어 보세요.

1

어림한 길이	잰 길이

2

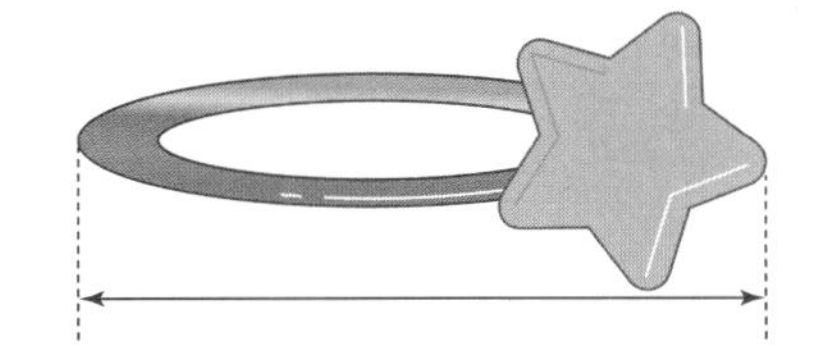

어림한 길이	잰 길이

[3~4] 소희네 집에서 주변에 있는 장소까지의 거리를 어림해 보세요.

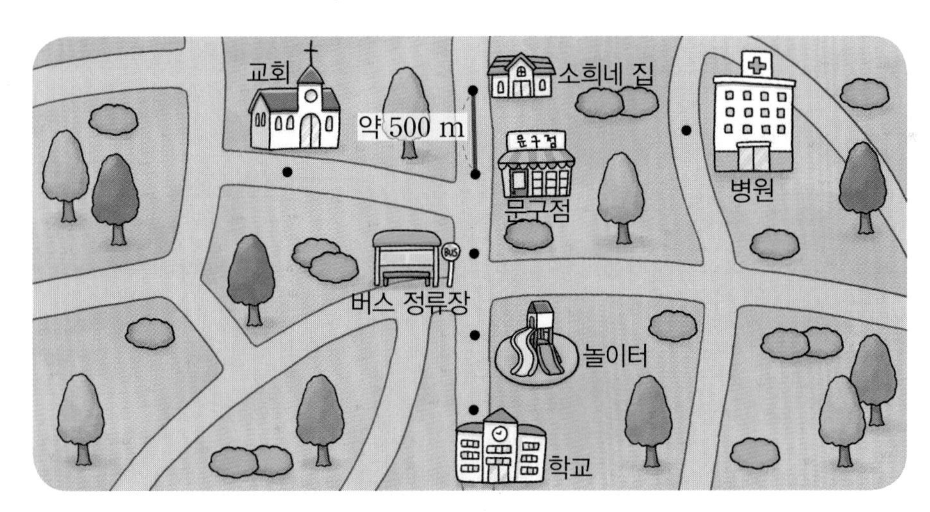

3 소희네 집에서 버스 정류장까지의 거리는 약 몇 km일까요?

약 (　　　　　　　　)

4 소희네 집에서 약 2 km 떨어진 곳에는 어떤 장소가 있는지 어림해 보세요.

(　　　　　　　　)

5 단원

교과서 개념 play 길이 카드

카드의 그림이 나타내는 길이를 알아보고 길이의 단위를 바꾸어 나타내어 보세요.

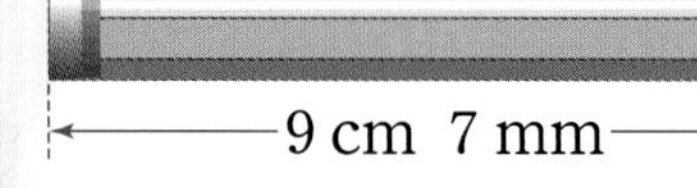

9 cm 7 mm

= □ cm + □ mm

= □ mm + □ mm

= □ mm

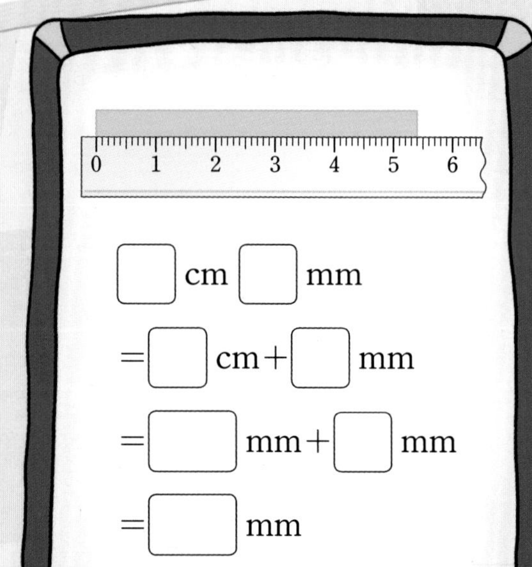

□ cm □ mm

= □ cm + □ mm

= □ mm + □ mm

= □ mm

600 m

1 km	1 km	1 km	1 km	1 km	

□ km □ m

□ km □ m

= □ km + □ m

= □ m + □ m

= □ m

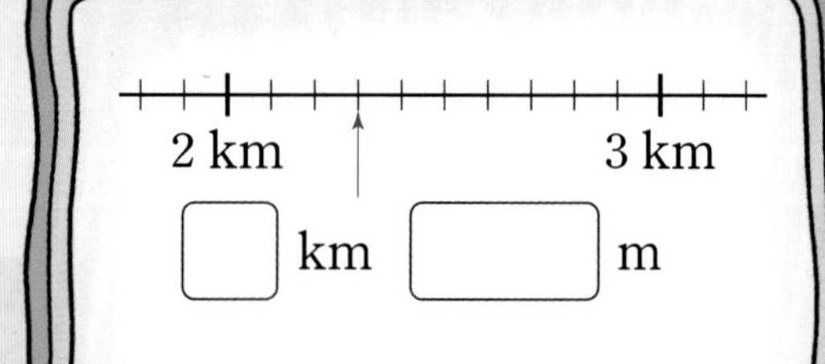

□ km □ m

□ km □ m

= □ km + □ m

= □ m + □ m

= □ m

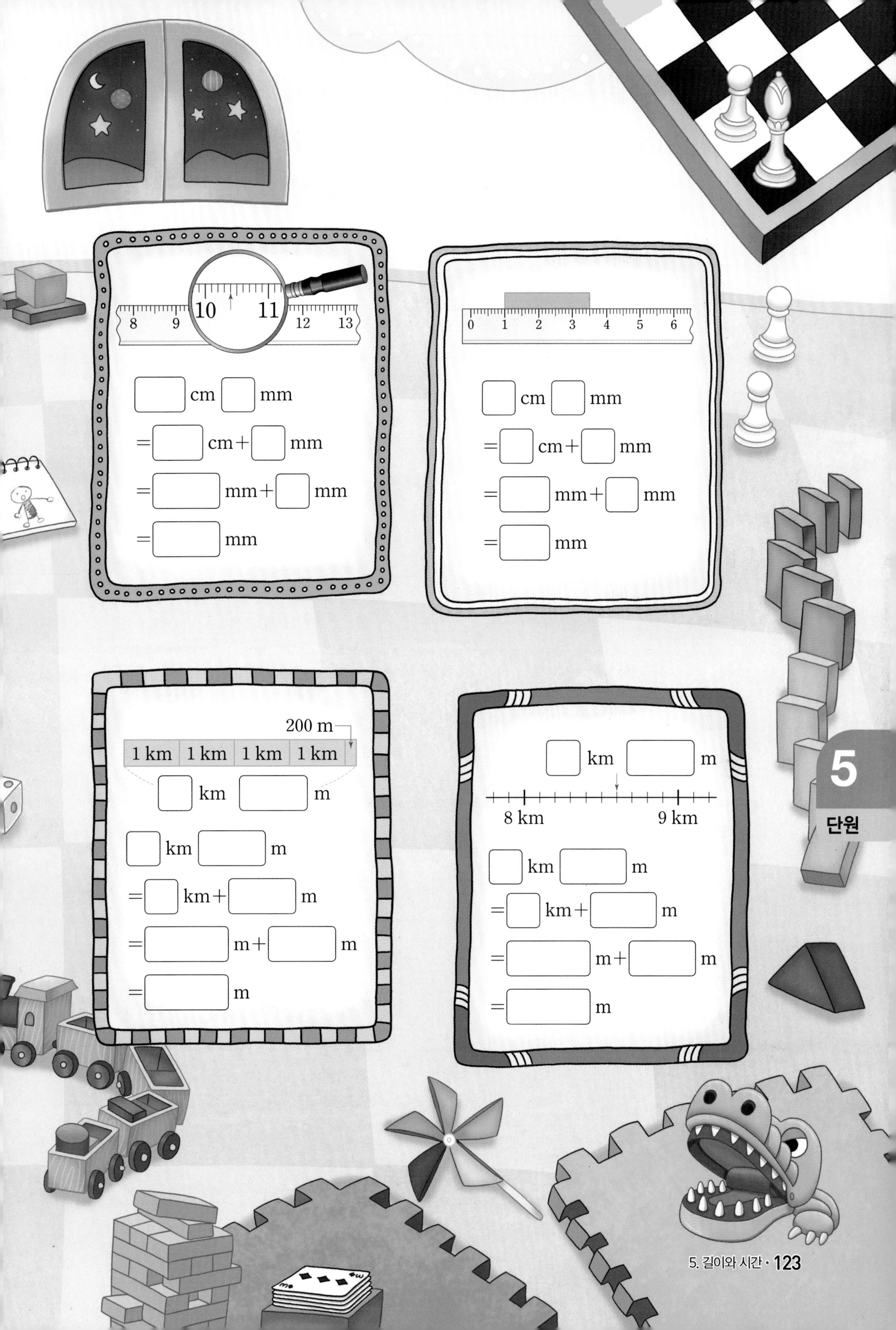

8 9 10 11 12 13
cm mm
= cm + mm
= mm + mm
= mm
0 1 2 3 4 5 6
cm mm
= cm + mm
= mm + mm
= mm
200 m
1 km 1 km 1 km 1 km
km m
km m
= km + m
= m + m
= m
km m
8 km
9 km
km m
= km + m
= m + m
= m
5
단원

집중! 드릴 문제

[1~4] 선분의 길이는 몇 mm인지 써 보세요.

1

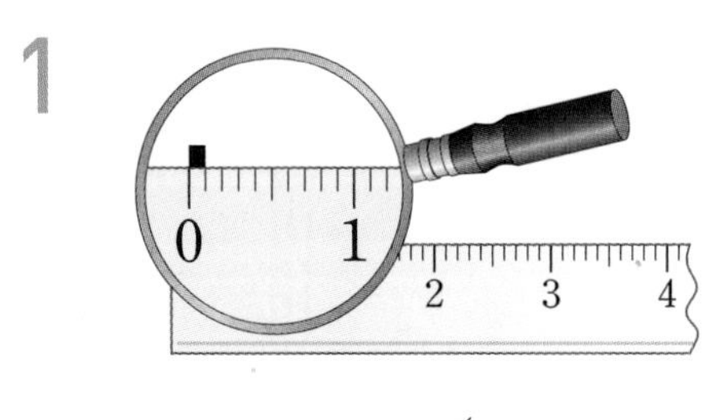

(　　　　　　　　)

2

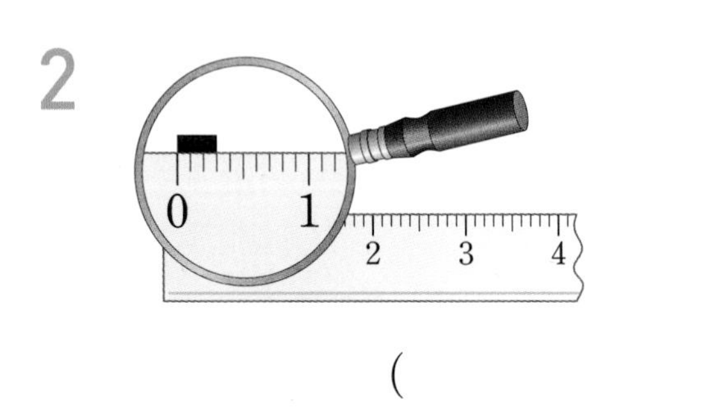

(　　　　　　　　)

3

(　　　　　　　　)

4

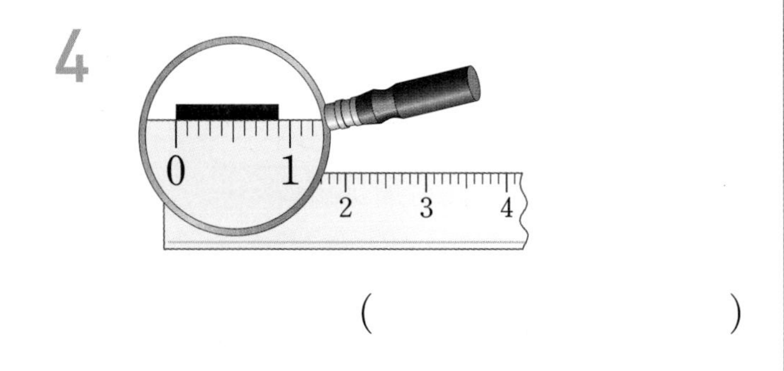

(　　　　　　　　)

[5~12] □ 안에 알맞은 수를 써넣으세요.

5 2 cm=□mm

6 1 cm 8 mm=□mm

7 4 cm 5 mm=□mm

8 3 cm 7 mm=□mm

9 63 mm=□cm □mm

10 52 mm=□cm □mm

11 24 mm=□cm □mm

12 79 mm=□cm □mm

[13~20] □ 안에 알맞은 수를 써넣으세요.

13 3 km=□m

14 2 km 500 m=□m

15 4 km 836 m=□m

16 8 km 340 m=□m

17 7000 m=□km

18 6284 m=□km □m

19 9620 m=□km □m

20 5095 m=□km □m

[21~26] 보기 에서 알맞은 단위를 골라 □ 안에 써넣으세요.

보기

mm cm m km

21 연필심의 길이는 약 4 □입니다.

22 지우개의 긴 쪽 길이는 약 5 □입니다.

23 수학책의 두께는 약 6 □입니다.

24 5층 건물의 높이는 약 15 □입니다.

25 동현이네 집에서 기차역까지의 거리는 약 3 □입니다.

26 지리산의 높이는 약 2 □입니다.

교과서 개념 확인 문제

1 □ 안에 알맞은 수를 써넣으세요.

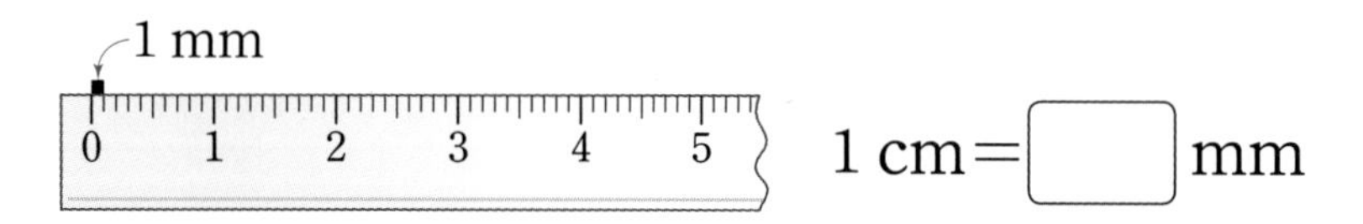

1 cm=□mm

2 □ 안에 알맞은 수를 써넣으세요.

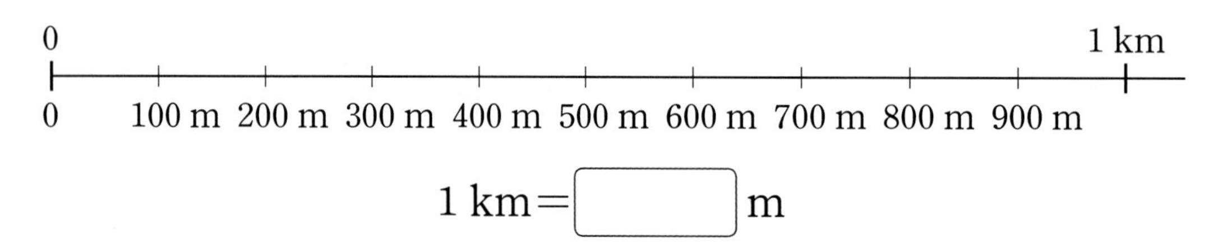

1 km=□m

3 □ 안에 알맞은 수를 써넣으세요.

(1) 2 km보다 520 m 더 먼 거리 ➔ □km □m

(2) 7 km보다 846 m 더 먼 거리 ➔ □km □m

4 □ 안에 알맞은 수를 써넣으세요.

(1) 3 cm 7 mm
=□mm+7 mm
=□mm

(2) 9 cm 6 mm
=□mm+6 mm
=□mm

5
□ 안에 알맞은 수를 써넣으세요.

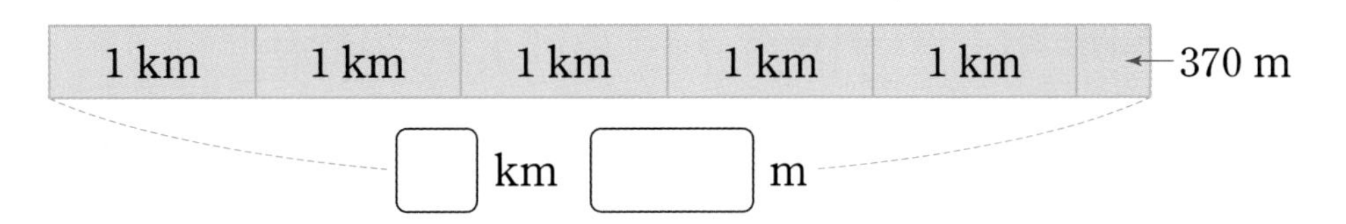

6
자를 이용하여 주어진 길이를 그어 보세요.

(1) 7 mm ➔

(2) 6 cm 3 mm ➔

7
같은 길이끼리 선으로 이어 보세요.

5 km 200 m •	• 5002 m
5 km 20 m •	• 5020 m
5 km 2 m •	• 5200 m

8
나사 못의 길이는 몇 cm 몇 mm일까요?

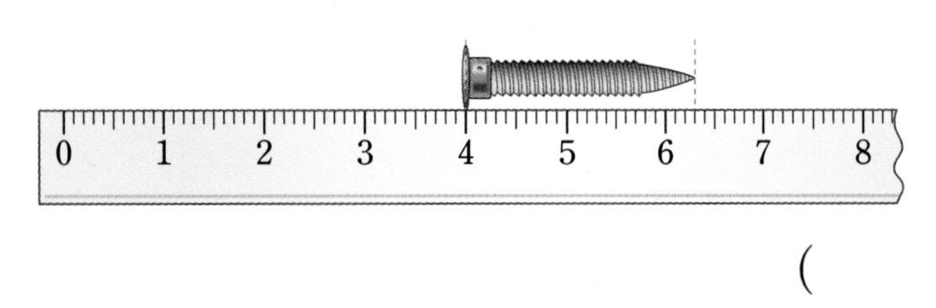

( )

9 □ 안에 알맞은 수를 써넣으세요.

(1) 7 km 800 m=□ m

(2) 9 km 20 m=□ m

(3) 1500 m=□ km □ m

(4) 6030 m=□ km □ m

10 다음 물건의 길이를 어림하고 자로 재어 보세요.

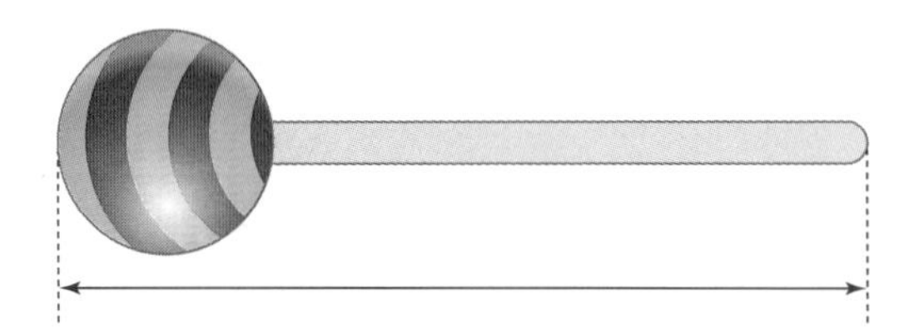

어림한 길이	잰 길이

11 보기 에서 알맞은 단위를 골라 □ 안에 써넣으세요.

보기

km m cm mm

(1) 동화책의 두께는 약 9 □입니다.

(2) 서울에서 대전까지의 거리는 약 162 □입니다.

12 길이를 비교하여 ○ 안에 >, =, <를 알맞게 써넣으세요.

(1) 2 cm 9 mm ○ 33 mm

(2) 3700 m ○ 2 km 800 m

13 수직선을 보고 □ 안에 알맞은 수를 써넣으세요.

(1)

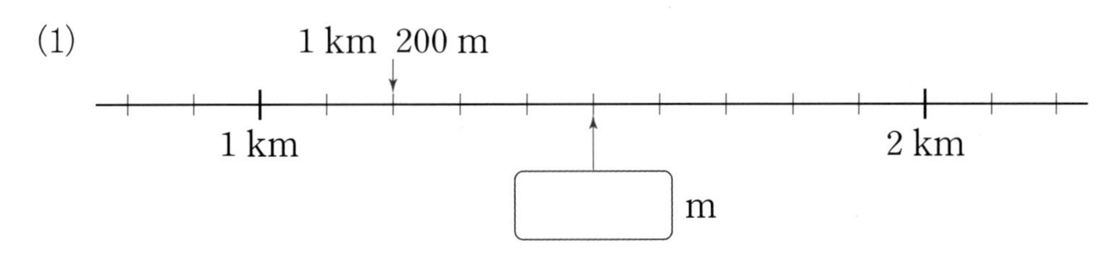

(2)

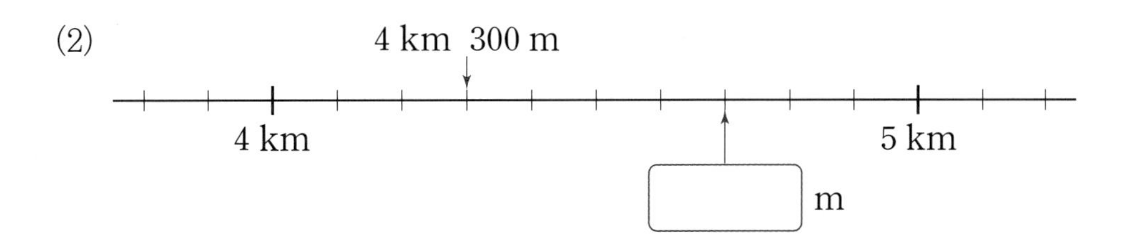

14 길이가 1 km보다 긴 것을 찾아 기호를 써 보세요.

㉠ 아파트 한 층의 높이
㉡ 교실 문의 높이
㉢ 서울에서 부산까지의 거리

(　　　　　　　　)

15 학교와 마트 중 주호네 집에서 더 먼 곳은 어디일까요?

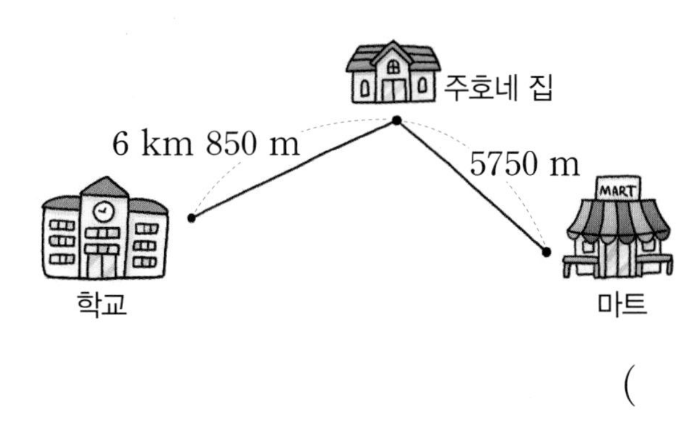

(　　　　　　　　)

개념 4 1분보다 작은 단위 알아보기

초바늘이 작은 눈금 한 칸을 가는 동안 걸리는 시간을 1초라고 합니다.

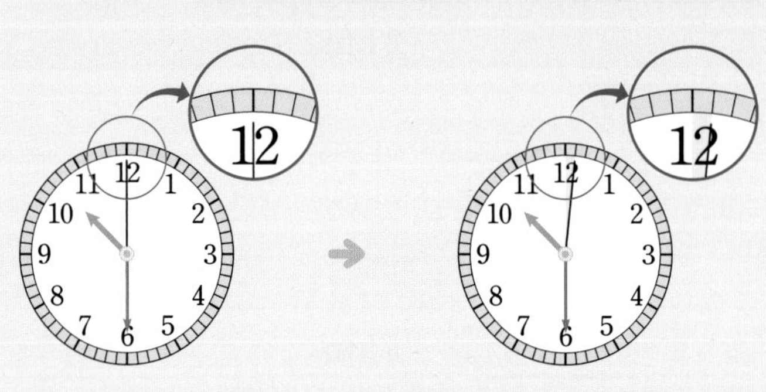

작은 눈금 한 칸=1초

초바늘이 시계를 한 바퀴 도는 데 걸리는 시간은 60초입니다.

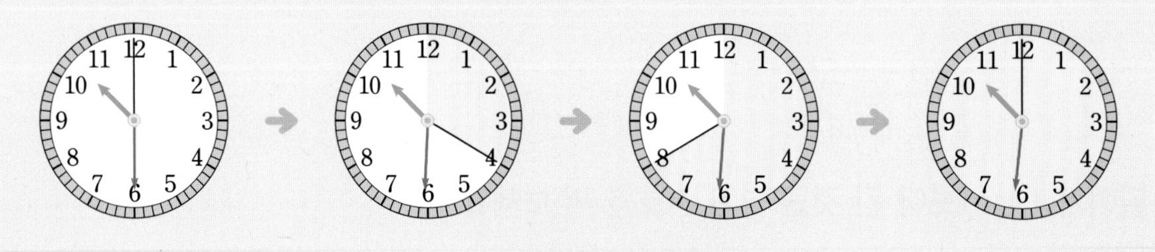

60초=1분

• 시각 읽기

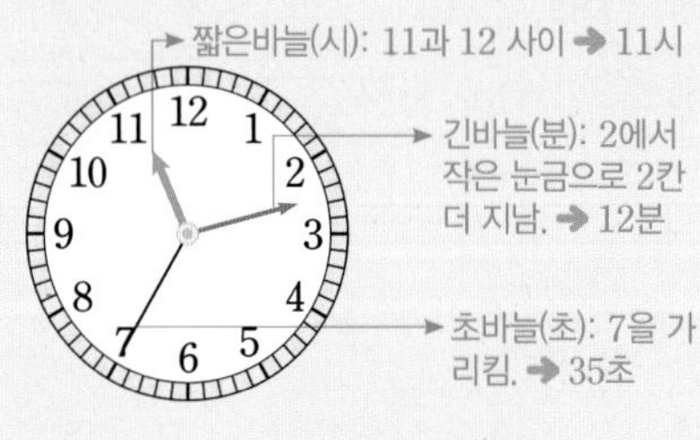
짧은바늘(시): 11과 12 사이 → 11시
긴바늘(분): 2에서 작은 눈금으로 2칸 더 지남. → 12분
초바늘(초): 7을 가리킴. → 35초

→ 11시 12분 35초

초바늘이 가리키는 숫자와 나타내는 시각

가리키는 숫자	1	2	3	4	5	6	7	8	9	10	11
나타내는 시각(초)	5	10	15	20	25	30	35	40	45	50	55

체크 Play

준비물 붙임딱지

다음 시각에 알맞은 시계를 찾아 붙여 보세요.

2시 20분 10초

2시 20분 25초

2시 20분 30초

2시 20분 45초

1 초바늘이 시계를 한 바퀴 도는 데 걸리는 시간은 몇 초일까요?

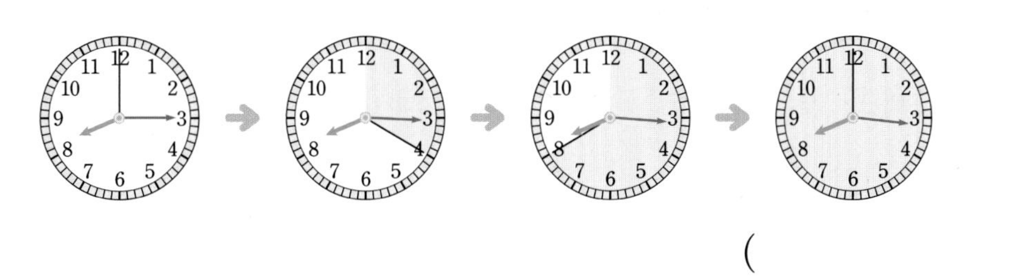

( )

2 1초 동안 할 수 있는 일을 모두 찾아 기호를 써 보세요.

㉠ 눈 한 번 깜빡하기　　㉡ 양치질하기
㉢ 학교 운동장 한 바퀴 뛰기　　㉣ 자리에서 일어나기

( )

[3~4] 시각을 읽어 보세요.

3

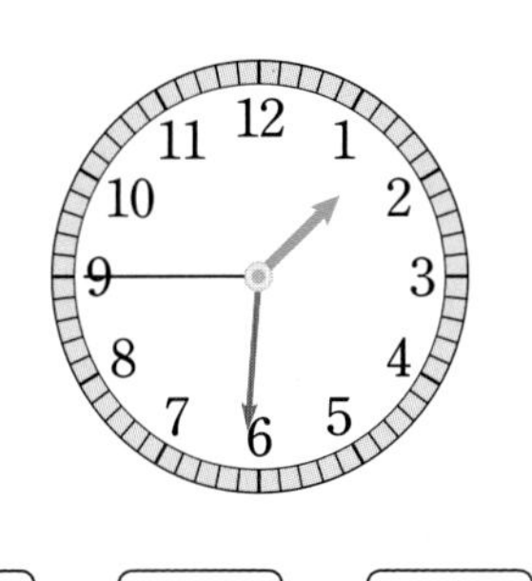

□시 □분 □초

4

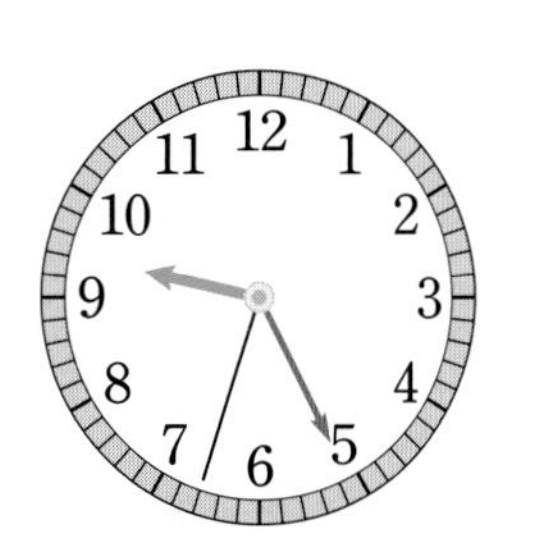

□시 □분 □초

5 같은 시간을 찾아 선으로 이어 보세요.

1분 •	• 100초
120초 •	• 60초
1분 40초 •	• 2분

개념 5 시간의 덧셈과 뺄셈 (1) — 받아올림, 받아내림이 없는 경우

시는 시끼리, 분은 분끼리, 초는 초끼리 계산합니다.

• (시각)+(시간)=(시각)

	시	분	초
	2시	10분	15초
+	1시간	20분	30초
	3시	30분	45초

• (시각)−(시간)=(시각)

	시	분	초
	9시	45분	20초
−	3시간	30분	10초
	6시	15분	10초

개념 6 시간의 덧셈과 뺄셈 (2) — 받아올림, 받아내림이 있는 경우

• (시간)+(시간)=(시간)

	분	초
	3분	40초
+	2분	30초
	5분	70초
	+1분 ←	−60초
	6분	10초

초끼리의 합이 70초이므로 60초를 1분으로 받아올림을 해요.

• (시간)−(시간)=(시간)

	시간	분	초
		24	60
	4시간	~~25~~분	10초
−	1시간	13분	40초
	3시간	11분	30초

4−1=3, 24−13=11, 60+10=70, 70−40=30

10초에서 40초를 뺄 수 없으므로 1분을 60초로 받아내림을 해요.

• (시각)−(시각)=(시간)

1분을 60초로 받아내림을 합니다.

	시	분	초
		39	60
	3시	~~40~~분	40초
−	1시	20분	50초
	2시간	19분	50초

3−1=2, 39−20=19, 60+40=100, 100−50=50

1시간을 60분으로 받아내림을 합니다.

	시	분	초
	4	60	
	~~5~~시	35분	25초
−	3시	40분	10초
	1시간	55분	15초

4−3=1, 60+35=95, 95−40=55, 25−10=15

개념 OX

시간의 덧셈을 바르게 말한 친구에게 ○표 하세요.

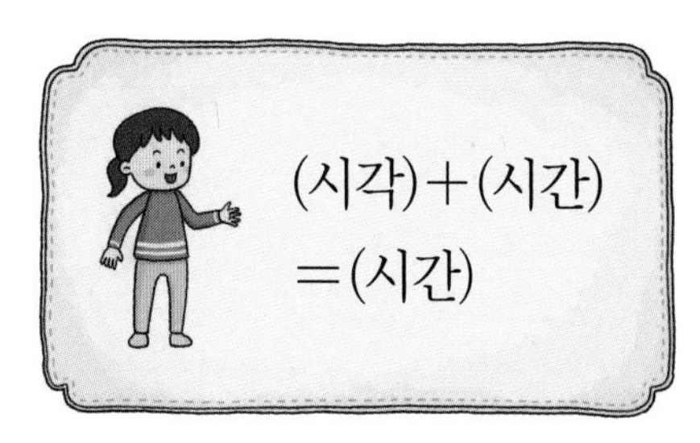

[1~2] □ 안에 알맞은 수를 써넣으세요.

1

	20	분	15	초
+	5	분	20	초
	□	분	□	초

2

	45	분	30	초
−	20	분	10	초
	□	분	□	초

[3~4] □ 안에 알맞은 수를 써넣으세요.

3

	2	시	37	분	25	초
+			11	분	32	초
	□	시	□	분	□	초

4

	10	시	54	분	48	초
−	2	시간	30	분	25	초
	□	시	□	분	□	초

[5~6] □ 안에 알맞은 수를 써넣으세요.

5

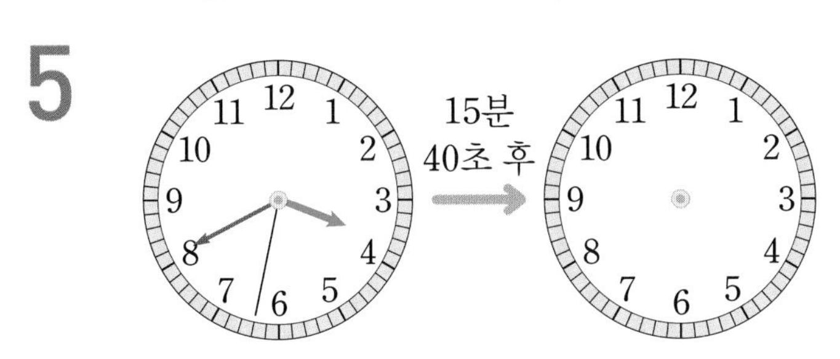

	3	시	40	분	32	초
+			15	분	40	초
	3	시	55	분	72	초
			+1	분 ←	−60	초
	□	시	□	분	□	초

6

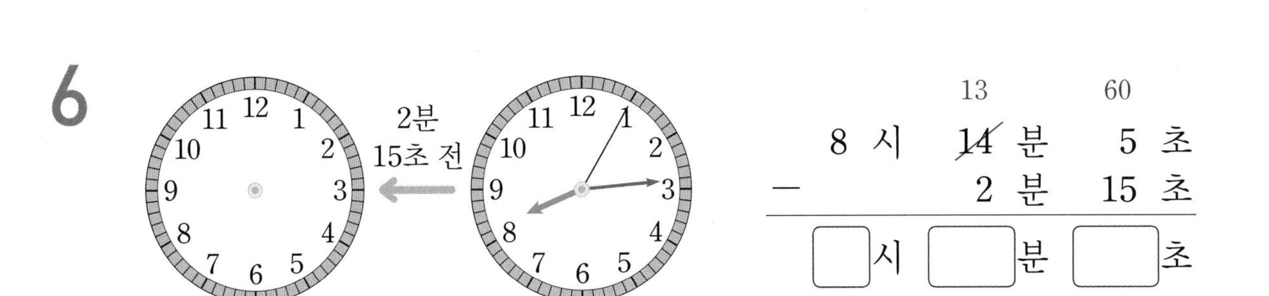

			13		60	
	8	시	~~14~~	분	5	초
−			2	분	15	초
	□	시	□	분	□	초

5 단원

교과서 개념  식사를 끝낸 시각 찾기

준비물 붙임딱지

숲속 동물들이 식사를 끝낸 시각은 다음과 같습니다.
시각에 알맞은 시계를 찾아 붙여 보세요.

다음 시계는 숲속 동물들이 식사를 시작한 시각을 나타냅니다.
식사를 끝낸 시각에 알맞은 시계를 찾아 붙여 보세요.

우리는 30분 동안 식사를 했어.

30분 후

붙임딱지를 붙이세요.

우리는 1시간 동안 식사를 했어.

1시간 후

우리는 25분 동안 식사를 했어.

25분 후

5 단원

집중! 드릴 문제

[1~4] 시각을 읽어 보세요.

1

(　　　　　　　　　　　　)

2

(　　　　　　　　　　　　)

3

(　　　　　　　　　　　　)

4

(　　　　　　　　　　　　)

[5~12] □ 안에 알맞은 수를 써넣으세요.

5 4분=□초

6 1분 50초=□초

7 2분 35초=□초

8 3분 24초=□초

9 80초=□분 □초

10 100초=□분 □초

11 170초=□분 □초

12 300초=□분

[13~17] 시간의 덧셈을 계산해 보세요.

13

	2시간	15분	20초
+	1시간	30분	10초

14

	3시	42분	35초
+	2시간	14분	20초

15

	2시간	37분	15초
+	4시간	13분	27초

16

	5시	24분	25초
+	1시간	28분	30초

17

	7시	32분	52초
+	3시간	13분	38초

[18~22] 시간의 뺄셈을 계산해 보세요.

18

	4시간	38분	40초
−	1시간	25분	30초

19

	10시	56분	34초
−	3시간	42분	12초

20

	8시	50분	46초
−	5시	20분	28초

21

	11시	55분	16초
−	7시간	44분	7초

22

	9시	28분	39초
−	2시	10분	54초

5 단원

교과서 개념 확인 문제

1 □ 안에 알맞은 수를 써넣으세요.

(1)

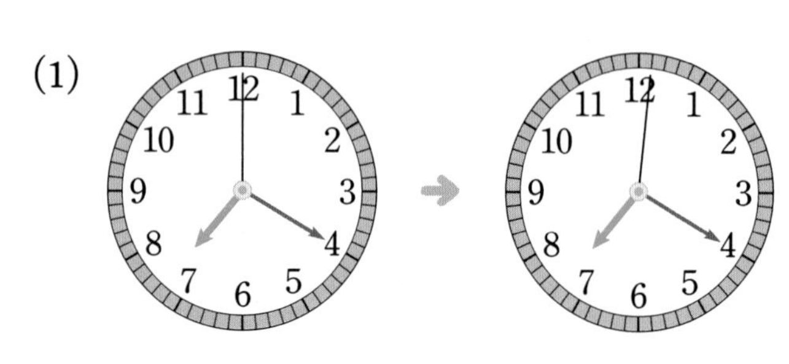

초바늘이 작은 눈금 한 칸을 지나는 데 걸리는 시간은 □초입니다.

(2)

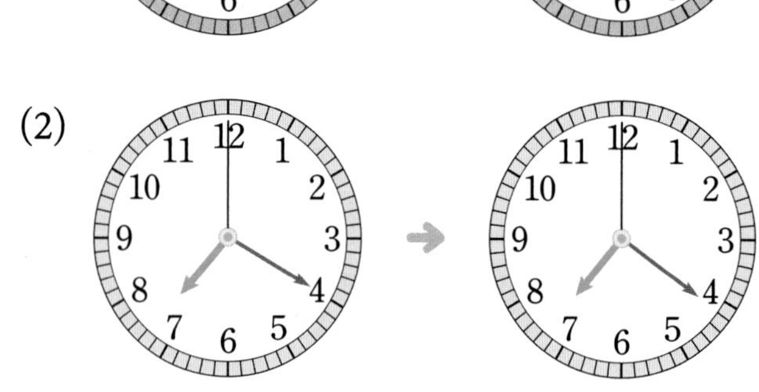

초바늘이 시계를 한 바퀴 도는 데 걸리는 시간은 □초입니다.

2 시각을 읽어 보세요.

(1)

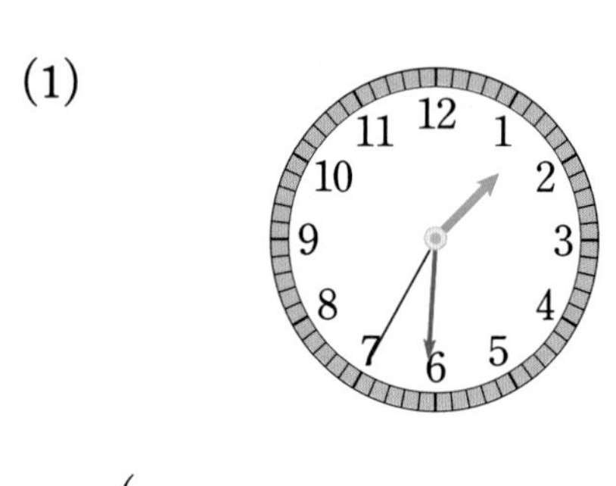

(　　　　　　　　　　)

(2)

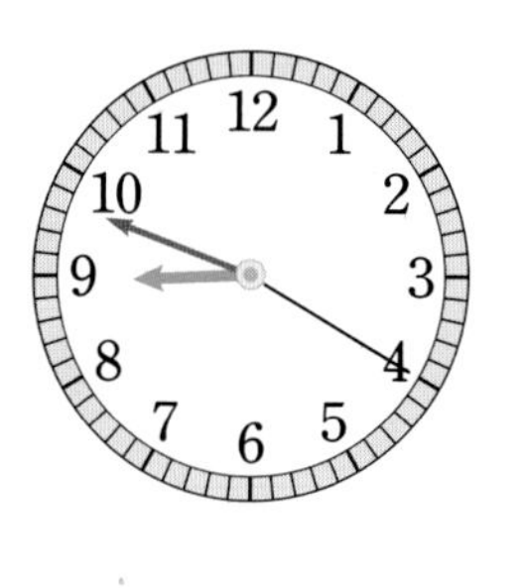

(　　　　　　　　　　)

3 시각을 읽어 보세요.

(1)

2:38:55

(　　　　　　　　　　)

(2)

10:42:36

(　　　　　　　　　　)

4 계산해 보세요.

(1)

	3시	13분	14초
+	2시간	25분	16초

(2)

	4시	30분	20초
−	1시간	15분	15초

5 알맞은 시간의 단위를 골라 □ 안에 써넣으세요.

시간 분 초

(1) 양치질을 하는 시간: 3□

(2) 횡단보도에서 초록색 신호등이 켜지는 시간: 20□

(3) 하루에 잠을 자는 시간: 9□

5 단원

6 지금 시각은 4시 45분입니다. 30분 후의 시각을 시계에 나타내어 구해 보세요.

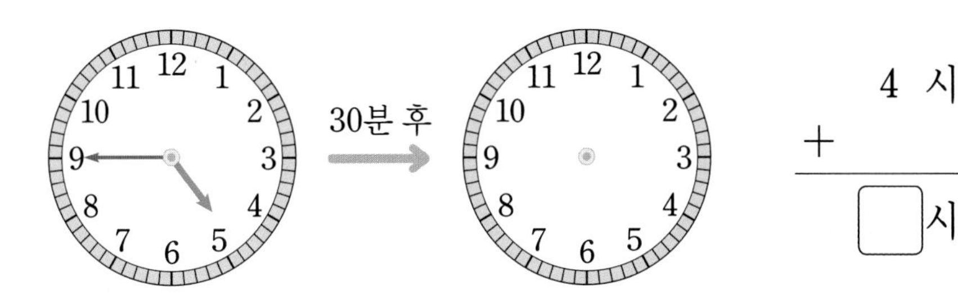

	4 시	45 분
+		30 분
	□시	□분

7 지금은 7시 10분입니다. 15분 전의 시각을 시계에 나타내어 구해 보세요.

8 시간이 더 긴 것에 ○표 하세요.

2분 10초	150초
(　　　　)	(　　　　)

9 계산해 보세요.

(1)
　　4시간　10분　32초
＋ 2시간　25분　40초

(2)
　　7시　38분　10초
－ 4시　20분　35초

10 지금은 9시 35분 40초입니다. 7분 15초 후의 시각을 구해 보세요.

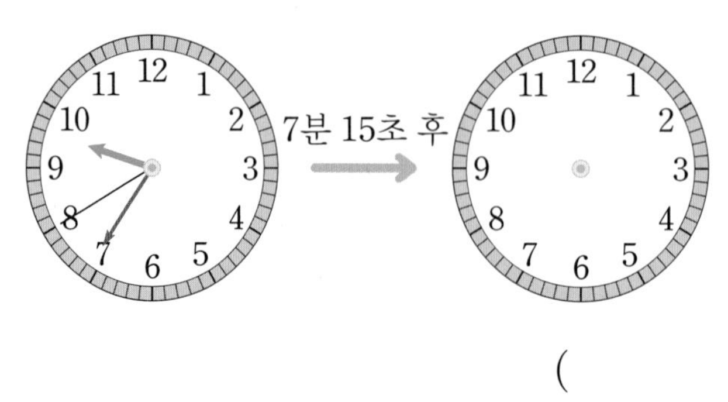

(　　　　　　　　)

11 승주는 6분 40초 동안 줄넘기를 했습니다. 승주가 줄넘기를 한 시간은 몇 초인지 구해 보세요.

( )

12 □ 안에 알맞은 수를 써넣으세요.

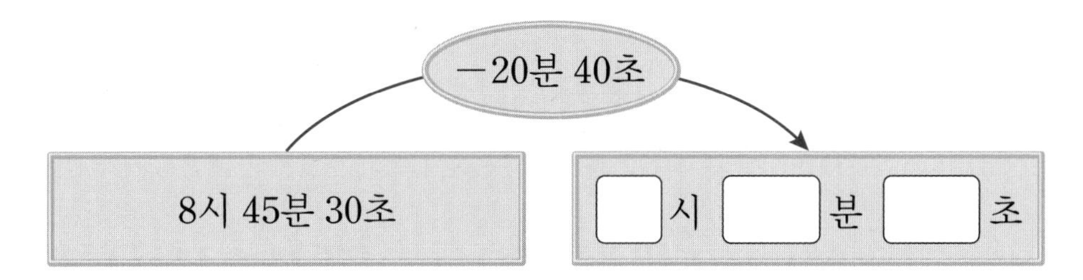

13 지금 시각은 3시 43분입니다. 지현이는 1시간 10분 동안 공부를 하려고 합니다. 지현이가 공부를 마치는 시각은 몇 시 몇 분일까요?

( )

14 지금 시각은 9시 10분 40초입니다. 지금부터 20분 30초 전의 시각은 몇 시 몇 분 몇 초인지 구해 보세요.

( )

개념 확인평가

5. 길이와 시간

맞은 개수

1 연필의 길이는 몇 cm 몇 mm일까요?

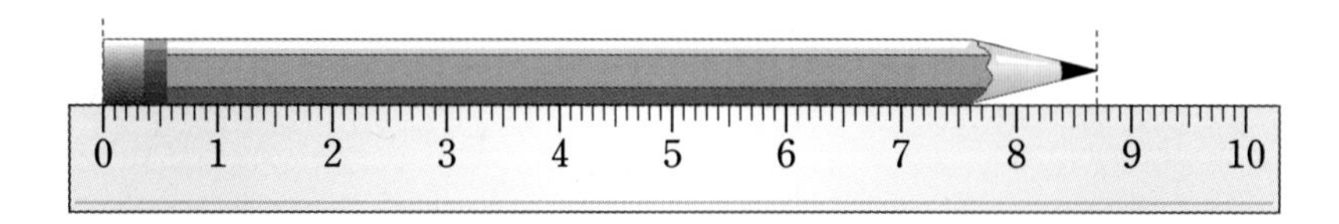

(　　　　　　　　)

2 □ 안에 알맞은 수를 써넣으세요.

(1) 5 cm=□mm

(2) 3 cm 4 mm=□mm

(3) 76 mm=□cm □mm

(4) 120 mm=□cm

3 같은 길이끼리 선으로 이어 보세요.

4 km •	• 2 km 80 m
2 km 430 m •	• 4000 m
2080 m •	• 2430 m

4 시각을 읽어 보세요.

(1)

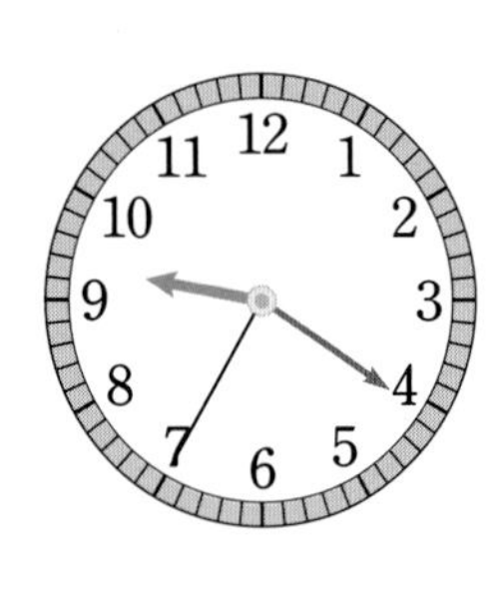

(　　　　　　　　)

(2)

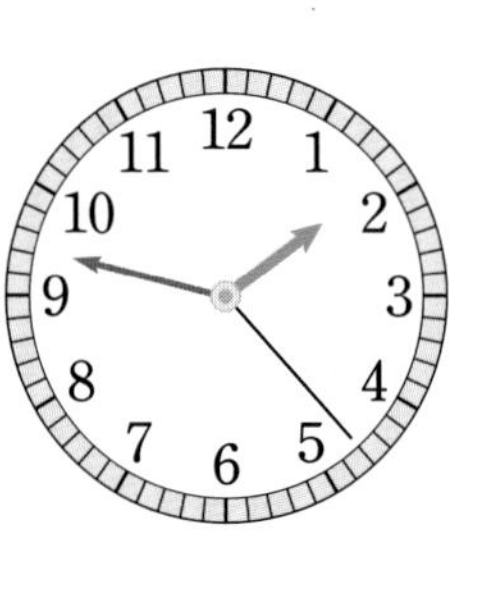

(　　　　　　　　)

5 □ 안에 알맞은 수를 써넣으세요.

(1) 1분 10초=□초

(2) 3분 30초=□초

(3) 180초=□분

(4) 280초=□분 □초

6 수직선을 보고 □ 안에 알맞은 수를 써넣으세요.

3 km

4 km

□ m

7 계산해 보세요.

(1)

	5시	43분	15초
+	1시간	11분	30초

(2)

	10시	35분	55초
−	3시	18분	45초

8 □ 안에 cm와 mm 중 알맞은 단위를 써넣으세요.

(1) 클립의 짧은 쪽 길이는 약 8 □입니다.

(2) 아버지의 키는 약 176 □입니다.

(3) 동생의 발 길이는 약 210 □입니다.

5 단원

9 지금 시각은 8시 25분입니다. 30분 전의 시각을 구해 보세요.

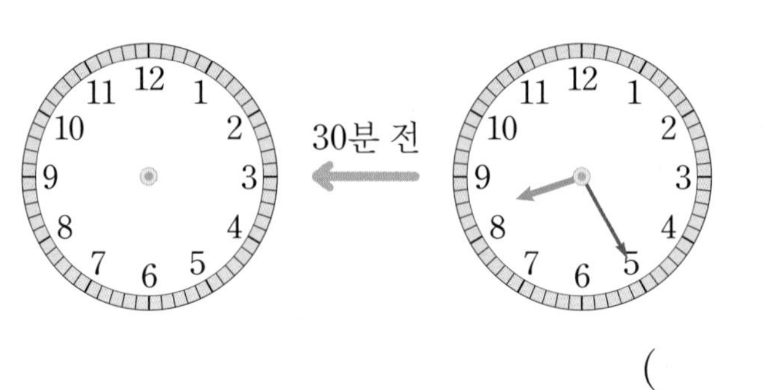

( )

10 보기 에서 알맞은 길이를 골라 문장을 완성해 보세요.

보기		
8 km 400 m	2 m 44 cm	7 mm

(1) 동화책의 두께는 약 [ ]입니다.

(2) 학교에서 소방서까지의 거리는 약 [ ]입니다.

(3) 축구 골대의 높이는 약 [ ]입니다.

11 시간이 긴 순서대로 기호를 써 보세요.

㉠ 65초 ㉡ 1분 30초 ㉢ 2분 ㉣ 100초

( )

12 영화가 1시 30분 35초에 시작하여 2시간 12분 20초 동안 상영되었습니다. 영화가 끝난 시각은 몇 시 몇 분 몇 초일까요?

( )

6 분수와 소수

학습 계획표

내용	쪽수	날짜	확인
교과서 개념 잡기	146~149쪽	월 일	
교과서 개념 play / 집중! 드릴 문제	150~153쪽	월 일	
교과서 개념 확인 문제	154~157쪽	월 일	
교과서 개념 잡기	158~161쪽	월 일	
교과서 개념 play / 집중! 드릴 문제	162~165쪽	월 일	
교과서 개념 확인 문제	166~169쪽	월 일	
개념 확인평가	170~172쪽	월 일	

교과서 개념 잡기

개념 1 똑같이 나누기

〈똑같이 둘로 나누기〉 〈똑같이 셋으로 나누기〉

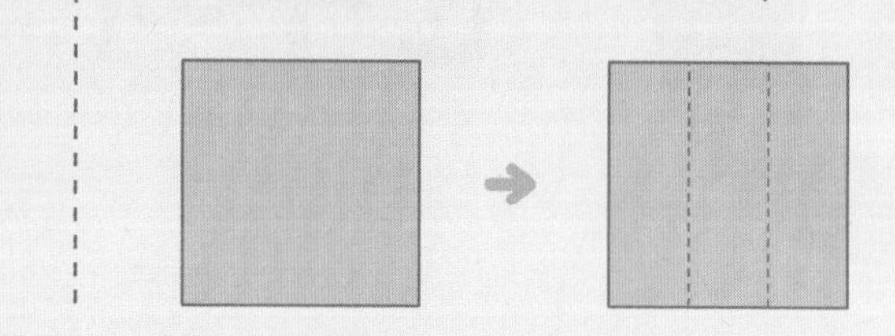

똑같이 나누어진 것은 크기와 모양이 모두 같습니다.
똑같이 나눈 도형을 서로 겹쳐 보았을 때 완전히 포개어집니다.

개념 2 분수 알아보기 (1)

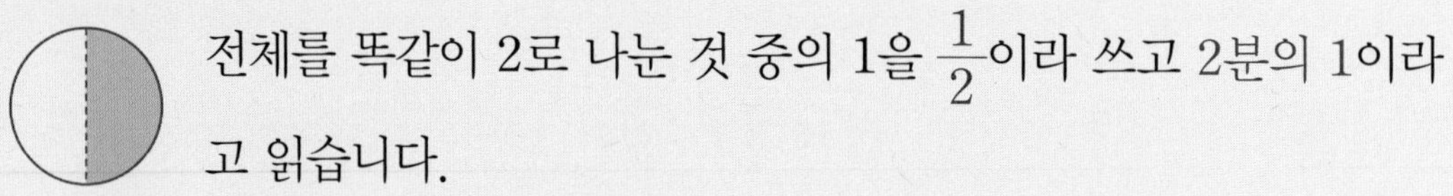

전체를 똑같이 2로 나눈 것 중의 1을 $\frac{1}{2}$이라 쓰고 2분의 1이라고 읽습니다.

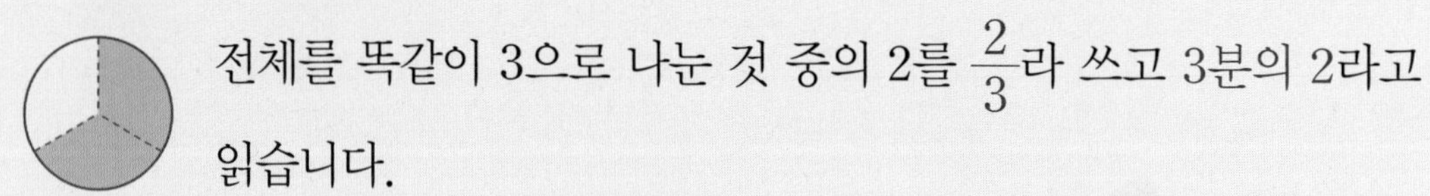

전체를 똑같이 3으로 나눈 것 중의 2를 $\frac{2}{3}$라 쓰고 3분의 2라고 읽습니다.

$\frac{1}{2}$, $\frac{2}{3}$와 같은 수를 분수라고 합니다.

$\frac{1}{2}$ ← 분자, ← 분모 $\qquad$ $\frac{2}{3}$ ← 분자, ← 분모

개념 OX

도형을 똑같이 나눈 친구를 찾아 ○표 하세요.

1 똑같이 나누어진 도형을 모두 찾아 기호를 써 보세요.

가 나 다 라

( )

2 크기가 같은 조각이 몇 개 있는지 알아보세요.

(1)

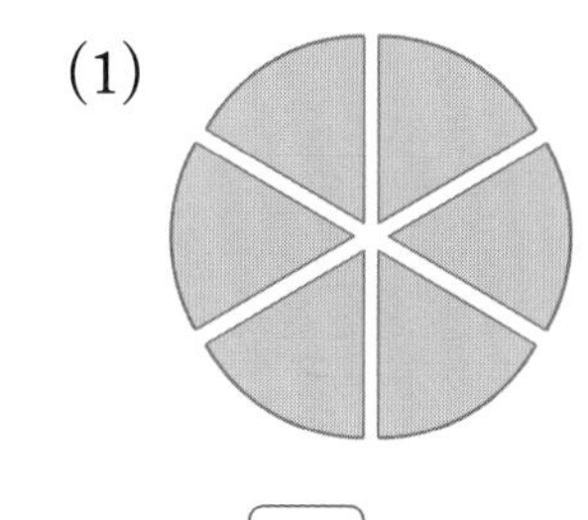

□조각

(2)

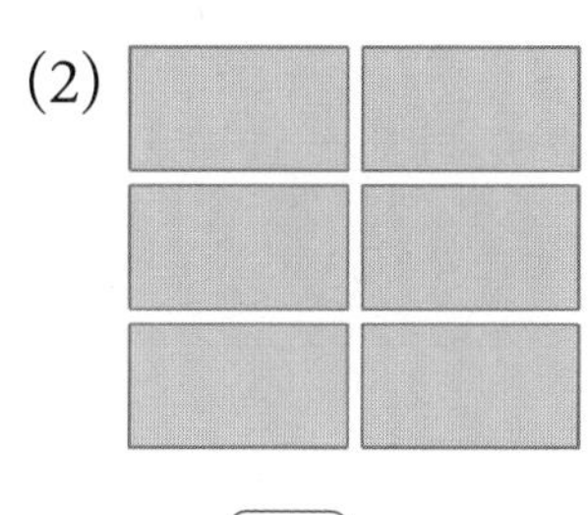

□조각

(3)

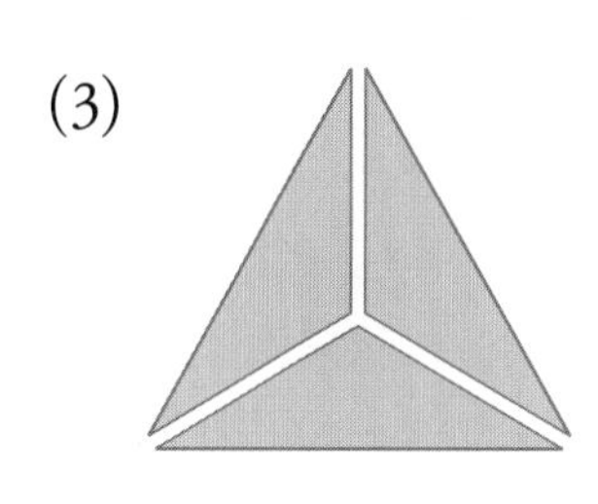

□조각

3 □ 안에 알맞은 수를 써넣으세요.

(1) → 부분 은 전체 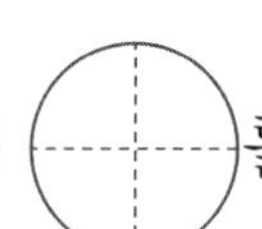 를 똑같이 4로 나눈 것 중의 □입니다.

(2) → 부분  은 전체 를 똑같이 4로 나눈 것 중의

□이므로 $\frac{\square}{4}$입니다.

4 그림을 보고 □ 안에 알맞은 수를 써넣으세요.

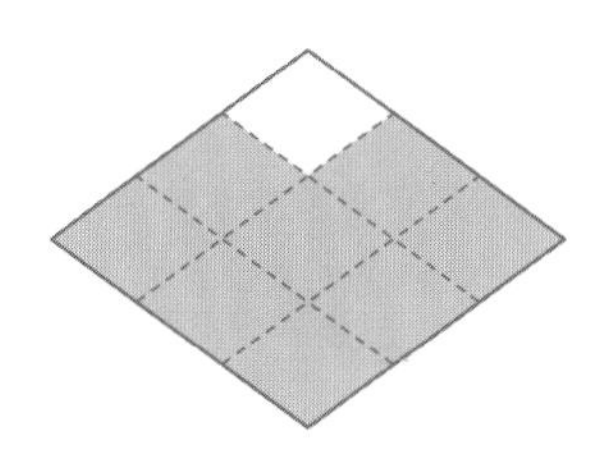

색칠한 부분은 전체를 똑같이 □(으)로

나눈 것 중의 □이므로 $\frac{\square}{\square}$입니다.

6 단원

개념 3 분수 알아보기 (2)

- 전체에 대한 부분을 분수로 나타내기

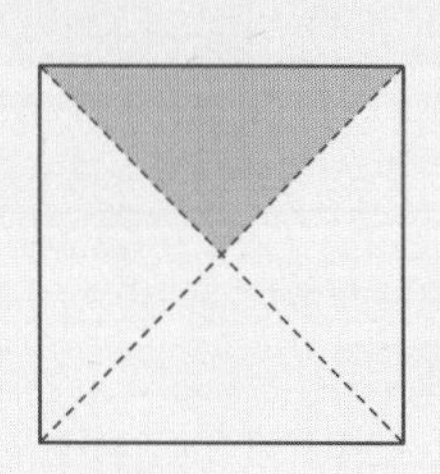

전체를 똑같이 4로 나눈 것 중 1만큼 색칠했으므로

색칠한 부분은 $\frac{1}{4}$입니다.

전체를 똑같이 4로 나눈 것 중 3만큼 색칠하지 않았으므로

색칠하지 않은 부분은 $\frac{3}{4}$입니다.

- 부분을 보고 전체 알아보기

$\frac{1}{4}$	$\frac{1}{4}$
$\frac{1}{4}$	$\frac{1}{4}$

$\frac{1}{4}$이 4개 있어야 전체 $\frac{4}{4}(=1)$가 됩니다.

개념 4 분모가 같은 분수의 크기 비교하기

- $\frac{5}{8}$와 $\frac{3}{8}$의 크기 비교하기

① 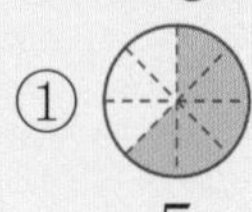

$\frac{5}{8}$　　$\frac{3}{8}$

색칠한 부분을 비교해 보면 $\frac{5}{8}$가 $\frac{3}{8}$보다 더 큽니다.

② $\frac{5}{8}$는 $\frac{1}{8}$이 5개입니다.
$\frac{3}{8}$은 $\frac{1}{8}$이 3개입니다.
$5>3$ ➔ $\frac{5}{8}$는 $\frac{3}{8}$보다 더 큽니다.

개념 OX

전체의 $\frac{2}{5}$만큼 색칠한 친구를 찾아 ○표 하세요.

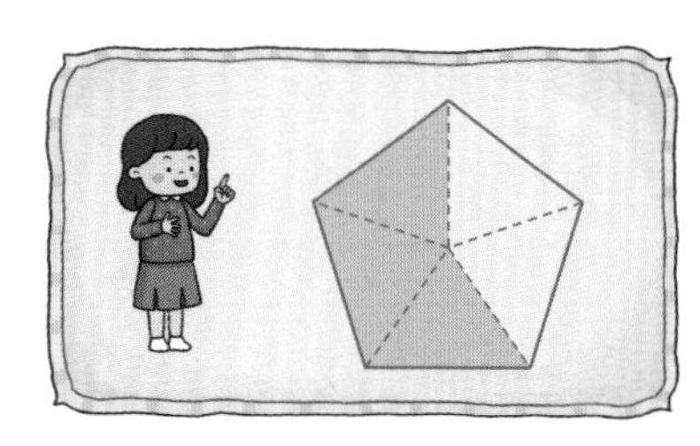

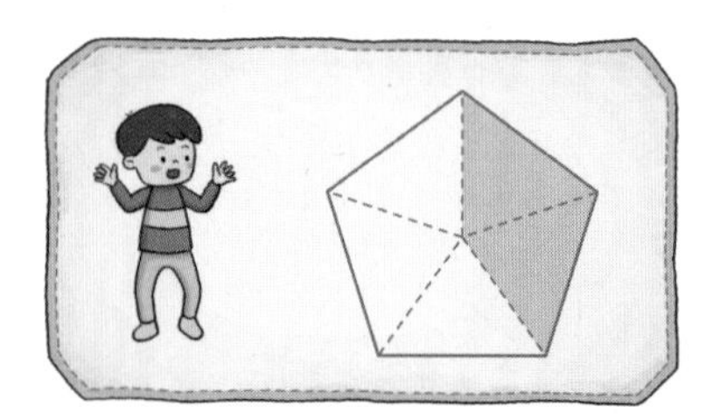

1

남은 부분과 먹은 부분을 분수로 나타내어 보세요.

(1) 남은 부분은 전체의 □

먹은 부분은 전체의 □

(2) 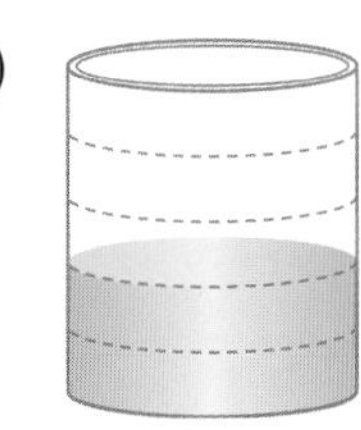

남은 부분은 전체의 □

먹은 부분은 전체의 □

2

부분을 보고 전체를 그려 보세요.

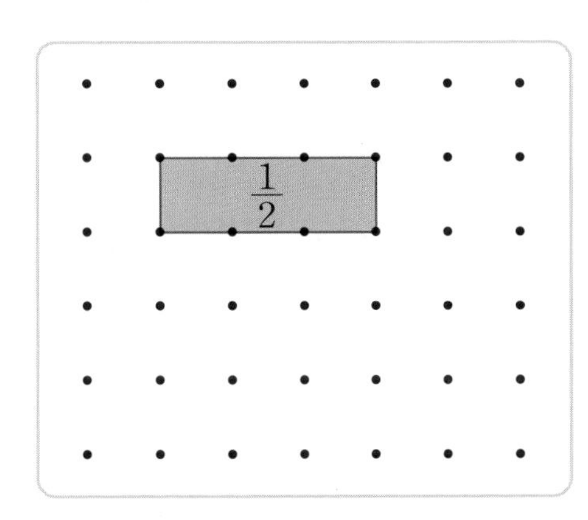

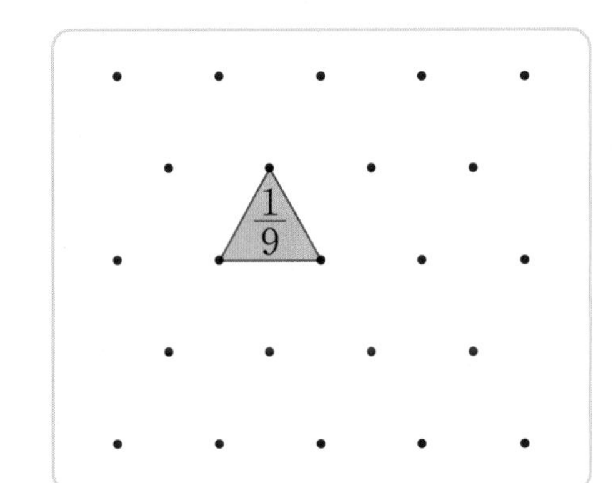

3

주어진 분수만큼 색칠하고, ○ 안에 >, =, <를 알맞게 써넣으세요.

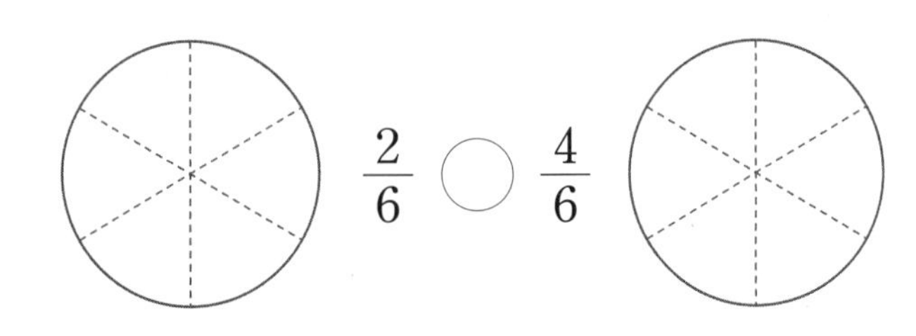

$\frac{2}{6}$ ○ $\frac{4}{6}$

4

두 분수의 크기를 비교하여 ○ 안에 >, =, <를 알맞게 써넣으세요.

(1) $\frac{1}{3}$ ○ $\frac{2}{3}$ (2) $\frac{5}{7}$ ○ $\frac{2}{7}$ (3) $\frac{6}{8}$ ○ $\frac{5}{8}$

리본 만들기

준비물 붙임딱지

알맞은 붙임딱지를 붙여 리본을 완성하고 두 분수의 크기를 비교하여 ◯ 안에 >, <를 알맞게 써넣으세요.

6
단원

집중! 드릴 문제

[1~5] 도형을 똑같이 나누어 보세요.

1 똑같이 둘로

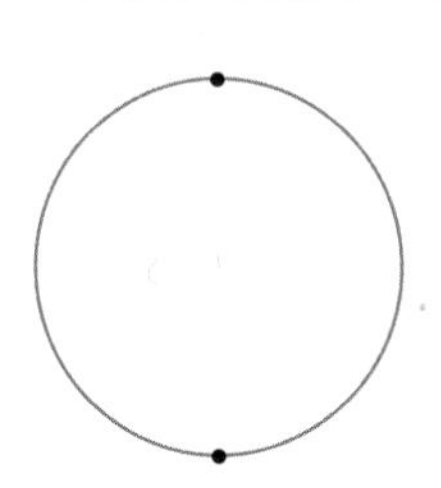

2 똑같이 셋으로

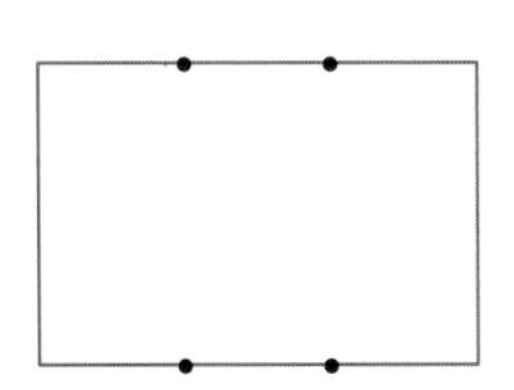

3 똑같이 셋으로

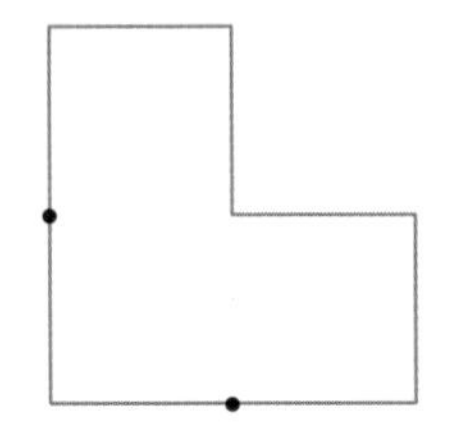

4 똑같이 넷으로

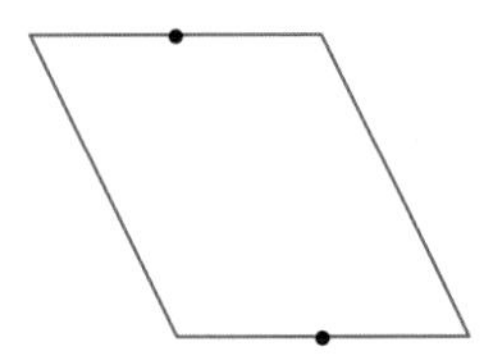

5 똑같이 다섯으로

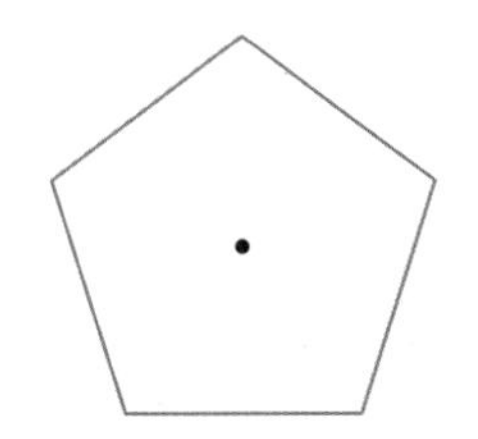

[6~10] 색칠한 부분을 분수로 쓰고 읽어 보세요.

6

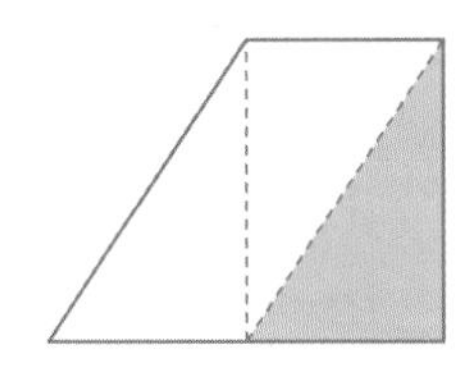

쓰기 ________

읽기 ________

7

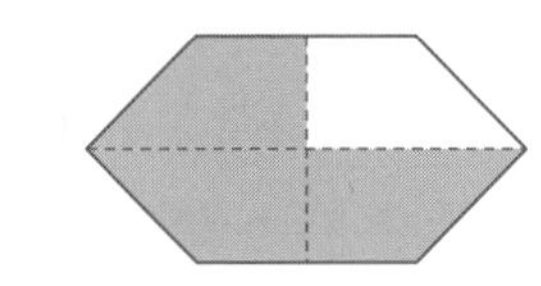

쓰기 ________

읽기 ________

8

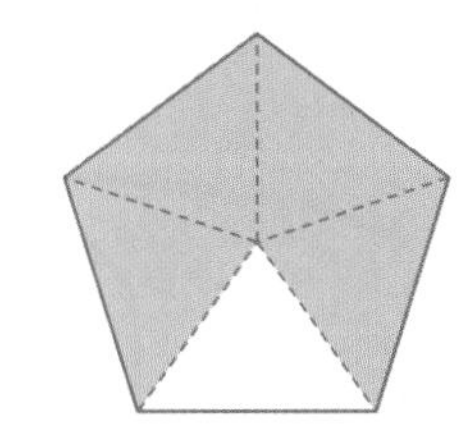

쓰기 ________

읽기 ________

9

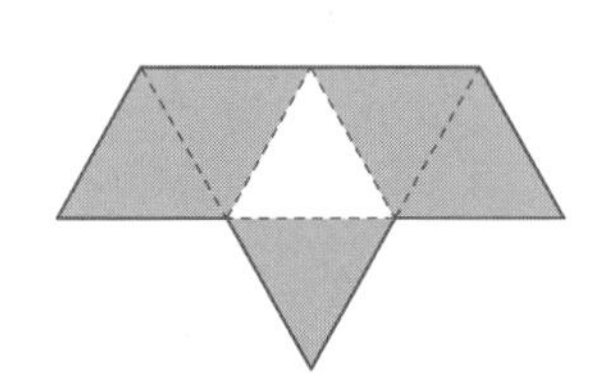

쓰기 ________

읽기 ________

10

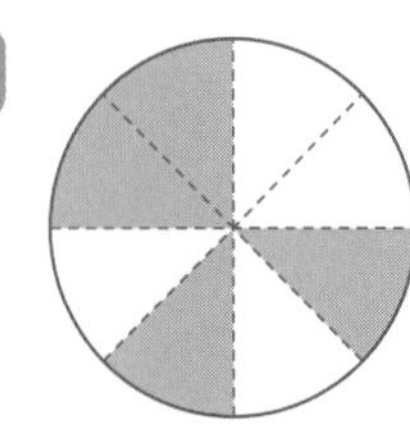

쓰기 ________

읽기 ________

[11~15] 주어진 분수만큼 색칠해 보세요.

11 $\frac{1}{4}$

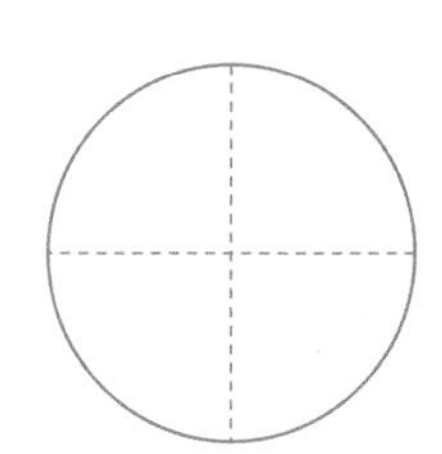

12 $\frac{2}{3}$

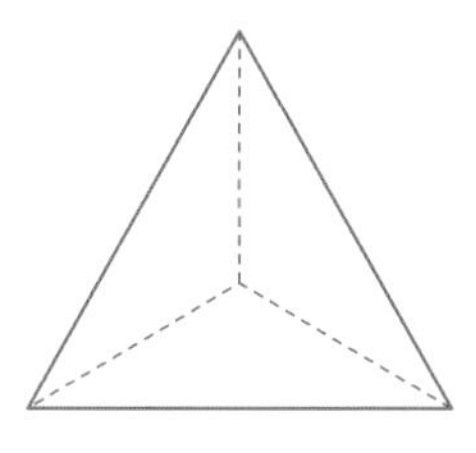

13 $\frac{3}{5}$

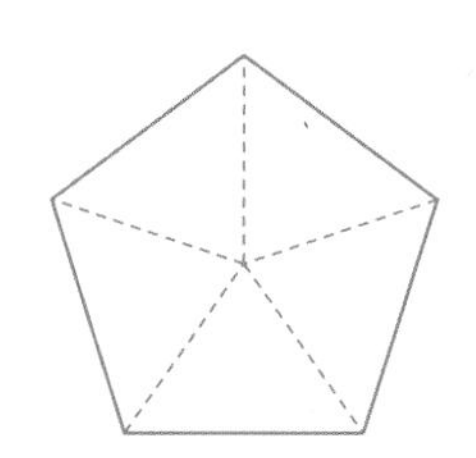

14 $\frac{4}{6}$

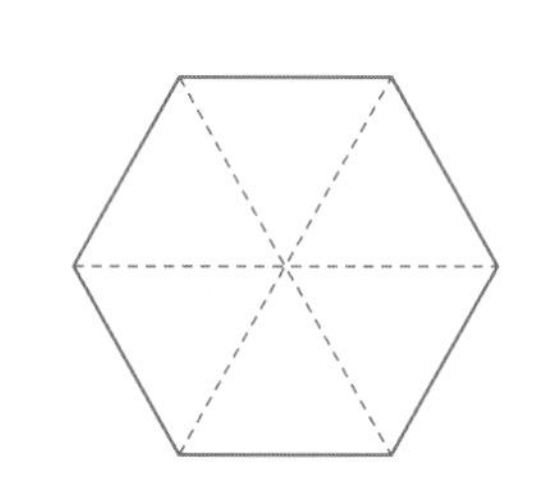

15 $\frac{2}{5}$

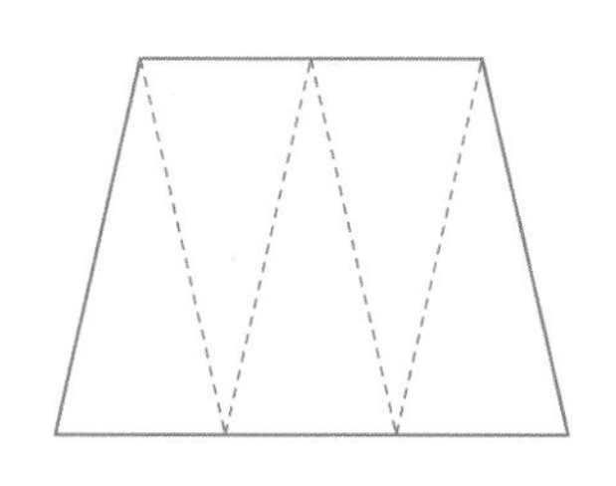

[16~22] 두 분수의 크기를 비교하여 ○ 안에 $>$, $=$, $<$를 알맞게 써넣으세요.

16 $\frac{1}{5}$ ○ $\frac{3}{5}$

17 $\frac{3}{7}$ ○ $\frac{2}{7}$

18 $\frac{2}{6}$ ○ $\frac{5}{6}$

19 $\frac{8}{9}$ ○ $\frac{7}{9}$

20 $\frac{3}{10}$ ○ $\frac{5}{10}$

21 $\frac{2}{8}$ ○ $\frac{5}{8}$

22 $\frac{3}{4}$ ○ $\frac{2}{4}$

6 단원

교과서 개념 확인 문제

1 크기가 같은 조각이 몇 개 있는지 □ 안에 알맞은 수를 써넣으세요.

(1)

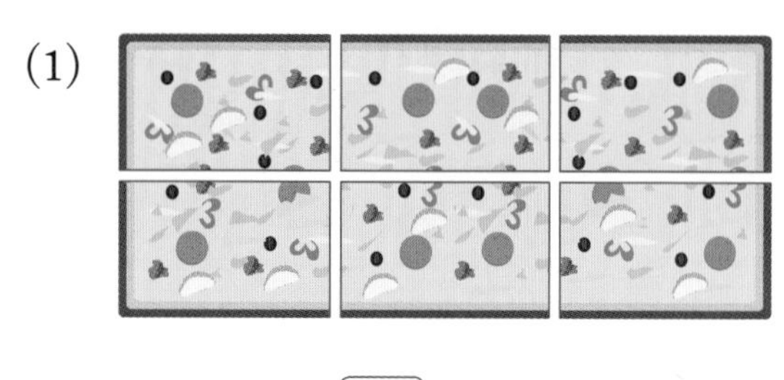

□조각

(2)

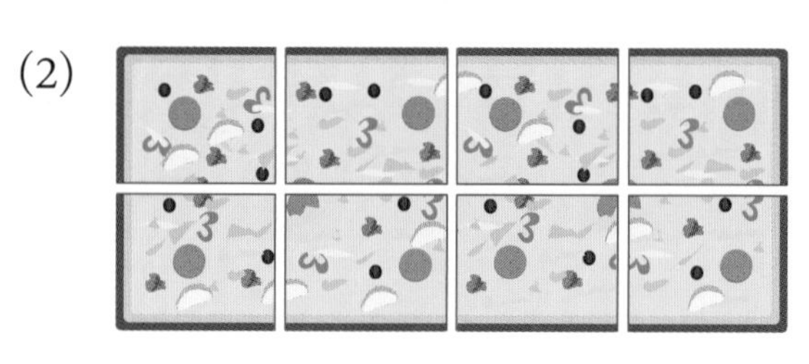

□조각

2 분수를 읽어 보세요.

(1) $\frac{2}{5}$ ➔ (　　　　　　)

(2) $\frac{3}{7}$ ➔ (　　　　　　)

(3) $\frac{5}{10}$ ➔ (　　　　　　)

(4) $\frac{4}{9}$ ➔ (　　　　　　)

3 똑같이 나누어진 도형을 모두 찾아 기호를 써 보세요.

㉮

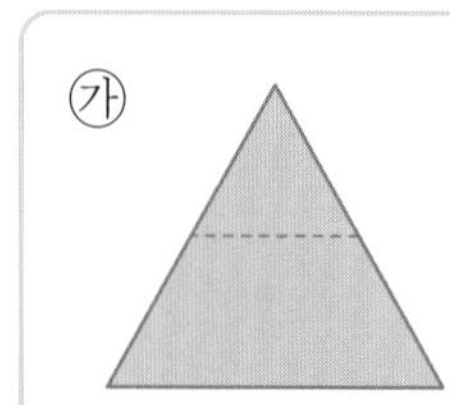

㉯

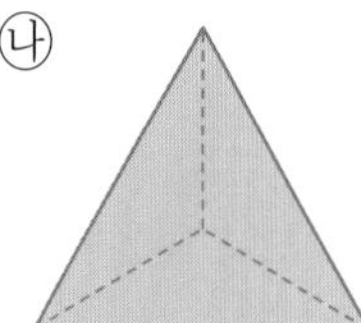

㉰

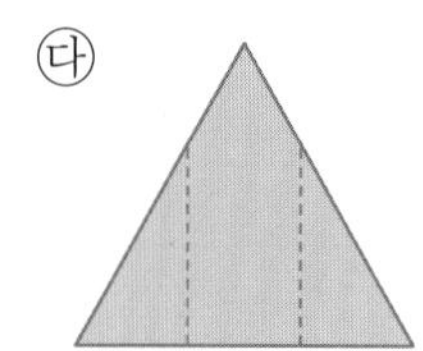

㉱

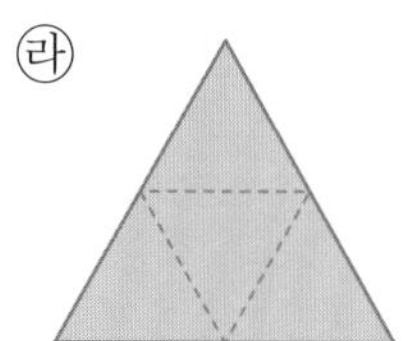

(　　　　　　)

4 도형을 똑같이 넷으로 나누어 보세요.

(1)

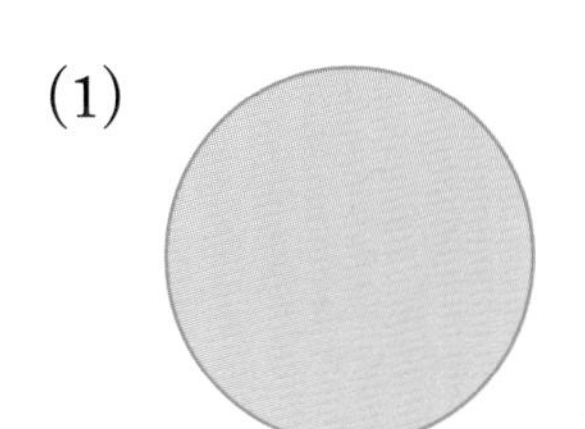

(2)

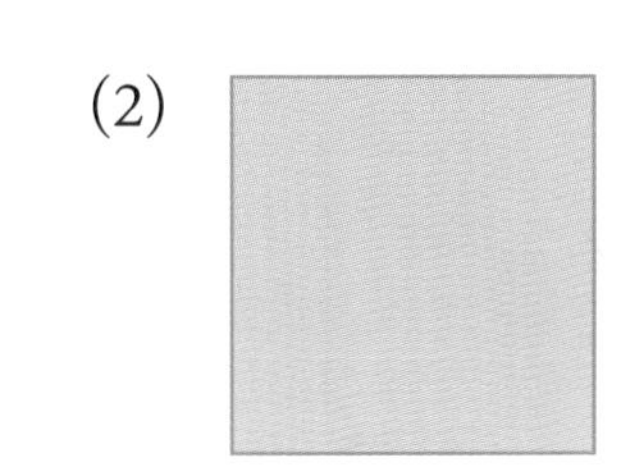

5 그림을 보고 □ 안에 알맞은 수를 써넣으세요.

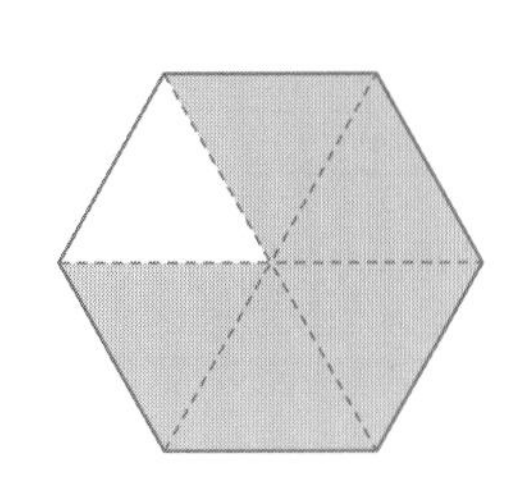

색칠한 부분은 전체를 똑같이 □(으)로 나눈 것 중의 □이므로

$\frac{\square}{\square}$(이)라 쓰고 □분의 □(이)라고 읽습니다.

6 색칠한 부분과 색칠하지 않은 부분을 분수로 나타내어 보세요.

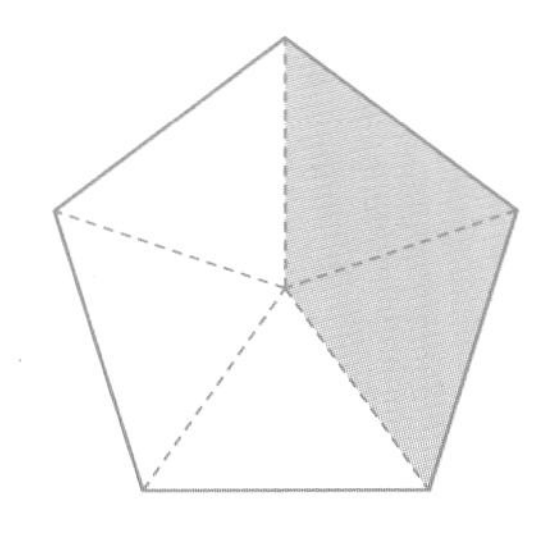

색칠한 부분: □

색칠하지 않은 부분: □

7 색칠한 부분을 분수로 나타내어 보세요.

(1)

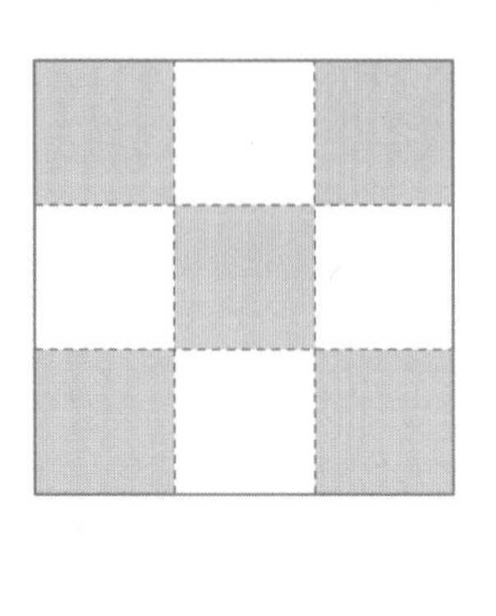

(　　　　　　　　)

(2)

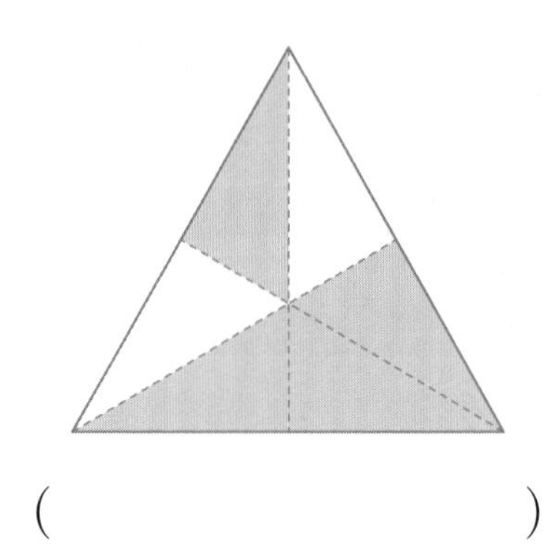

(　　　　　　　　)

8 주어진 분수만큼 색칠해 보세요.

(1) $\frac{5}{8}$

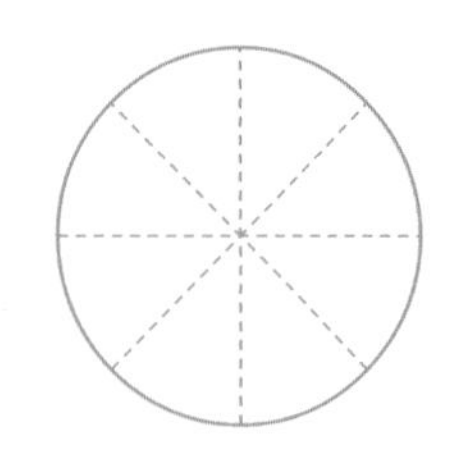

(2) $\frac{7}{10}$

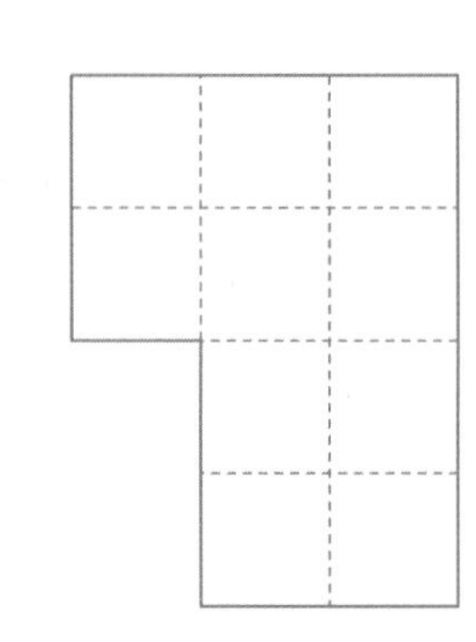

9 주어진 분수만큼 색칠하고, ○ 안에 >, =, <를 알맞게 써넣으세요.

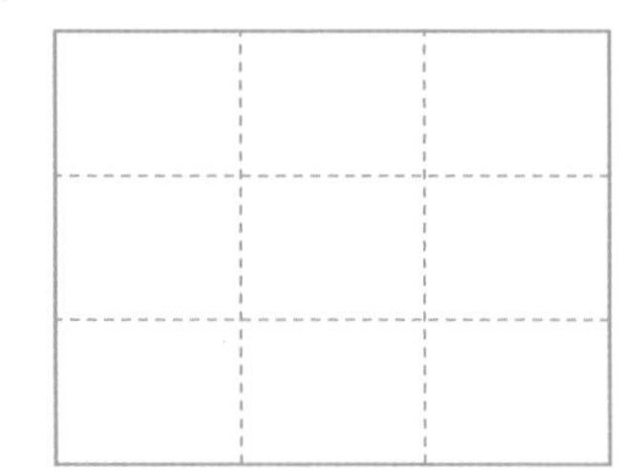

$\frac{4}{9}$ ○ $\frac{5}{9}$

10 □ 안에 알맞은 수를 써넣고, ○ 안에 >, =, <를 알맞게 써넣으세요.

$\frac{3}{7}$은 $\frac{1}{7}$이 □개이고, $\frac{2}{7}$는 $\frac{1}{7}$이 □개이므로 $\frac{3}{7}$ ○ $\frac{2}{7}$입니다.

11 부분을 보고 전체를 그려 보세요.

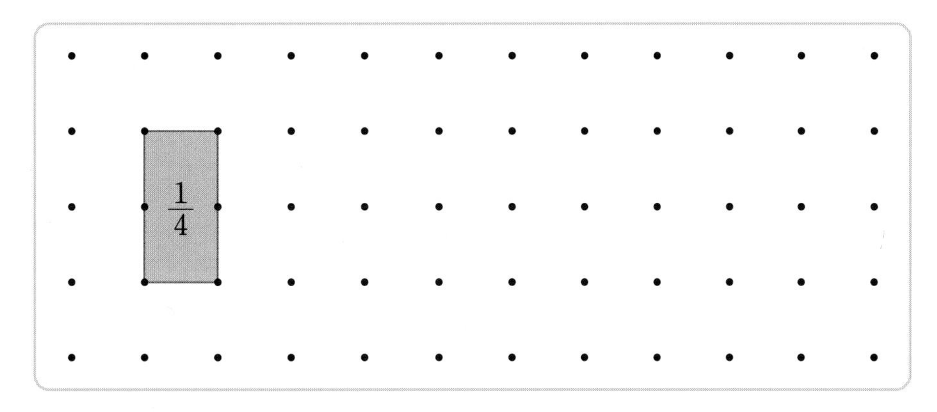

12 두 분수의 크기를 비교하여 ○ 안에 >, =, <를 알맞게 써넣으세요.

(1) $\frac{1}{6}$ ○ $\frac{5}{6}$

(2) $\frac{7}{11}$ ○ $\frac{5}{11}$

(3) $\frac{4}{5}$ ○ $\frac{1}{5}$

(4) $\frac{2}{9}$ ○ $\frac{3}{9}$

6 단원

교과서 개념 잡기

개념 5 단위분수의 크기 비교하기

1																			
$\frac{1}{2}$										$\frac{1}{2}$									
$\frac{1}{3}$							$\frac{1}{3}$							$\frac{1}{3}$					
$\frac{1}{4}$					$\frac{1}{4}$					$\frac{1}{4}$					$\frac{1}{4}$				
$\frac{1}{5}$				$\frac{1}{5}$				$\frac{1}{5}$				$\frac{1}{5}$				$\frac{1}{5}$			

→ $\frac{1}{2} > \frac{1}{3}$

→ $\frac{1}{3} > \frac{1}{4}$

→ $\frac{1}{4} > \frac{1}{5}$

분수 중에서 $\frac{1}{2}$, $\frac{1}{3}$, $\frac{1}{4}$, $\frac{1}{5}$……과 같이 분자가 1인 분수를 단위분수라고 합니다.

단위분수는 분모가 작을수록 더 큰 분수입니다.

개념 6 소수 알아보기 (1)

분수		$\frac{1}{10}$	$\frac{2}{10}$	$\frac{3}{10}$	$\frac{4}{10}$	$\frac{5}{10}$	……
소수	쓰기	0.1	0.2	0.3	0.4	0.5	……
	읽기	영 점 일	영 점 이	영 점 삼	영 점 사	영 점 오	……

$\frac{1}{10}$, $\frac{2}{10}$, $\frac{3}{10}$ …… $\frac{9}{10}$를 0.1, 0.2, 0.3 …… 0.9라 쓰고, 영 점 일, 영 점 이, 영 점 삼 …… 영 점 구라고 읽습니다.

0.1, 0.2, 0.3과 같은 수를 소수라 하고 '.'을 소수점이라고 합니다.

개념 OX

분수를 소수로 바르게 나타낸 친구를 찾아 ○표 하세요.

$\frac{1}{10}=1.0$

$\frac{1}{10}=0.1$

1

분수만큼 색칠하고 ○ 안에 $>$, $=$, $<$를 알맞게 써넣으세요.

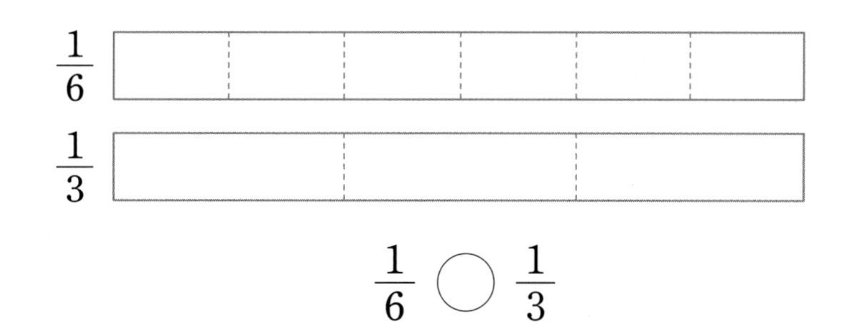

$\frac{1}{6}$ ○ $\frac{1}{3}$

2

그림을 보고 □ 안에 알맞은 분수나 소수를 써넣으세요.

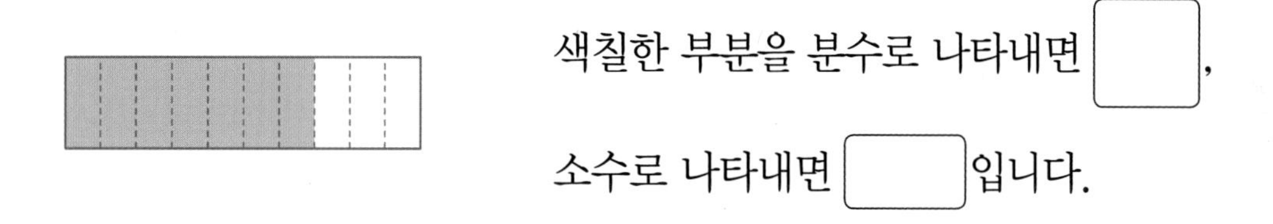

색칠한 부분을 분수로 나타내면 □,

소수로 나타내면 □입니다.

3

□ 안에 알맞은 소수를 써넣으세요.

(1) 0.1이 4개이면 □입니다.

(2) 0.8은 0.1이 □개입니다.

4

두 분수의 크기를 비교하여 ○ 안에 $>$, $=$, $<$를 알맞게 써넣으세요.

(1) $\frac{1}{5}$ ○ $\frac{1}{4}$　　(2) $\frac{1}{8}$ ○ $\frac{1}{11}$　　(3) $\frac{1}{7}$ ○ $\frac{1}{2}$

5

분수를 소수로, 소수를 분수로 나타내어 보세요.

(1) $\frac{3}{10}=$ □　　(2) $0.9=$ □　　(3) $\frac{5}{10}=$ □

개념 7 소수 알아보기 (2)

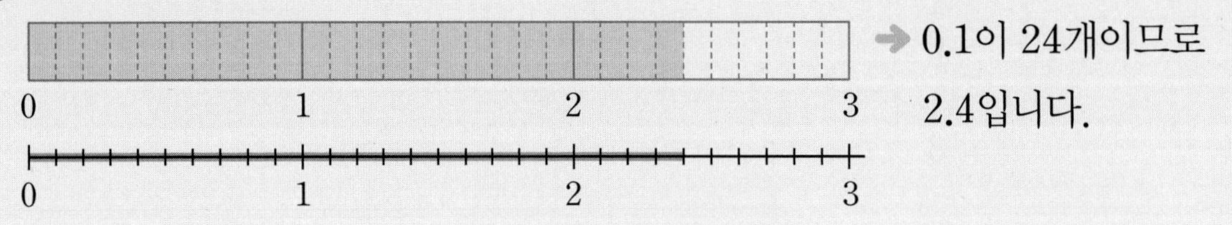

➜ 0.1이 24개이므로 2.4입니다.

2와 0.4만큼을 2.4라 쓰고 이 점 사라고 읽습니다.

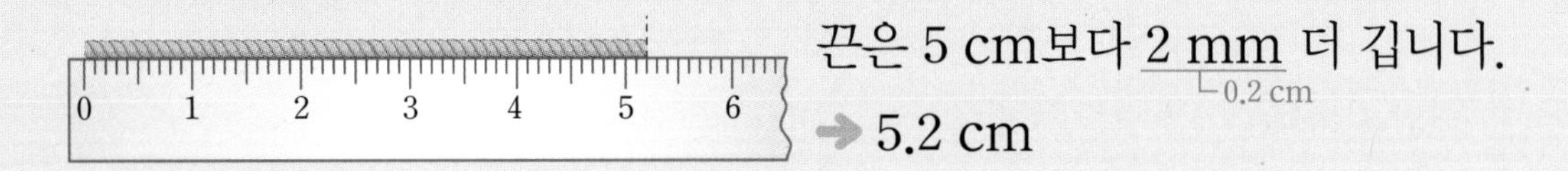

끈은 5 cm보다 2 mm 더 깁니다. (2 mm = 0.2 cm)

➜ 5.2 cm

개념 8 소수의 크기 비교하기

- 0.5와 0.2의 크기 비교하기

① 수 막대를 이용하여 비교하기

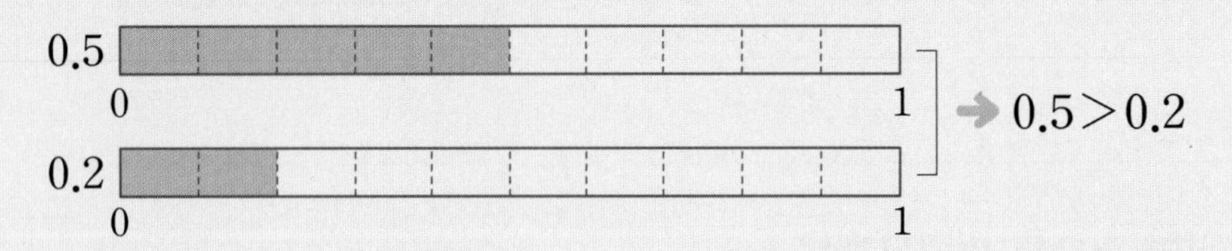

➜ 0.5>0.2

② 0.1이 몇 개인지 알고 비교하기

0.5는 0.1이 5개입니다.
0.2는 0.1이 2개입니다.
➜ 5>2이므로 0.5는 0.2보다 더 큽니다.

예 3.5>1.7 (3>1) 자연수 부분의 크기가 큰 쪽이 더 큽니다.

2.3<2.9 (3<9) 자연수 부분의 크기가 같으면 소수 부분의 크기가 큰 쪽이 더 큽니다.

개념 OX

바르게 말한 친구를 찾아 ○표 하세요.

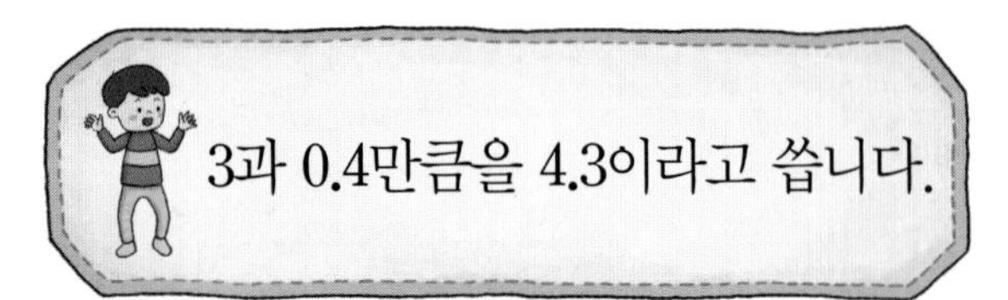

3과 0.4만큼을 4.3이라고 씁니다.

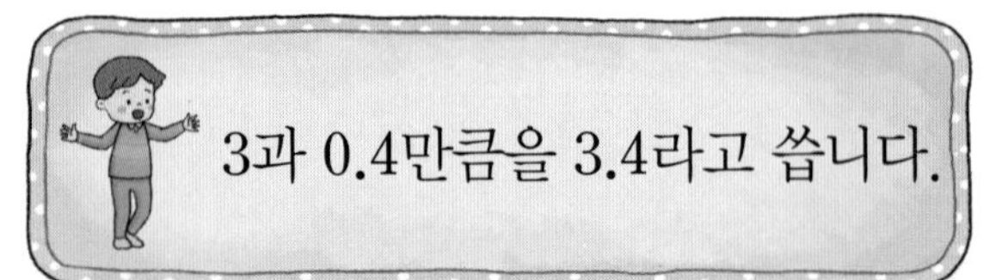

3과 0.4만큼을 3.4라고 씁니다.

1 □ 안에 알맞은 수나 말을 써넣으세요.

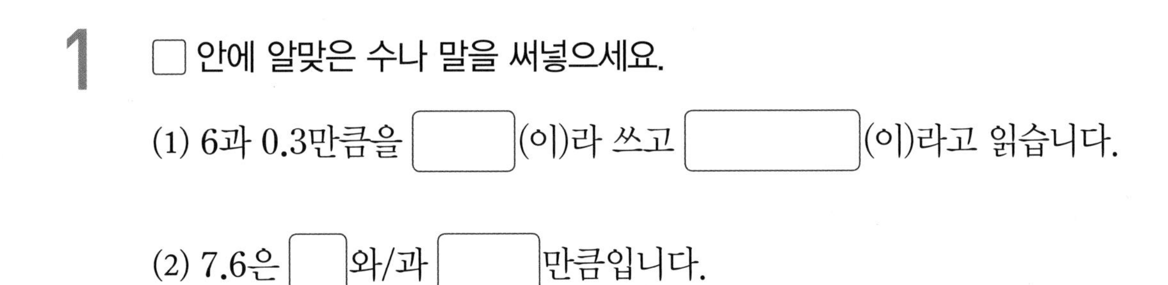

(1) 6과 0.3만큼을 □(이)라 쓰고 □(이)라고 읽습니다.

(2) 7.6은 □와/과 □만큼입니다.

2 소수만큼 색칠하고 ○ 안에 $>$, $=$, $<$를 알맞게 써넣으세요.

0.8 [| | | | | | | | |]

0.4 [| | | | | | | | |]

➜ 0.8 ○ 0.4

3 □ 안에 알맞은 소수를 써넣으세요.

(1) 0.1이 18개이면 □입니다.

(2) 0.1이 57개이면 □입니다.

4 두 수의 크기를 비교하여 ○ 안에 $>$, $=$, $<$를 알맞게 써넣으세요.

(1) 0.2 ○ 0.9　　(2) 1.9 ○ 4.3　　(3) 2.8 ○ 2.5

5 □ 안에 알맞은 소수를 써넣으세요.

(1) 2 cm 7 mm $=$ □ cm　　(2) 61 mm $=$ □ cm

(3) 49 mm $=$ □ cm　　(4) 1 cm 5 mm $=$ □ cm

교과서 개념 play 웃는 얼굴 만들기

준비물 붙임딱지

찡그리고 있는 얼굴이 웃는 얼굴이 될 수 있게 알맞은 소수가 쓰여 있는 붙임딱지를 찾아 붙여 보세요.

3 cm 7 mm
0.1이 22개인 수
2 cm 5 mm
16 mm
$\frac{7}{10}$
0.1이 15개인 수
49 mm
5 cm 5 mm
6
단원

집중! 드릴 문제

[1~7] 두 분수의 크기를 비교하여 ○ 안에 >, =, <를 알맞게 써넣으세요.

1 $\frac{1}{2}$ ○ $\frac{1}{7}$

2 $\frac{1}{3}$ ○ $\frac{1}{9}$

3 $\frac{1}{5}$ ○ $\frac{1}{4}$

4 $\frac{1}{6}$ ○ $\frac{1}{10}$

5 $\frac{1}{7}$ ○ $\frac{1}{8}$

6 $\frac{1}{13}$ ○ $\frac{1}{4}$

7 $\frac{1}{11}$ ○ $\frac{1}{2}$

[8~13] □ 안에 알맞은 수나 말을 써넣으세요.

8 분수 $\frac{3}{10}$을 소수로 □(이)라 쓰고 □(이)라고 읽습니다.

9 분수 $\frac{4}{10}$를 소수로 □(이)라 쓰고 □(이)라고 읽습니다.

10 분수 $\frac{8}{10}$을 소수로 □(이)라 쓰고 □(이)라고 읽습니다.

11 분수 $\frac{\square}{10}$을/를 소수로 0.5라 쓰고 □(이)라고 읽습니다.

12 분수 $\frac{\square}{10}$을/를 소수로 0.7이라 쓰고 □(이)라고 읽습니다.

13 분수 $\frac{\square}{10}$을/를 소수로 0.9라 쓰고 □(이)라고 읽습니다.

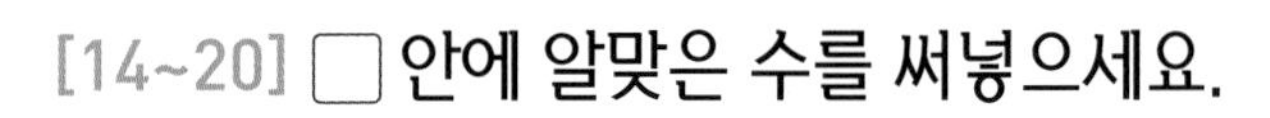

[14~20] □ 안에 알맞은 수를 써넣으세요.

14 8.6은 0.1이 □개입니다.

15 0.1이 13개이면 □입니다.

16 0.1이 54개이면 □입니다.

17 □이 22개이면 2.2입니다.

18 □이 72개이면 7.2입니다.

19 0.1이 □개이면 9.8입니다.

20 0.1이 □개이면 3.1입니다.

[21~27] 두 소수의 크기를 비교하여 ○ 안에 $>$, $=$, $<$를 알맞게 써넣으세요.

21 0.1 ○ 0.4

22 0.8 ○ 0.5

23 4.9 ○ 3.8

24 1.7 ○ 2.6

25 5.2 ○ 5.5

26 7.4 ○ 6.8

27 3.9 ○ 3.6

교과서 개념 확인 문제

1 $\frac{1}{5}$과 $\frac{1}{6}$을 수직선에 ▬▬로 나타내고 크기를 비교해 보세요.

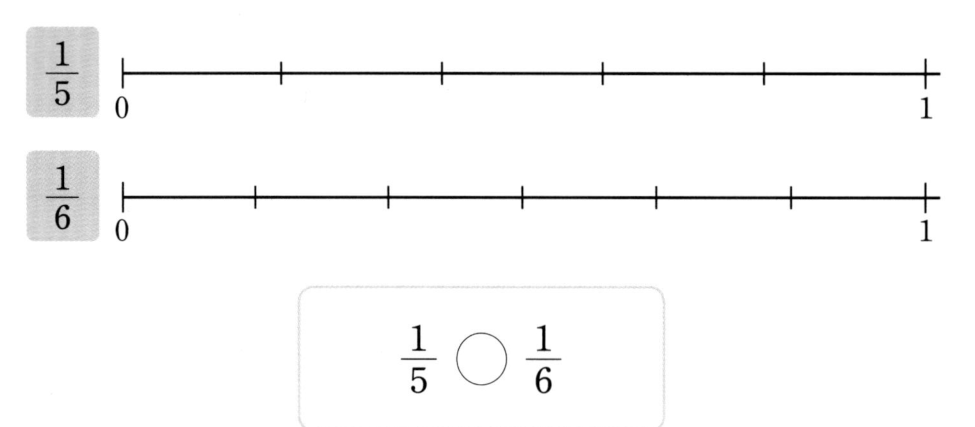

$\frac{1}{5}$ ○ $\frac{1}{6}$

2 □ 안에 알맞은 분수 또는 소수를 써넣으세요.

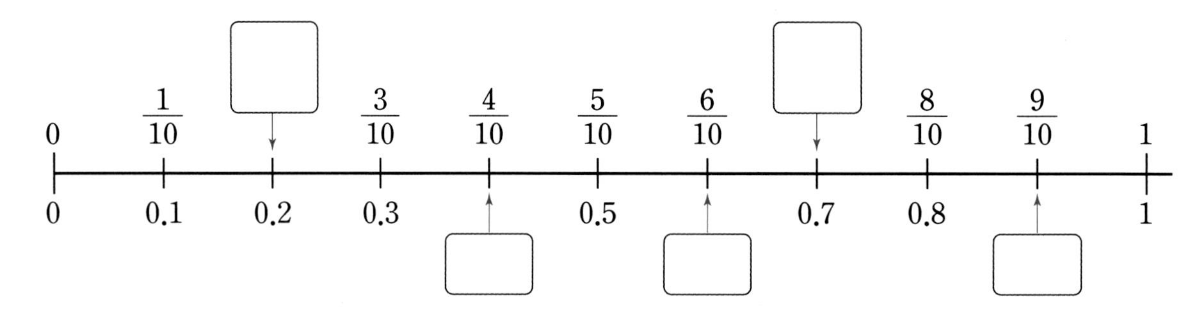

3 □ 안에 알맞은 수를 써넣으세요.

(1) 0.3은 0.1이 □개입니다.

(2) 0.5는 0.1이 □개입니다.

(3) 0.1이 8개이면 □입니다.

(4) $\frac{1}{10}$이 □개이면 0.7입니다.

4 같은 것끼리 선으로 이어 보세요.

$\frac{6}{10}$ •	• 0.9 •	• 영 점 구
$\frac{9}{10}$ •	• 0.6 •	• 영 점 육

5

분수를 소수로, 소수를 분수로 나타내어 보세요.

(1) $\frac{3}{10}=\square$　　(2) $\frac{4}{10}=\square$

(3) $0.6=\square$　　(4) $0.9=\square$

6

두 분수의 크기를 비교하여 ○ 안에 $>$, $=$, $<$를 알맞게 써넣으세요.

(1) $\frac{1}{2}$ ○ $\frac{1}{5}$　　(2) $\frac{1}{6}$ ○ $\frac{1}{9}$

(3) $\frac{1}{7}$ ○ $\frac{1}{3}$　　(4) $\frac{1}{13}$ ○ $\frac{1}{11}$

7

그림을 보고 물음에 답하세요.

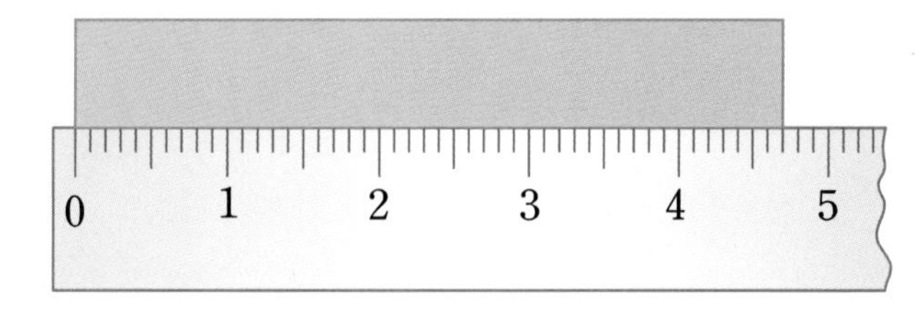

(1) 색 테이프의 길이는 몇 mm인지 나타내어 보세요.

(　　　　　　　　)

(2) 색 테이프의 길이는 몇 cm인지 소수로 나타내어 보세요.

(　　　　　　　　)

6 단원

8 주스가 몇 컵인지 소수로 나타내어 보세요.

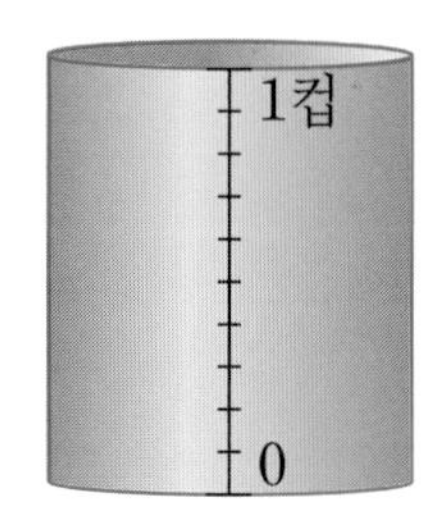

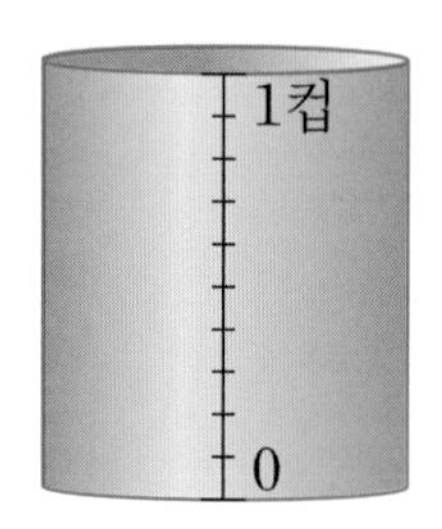

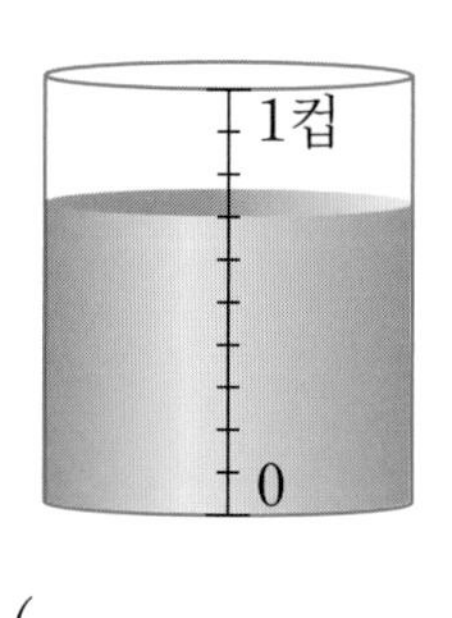

(　　　　　　　　　　)

9 □ 안에 알맞은 소수를 써넣으세요.

(1) 7 mm=□ cm

(2) 82 mm=□ cm

(3) 4 cm 6 mm=□ cm

(4) 9 mm=□ cm

10 두 소수의 크기를 비교하여 ○ 안에 >, =, <를 알맞게 써넣으세요.

(1) 2.5 ○ 2.9

(2) 1.4 ○ 0.8

(3) 7.2 ○ 6.7

(4) 3.5 ○ 3.3

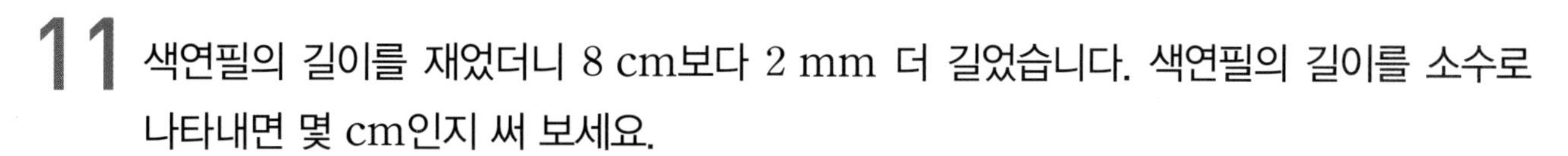

11 색연필의 길이를 재었더니 8 cm보다 2 mm 더 길었습니다. 색연필의 길이를 소수로 나타내면 몇 cm인지 써 보세요.

(　　　　　　　　)

12 색 테이프 1 m를 똑같이 10조각으로 나누어 그중 승기가 3조각, 윤지가 7조각을 사용했습니다. 승기와 윤지가 사용한 색 테이프의 길이는 각각 몇 m인지 소수로 나타내어 보세요.

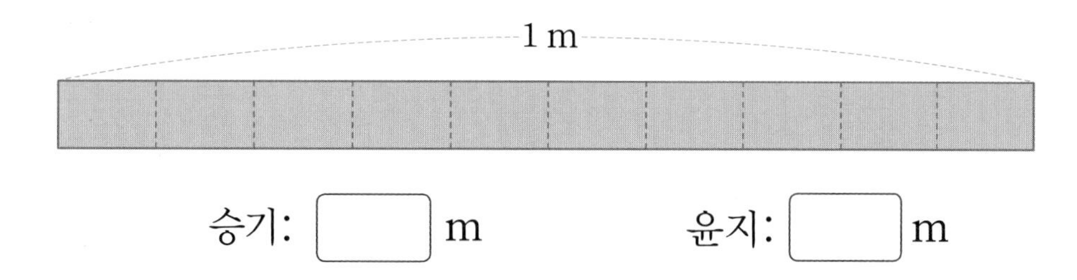

승기: ☐ m　　　　윤지: ☐ m

13 분수의 크기를 비교하여 작은 분수부터 차례대로 써 보세요.

$\frac{1}{2}$　　$\frac{1}{9}$　　$\frac{1}{7}$

(　　　　　　　　)

14 ☐ 안에 들어갈 수 있는 수를 모두 찾아 ○표 하세요.

(1) 0.☐ > 0.6　　(1 , 2 , 3 , 4 , 5 , 6 , 7 , 8 , 9)

(2) 3.4 > 3.☐　　(1 , 2 , 3 , 4 , 5 , 6 , 7 , 8 , 9)

6 단원

개념 확인평가

6. 분수와 소수

맞은 개수

1 똑같이 둘로 나누어진 국기를 찾아 ○표 하세요.

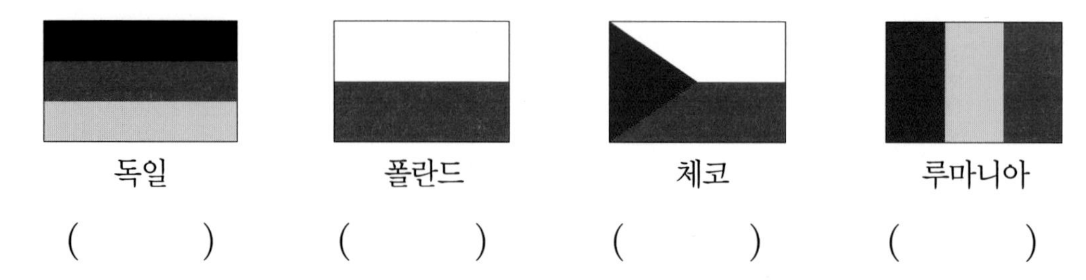

( ) ( ) ( ) ( )

2 전체를 똑같이 5로 나눈 것 중의 3을 색칠한 것을 찾아 기호를 써 보세요.

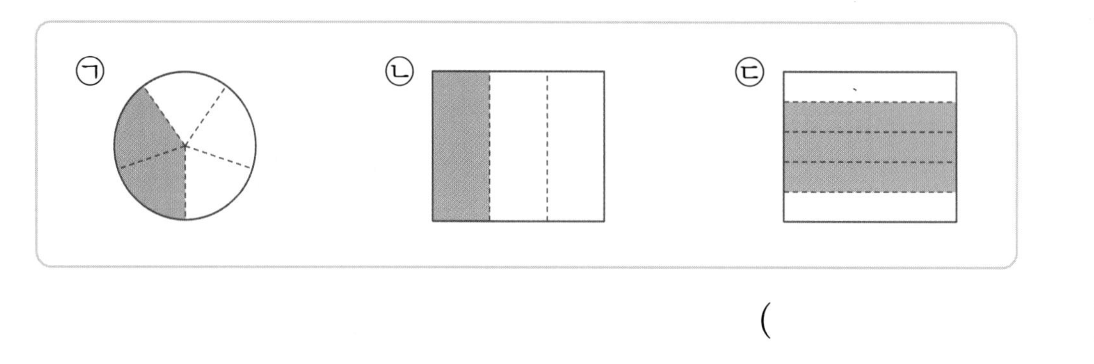

( )

3 길이가 같은 것끼리 선으로 이어 보세요.

5 mm •	• 0.8 cm
3 mm •	• 0.5 cm
8 mm •	• 0.3 cm

4 분수만큼 색칠해 보세요.

(1) $\frac{2}{3}$

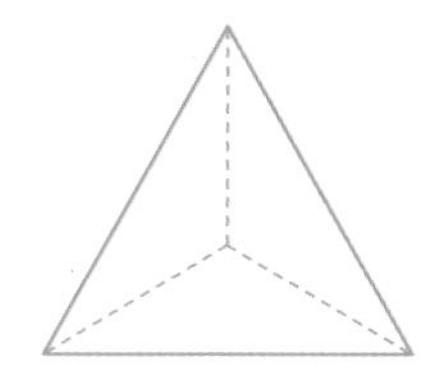

(2) $\frac{5}{8}$

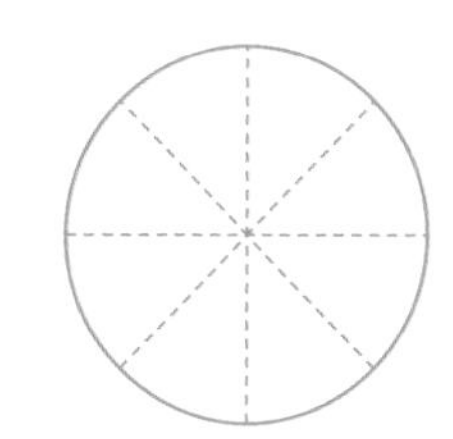

5 그림을 보고 □ 안에 알맞은 소수를 써넣으세요.

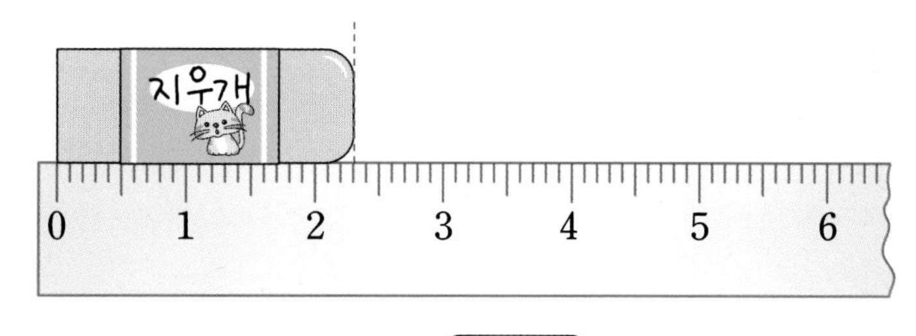

지우개의 길이는 □ cm입니다.

[6~7] 두 수의 크기를 비교하여 ○ 안에 >, =, <를 알맞게 써넣으세요.

6

(1) $\frac{5}{9}$ ○ $\frac{4}{9}$

(2) $\frac{1}{8}$ ○ $\frac{1}{3}$

7

(1) 0.7 ○ 0.4

(2) 3.2 ○ 5.1

8 분수의 크기를 비교하여 큰 분수부터 차례로 써 보세요.

$\frac{1}{3}$ $\frac{1}{6}$ $\frac{1}{9}$

( )

6 단원

9 전체에 대하여 색칠한 부분과 색칠하지 않은 부분을 각각 분수와 소수로 나타내려고 합니다. 표를 완성해 보세요.

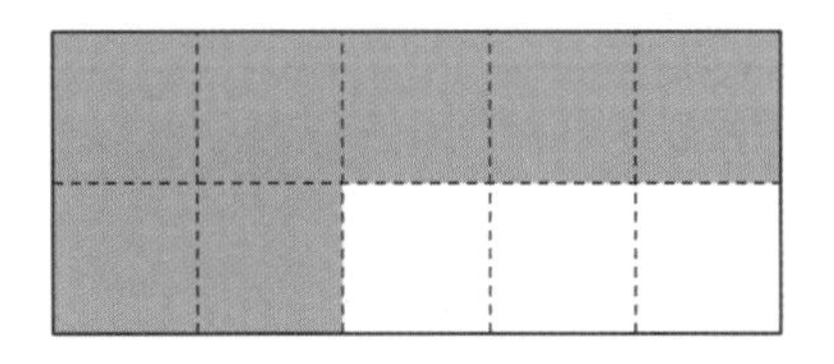

	색칠한 부분	색칠하지 않은 부분
분수		
소수		

10 부분을 보고 전체를 그려 보세요.

(1)

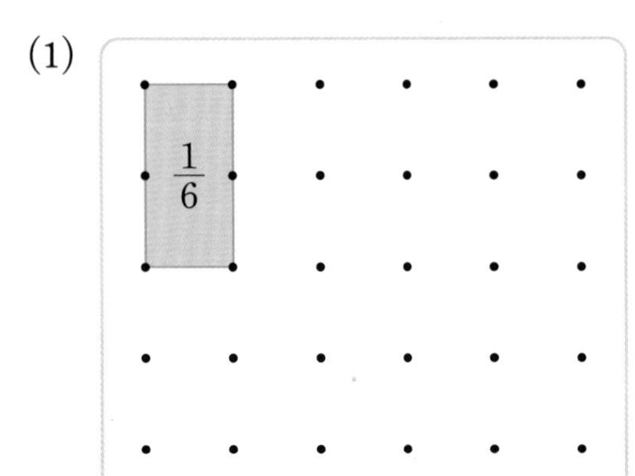

(2)

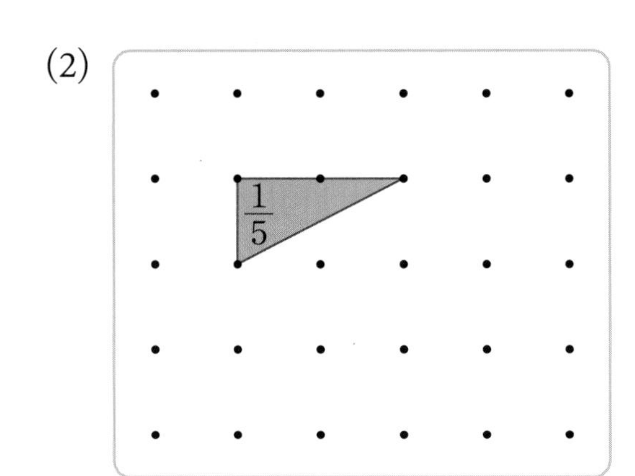

11 우유를 민지는 0.5 L, 진석이는 1.4 L, 석호는 1.6 L 가지고 있습니다. 우유를 많이 가지고 있는 사람부터 순서대로 써 보세요.

( )

3-1 Start Play 붙임딱지

문제의 알맞은 곳에 붙임딱지를 붙여보세요.

10~11쪽

22~23쪽

12씩 3묶음

21과 4의 곱

9와 10의 곱

20 × 4

33씩 3묶음

106~107쪽

118쪽

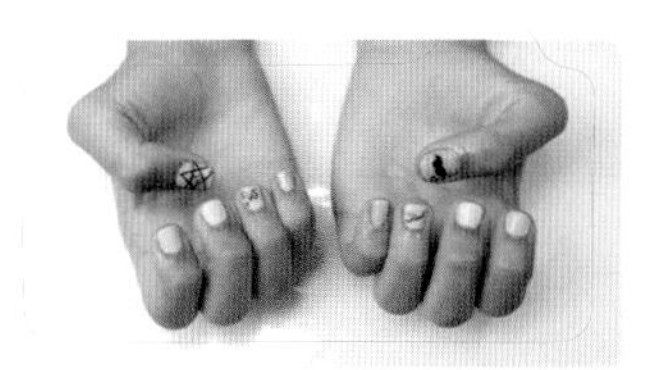

120쪽

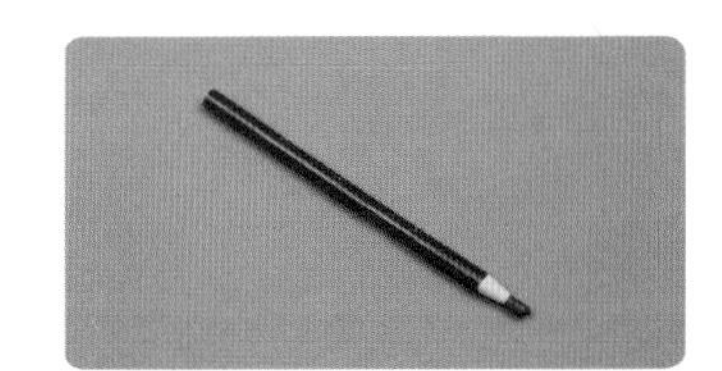

130쪽

134쪽

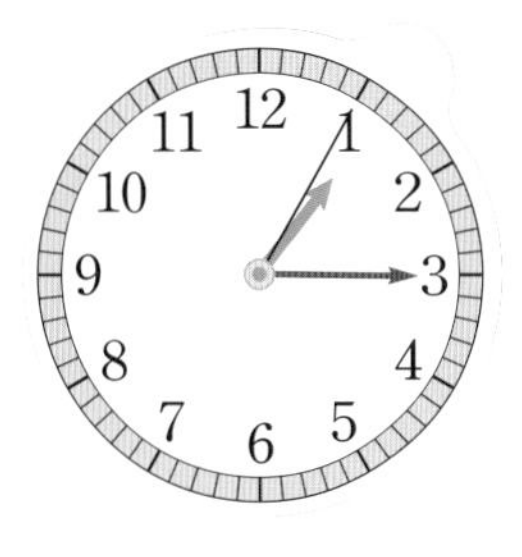

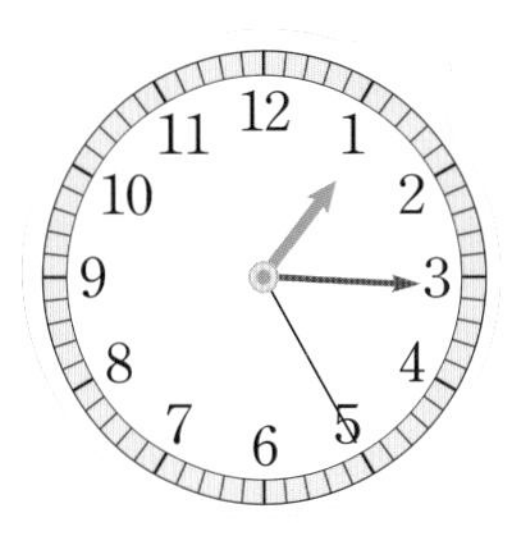

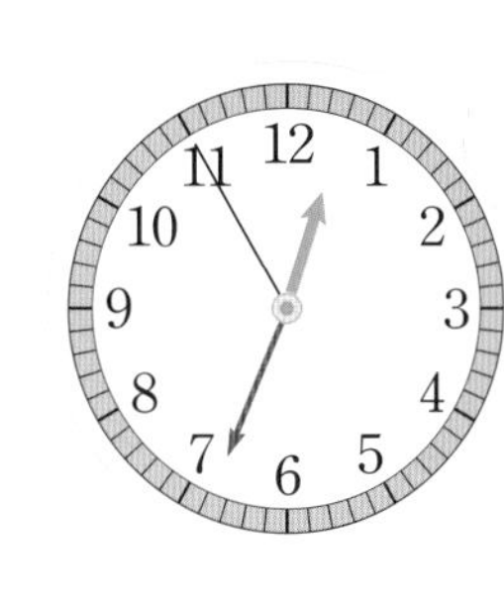

135쪽

150~151쪽

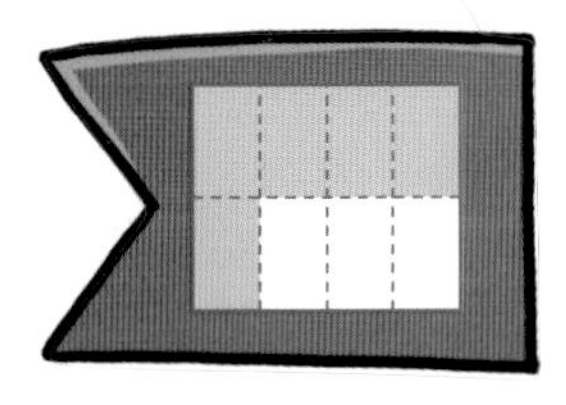
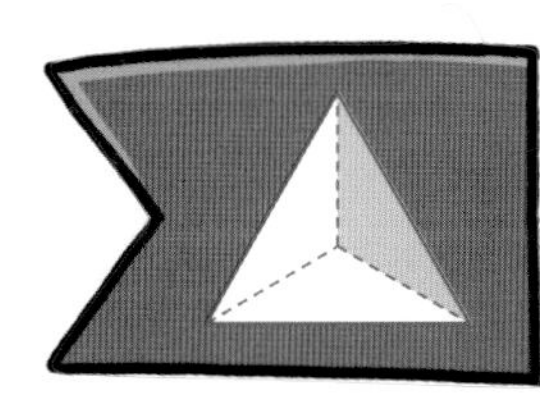
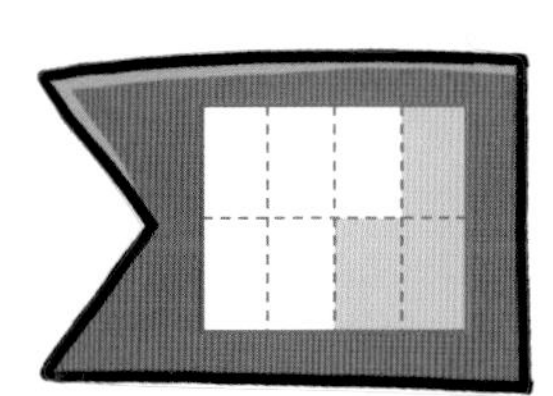
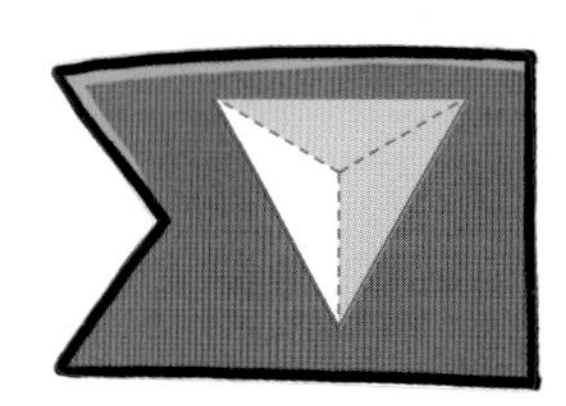

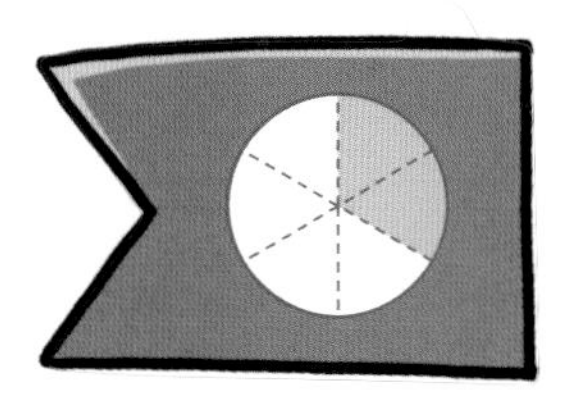
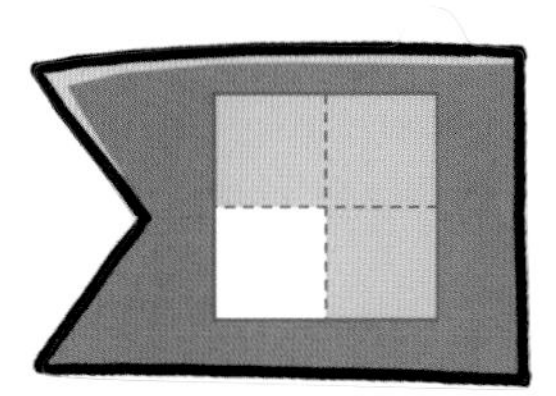
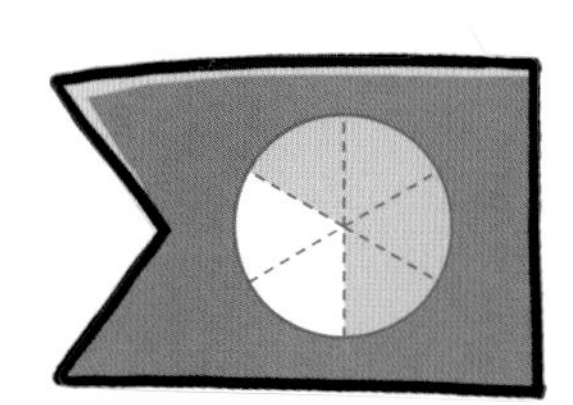
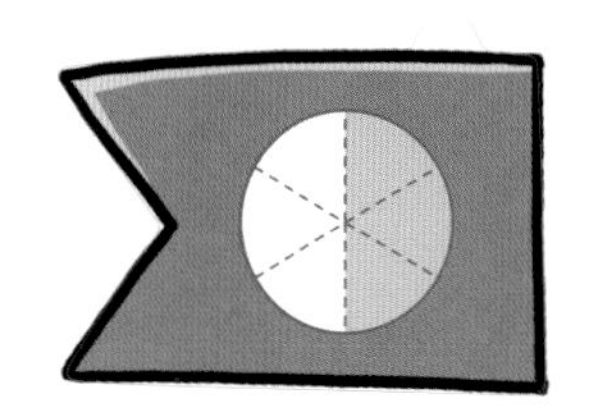

$\frac{1}{5}$

$\frac{1}{6}$

$\frac{4}{5}$

$\frac{4}{9}$ $\frac{3}{9}$ $\frac{2}{6}$

162~163쪽

3.7 cm | 0.3 cm | 4.9 cm | 0.5 | 0.9

4.2 | 1.6 cm | 5.5 cm | 0.7 | 2.5 cm

1.5 | 1.5 cm | 1.8 | 2.2 | 3.3

Start
GO!
교과서 개념
Run
GO!
교과서 사고력
Jump
GO!
유형 사고력

#난이도별
#천재되는_수학교재

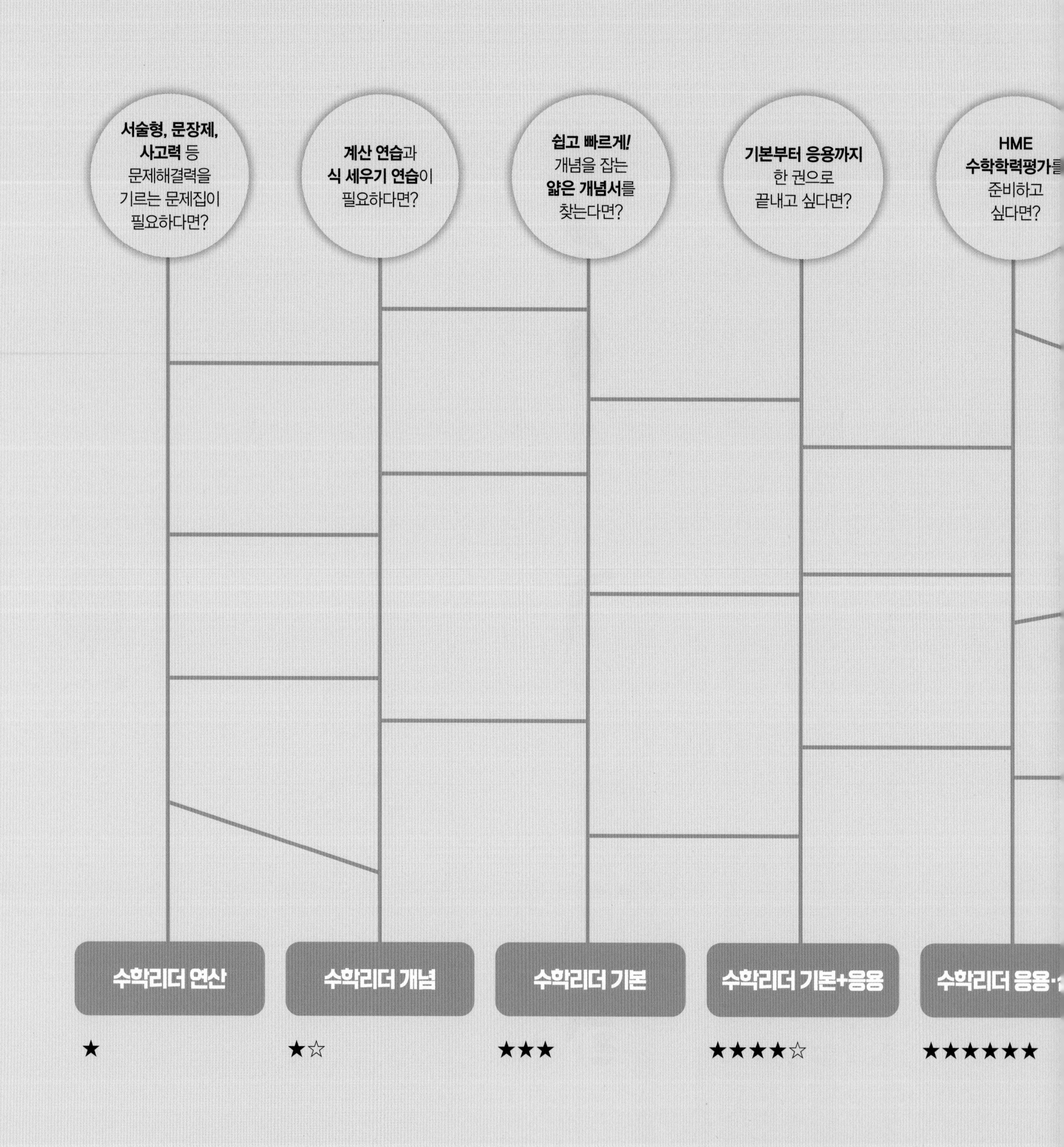
서술형, 문장제, 사고력 등 문제해결력을 기르는 문제집이 필요하다면?
계산 연습과 식 세우기 연습이 필요하다면?
쉽고 빠르게! 개념을 잡는 얇은 개념서를 찾는다면?
기본부터 응용까지 한 권으로 끝내고 싶다면?
HME 수학학력평가를 준비하고 싶다면?
수학리더 연산
★
수학리더 개념
★☆
수학리더 기본
★★★
수학리더 기본+응용
★★★★☆
★★★★★★

교과서 GO! 사고력 GO!

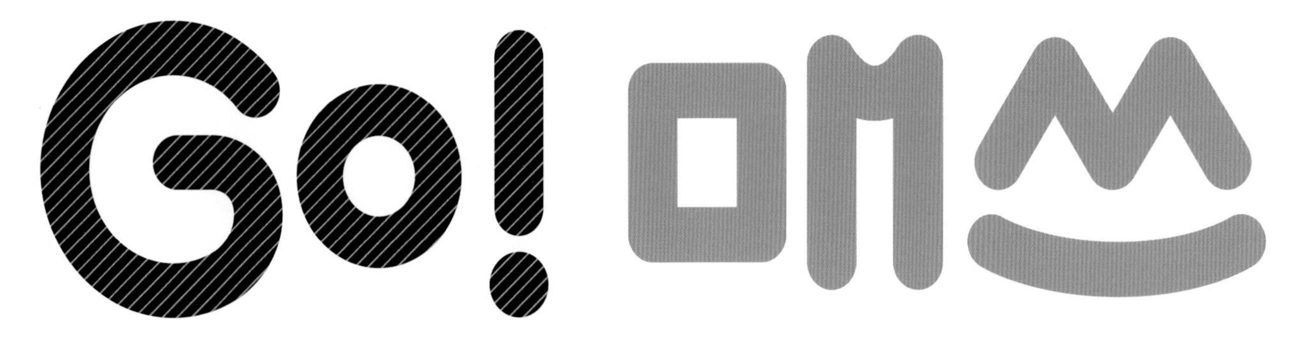

정답과 풀이

수학 3-1

정답과 해설
포인트 2가지

▶ 선생님이나 학부모가 쉽게 문제와 풀이를 한눈에 볼 수 있어요.

▶ 자세한 활동 수업에 대한 팁이 가득하게 들어 있어요.

6쪽 ~ 7쪽

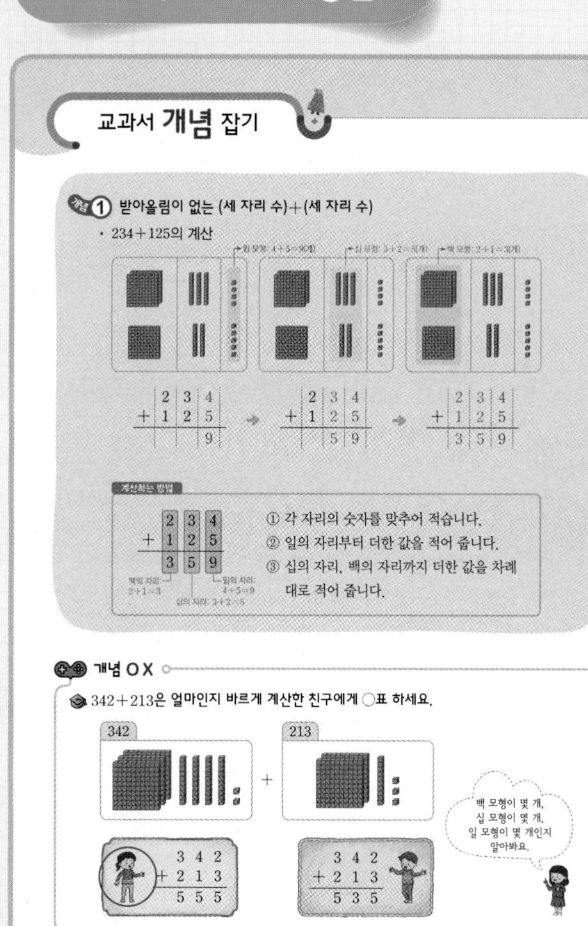

교과서 개념 잡기

개념 1 받아올림이 없는 (세 자리 수)+(세 자리 수)

- 234+125의 계산

계산하는 방법

① 각 자리의 숫자를 맞추어 적습니다.
② 일의 자리부터 더한 값을 적어 줍니다.
③ 십의 자리, 백의 자리까지 더한 값을 차례대로 적어 줍니다.

개념 OX

342+213은 얼마인지 바르게 계산한 친구에게 ○표 하세요.

$342+213=555$ (○), $342+213=535$

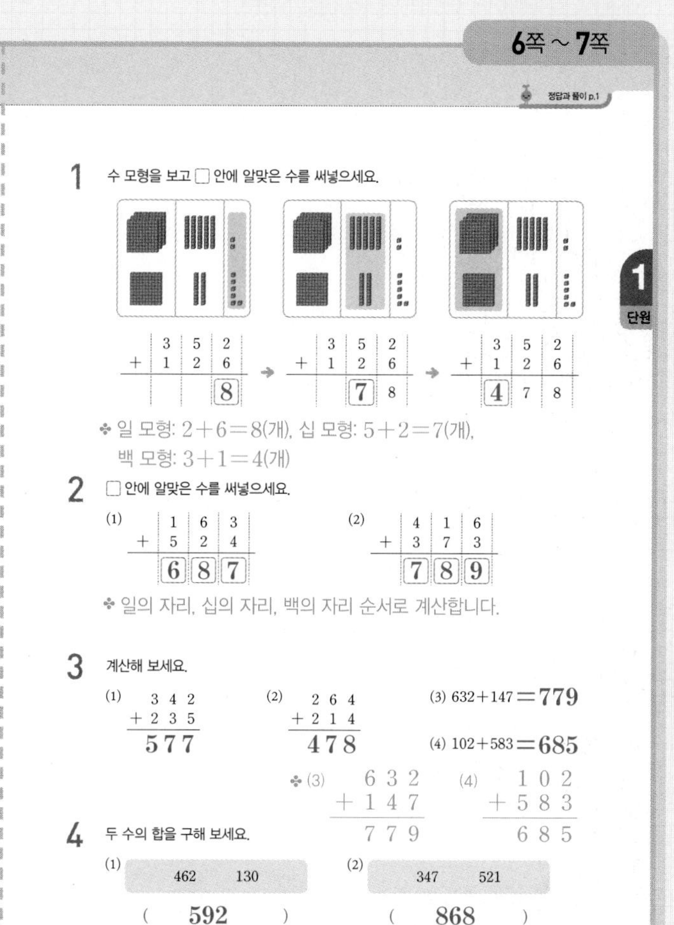

정답과 풀이 p.1

1 수 모형을 보고 □ 안에 알맞은 수를 써넣으세요.

$352+126$: 8 → 78 → 478

✤ 일 모형: $2+6=8$(개), 십 모형: $5+2=7$(개), 백 모형: $3+1=4$(개)

2 □ 안에 알맞은 수를 써넣으세요.

(1) $163+524=687$ (2) $416+373=789$

✤ 일의 자리, 십의 자리, 백의 자리 순서로 계산합니다.

3 계산해 보세요.

(1) $342+235=577$ (2) $264+214=478$ (3) $632+147=779$ (4) $102+583=685$

4 두 수의 합을 구해 보세요.

(1) 462 130 (592) (2) 347 521 (868)

✤ (1) $462+130=592$ (2) $347+521=868$

8쪽 ~ 9쪽

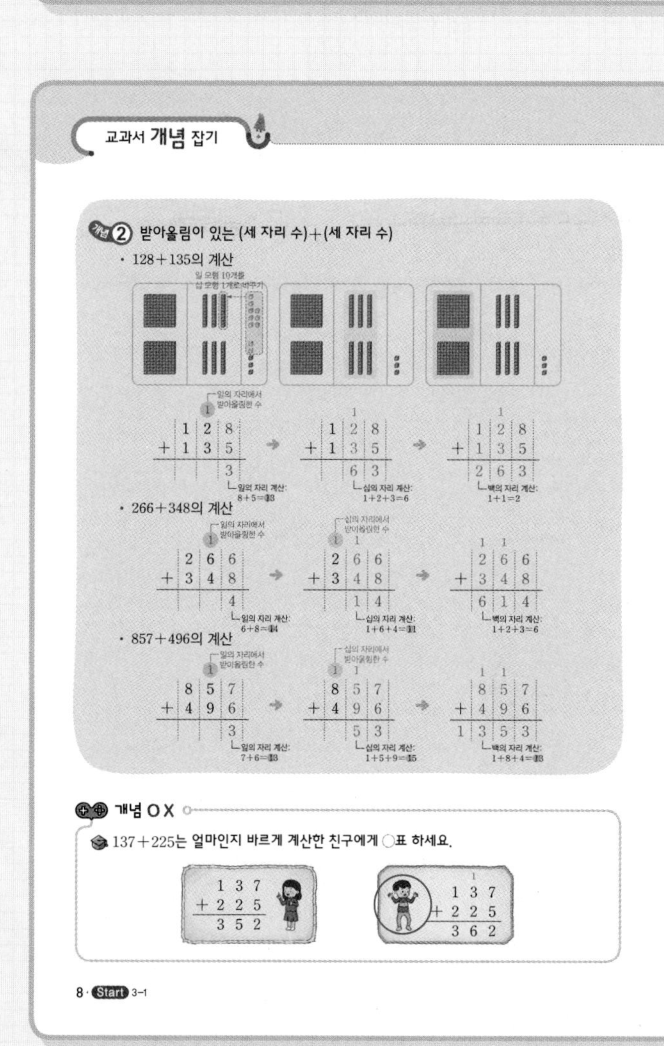

교과서 개념 잡기

개념 2 받아올림이 있는 (세 자리 수)+(세 자리 수)

- 128+135의 계산: 일의 자리 계산 $8+5=13$, 십의 자리 계산 $1+2+3=6$, 백의 자리 계산 $1+1=2$ → 263
- 266+348의 계산: 일의 자리 계산 $6+8=14$, 십의 자리 계산 $1+6+4=11$, 백의 자리 계산 $1+2+3=6$ → 614
- 857+496의 계산: 일의 자리 계산 $7+6=13$, 십의 자리 계산 $1+5+9=15$, 백의 자리 계산 $1+8+4=13$ → 1353

개념 OX

137+225는 얼마인지 바르게 계산한 친구에게 ○표 하세요.

$137+225=352$, $137+225=362$ (○)

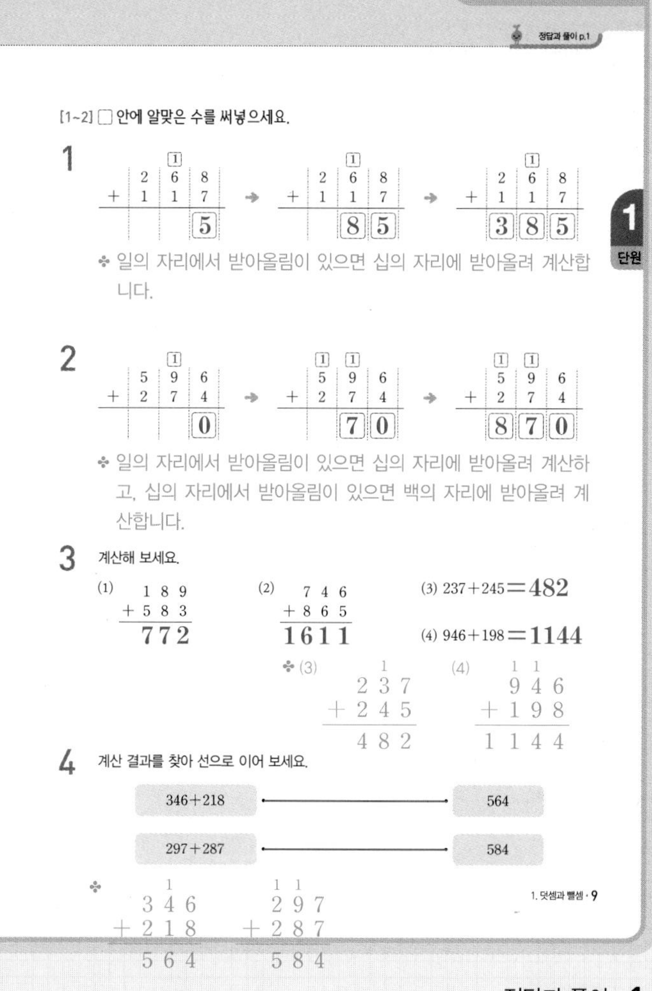

정답과 풀이 p.1

[1~2] □ 안에 알맞은 수를 써넣으세요.

1 $268+117$: 5 → 85 → 385

✤ 일의 자리에서 받아올림이 있으면 십의 자리에 받아올려 계산합니다.

2 $596+274$: 0 → 70 → 870

✤ 일의 자리에서 받아올림이 있으면 십의 자리에 받아올려 계산하고, 십의 자리에서 받아올림이 있으면 백의 자리에 받아올려 계산합니다.

3 계산해 보세요.

(1) $189+583=772$ (2) $746+865=1611$ (3) $237+245=482$ (4) $946+198=1144$

4 계산 결과를 찾아 선으로 이어 보세요.

346+218 — 564
297+287 — 584

✤ $346+218=564$, $297+287=584$

10쪽 ~ 11쪽

교과서 개념 play 맑은 날씨 만들기

붙임딱지

구름이 가득한 날씨예요. 비가 오지 않도록 알맞은 해님 붙임딱지를 붙여 보세요.

293 + 141 = 434
324 + 263 = 587
259 + 423 = 682
457 + 425 = 882
152 + 334 = 486
526 + 248 = 774

457 + 326 = 783
185 + 579 = 764
376 + 257 = 633
637 + 598 = 1235
292 + 438 = 730
459 + 762 = 1221

1 단원

10 · Start 3-1　　1. 덧셈과 뺄셈 · 11

12쪽 ~ 13쪽

집중! 드릴 문제

정답과 풀이 p.2

[1~9] 계산해 보세요.

1. 142 + 135 = 277
2. 321 + 147 = 468
3. 254 + 232 = 486
4. 146 + 312 = 458
5. 524 + 231 = 755
6. 285 + 413 = 698
7. 228+340=568 ✤ 228 + 340 = 568
8. 273+116=389 ✤ 273 + 116 = 389
9. 624+255=879 ✤ 624 + 255 = 879

[10~18] 계산해 보세요.

10. 248 + 137 = 385
11. 306 + 276 = 582
12. 159 + 228 = 387
13. 234 + 257 = 491
14. 503 + 177 = 680
15. 125 + 459 = 584
16. 164+118=282 ✤ 164 + 118 = 282
17. 356+219=575 ✤ 356 + 219 = 575
18. 247+537=784 ✤ 247 + 537 = 784

[19~27] 계산해 보세요.

19. 367 + 185 = 552
20. 294 + 276 = 570
21. 128 + 598 = 726
22. 479 + 236 = 715
23. 646 + 274 = 920
24. 285 + 357 = 642
25. 138+195=333 ✤ 138 + 195 = 333
26. 288+453=741 ✤ 288 + 453 = 741
27. 574+369=943 ✤ 574 + 369 = 943

[28~36] 계산해 보세요.

28. 847 + 365 = 1212
29. 596 + 576 = 1172
30. 288 + 964 = 1252
31. 687 + 459 = 1146
32. 568 + 737 = 1305
33. 934 + 389 = 1323
34. 486+759=1245 ✤ 486 + 759 = 1245
35. 875+849=1724 ✤ 875 + 849 = 1724
36. 638+598=1236 ✤ 638 + 598 = 1236

1 단원

12 · Start 3-1　　1. 덧셈과 뺄셈 · 13

교과서 개념 확인 문제

정답과 풀이 p.3

1 수 모형을 보고 □ 안에 알맞은 수를 써넣으세요.

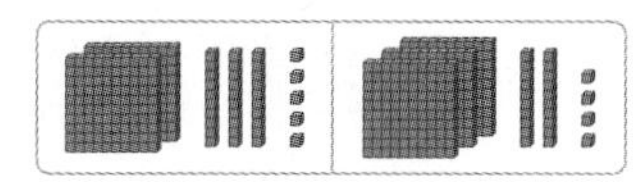

235+324=559

✤ 백 모형이 2+3=5(개), 십 모형이 3+2=5(개), 일 모형이 5+4=9(개)이므로 559입니다.

2 계산해 보세요.

(1) 378+213=591 (2) 215+476=691 (3) 363+137=500

3 빈 곳에 알맞은 수를 써넣으세요.

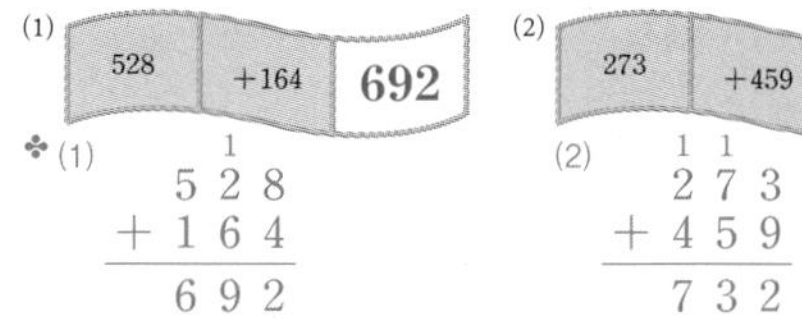

✤ (1) 528+164=692 (2) 273+459=732

4 그림을 보고 □ 안에 알맞은 수를 써넣으세요.

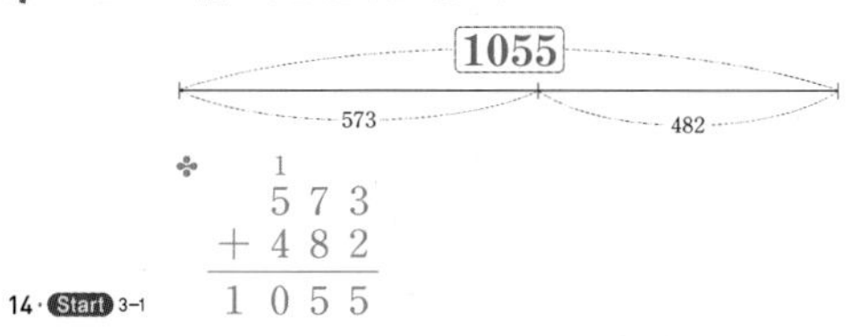

✤ 573+482=1055

5 두 수의 합을 빈 곳에 써넣으세요.

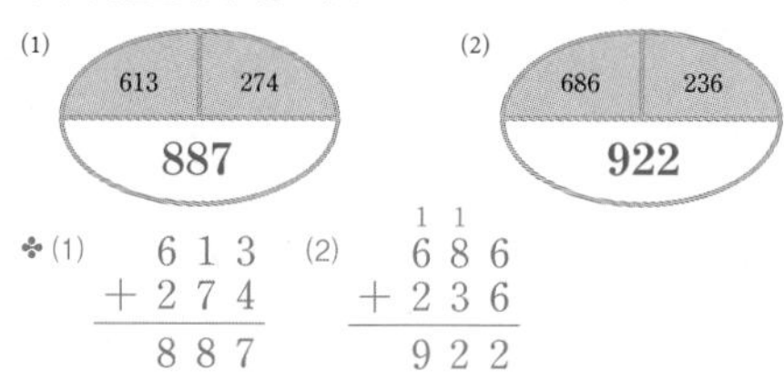

✤ (1) 613+274=887 (2) 686+236=922

6 계산 결과를 찾아 선으로 이어 보세요.

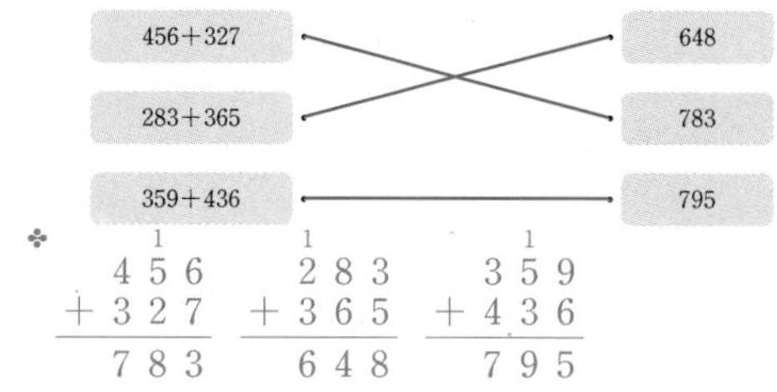

✤ 456+327=783, 283+365=648, 359+436=795

7 사각형에 있는 수의 합을 구해 보세요.

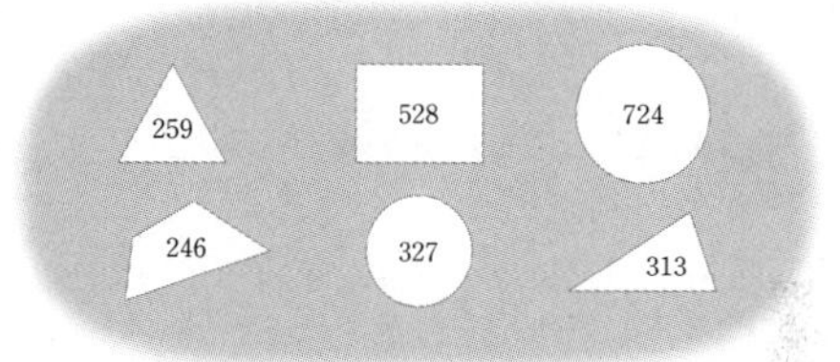

(774)

✤ 사각형에 있는 수는 528과 246입니다.
➜ 528+246=774

교과서 개념 확인 문제

정답과 풀이 p.3

8 빈칸에 알맞은 수를 써넣으세요.

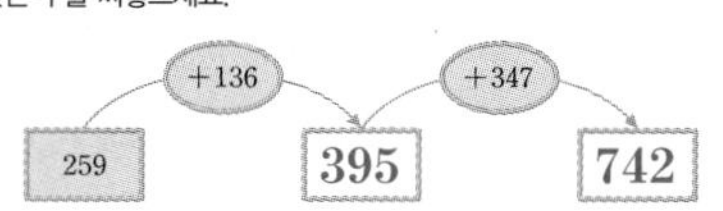

✤ 259+136=395, 395+347=742

9 다음 세 자리 수의 덧셈에서 ㉠과 ㉡이 실제로 나타내는 수를 각각 구해 보세요.

㉠㉡
578+587=1165

㉠이 나타내는 수 (100)
㉡이 나타내는 수 (10)

✤ 일의 자리 계산에서 8+7=15이므로 10을 십의 자리로 받아 올립니다. ➜ ㉡=1이고 실제로 10을 나타냅니다.
십의 자리 계산에서 1+7+8=16이므로 10을 백의 자리로 받아올립니다. ➜ ㉠=1이고 실제로 100을 나타냅니다.

10 잘못 계산한 곳을 찾아 바르게 계산해 보세요.

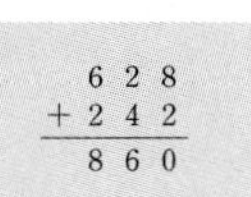

➔

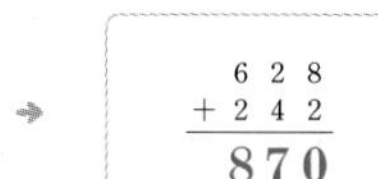

✤ 일의 자리에서 십의 자리로 받아올림한 수를 계산하지 않았습니다.
628+242=870

11 계산 결과를 비교하여 ○ 안에 >, =, <를 알맞게 써넣으세요.

378+296 > 392+253

✤ 378+296=674, 392+253=645 ➜ 674>645

12 어느 날 박물관에 입장한 사람은 오전에 342명, 오후에 336명입니다. 이날 박물관에 입장한 사람은 모두 몇 명인지 구해 보세요.

(678명)

✤ (오전에 입장한 사람 수)+(오후에 입장한 사람 수)
=342+336=678(명)

13 부산으로 가는 기차에 어른 165명, 어린이 136명이 타고 있습니다. 이 기차에 타고 있는 어른과 어린이는 모두 몇 명인지 구해 보세요.

(301명)

✤ (어른 수)+(어린이 수)=165+136=301(명)

14 어느 공장에서 자전거를 작년에는 576대 만들었고, 올해는 395대 만들었습니다. 이 공장에서 작년과 올해 만든 자전거는 모두 몇 대인지 구해 보세요.

(971대)

✤ (작년에 만든 자전거 수)+(올해 만든 자전거 수)
=576+395=971(대)

18쪽 ~ 19쪽

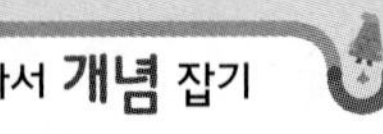

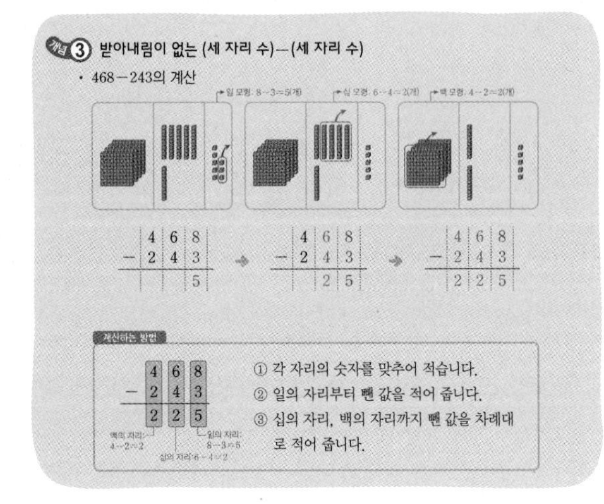

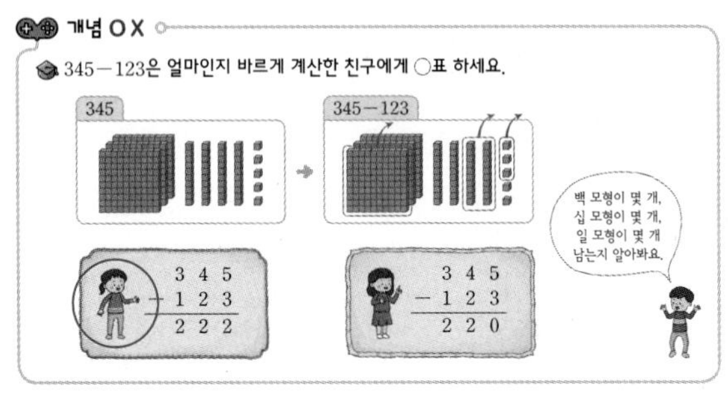

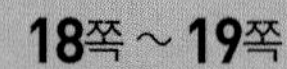

1 수 모형을 보고 □ 안에 알맞은 수를 써넣으세요.

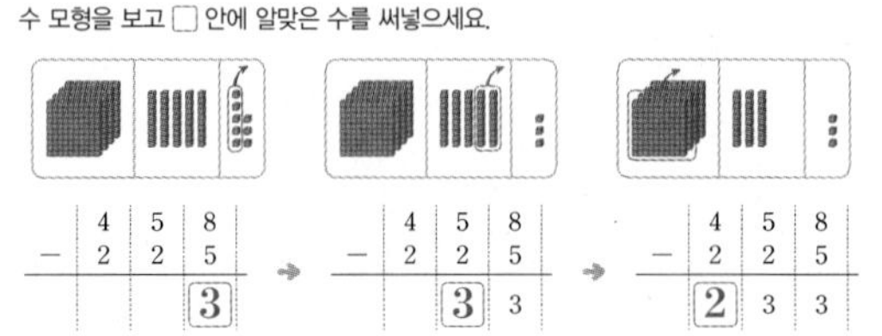

✤ 일 모형: 8－5＝3(개), 십 모형: 5－2＝3(개), 백 모형: 4－2＝2(개)

2 □ 안에 알맞은 수를 써넣으세요.

(1) 367－146＝221 (2) 855－620＝235

✤ 일의 자리, 십의 자리, 백의 자리 순서로 계산합니다.

3 계산해 보세요.

(1) 275－142＝133 (2) 736－423＝313 (3) 587－356＝231 (4) 469－239＝230

✤ (3) 587－356＝231 (4) 469－239＝230

4 두 수의 차를 구해 보세요.

(1) 645 321 (324) (2) 512 937 (425)

✤ (1) 645－321＝324 (2) 937－512＝425

20쪽 ~ 21쪽

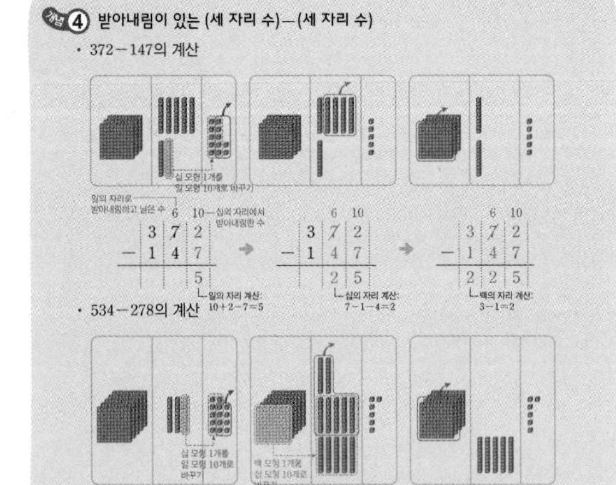

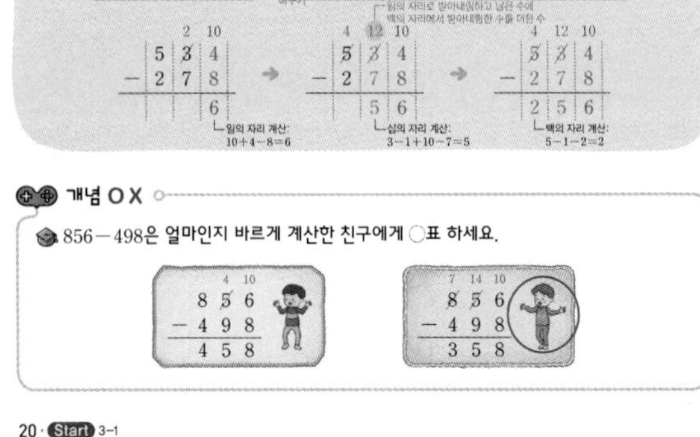

[1~2] □ 안에 알맞은 수를 써넣으세요.

1 462－137: 5 → 25 → 325

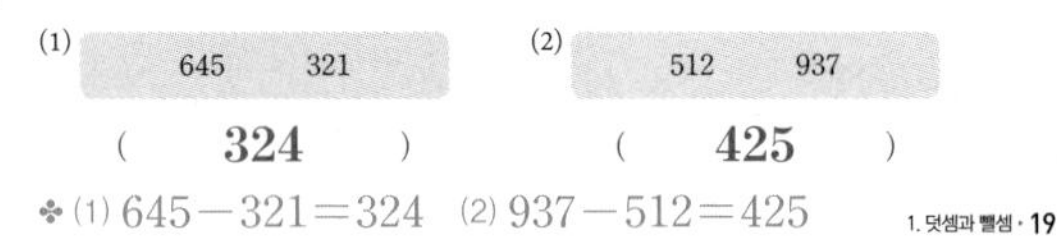

2 635－388: 7 → 47 → 247

3 계산해 보세요.

(1) 574－235＝339 (2) 306－189＝117 (3) 760－445＝315 (4) 623－357＝266

✤ (3) 760－445＝315 (4) 623－357＝266

4 빈칸에 알맞은 수를 써넣으세요.

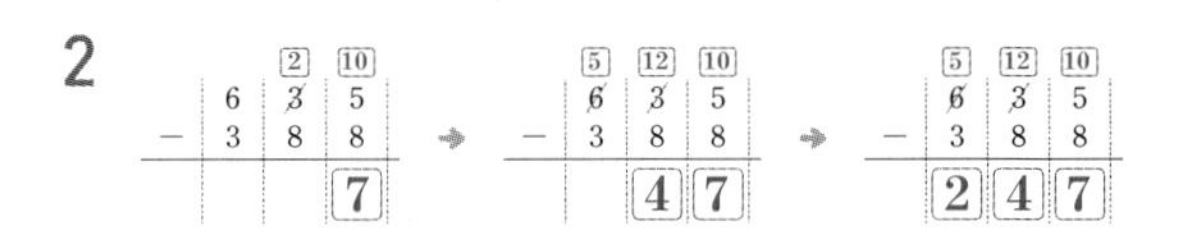

(1) 271 －138 → 133 ✤ 271－138＝133

(2) 853 －496 → 357 ✤ 853－496＝357

22쪽 ~ 23쪽

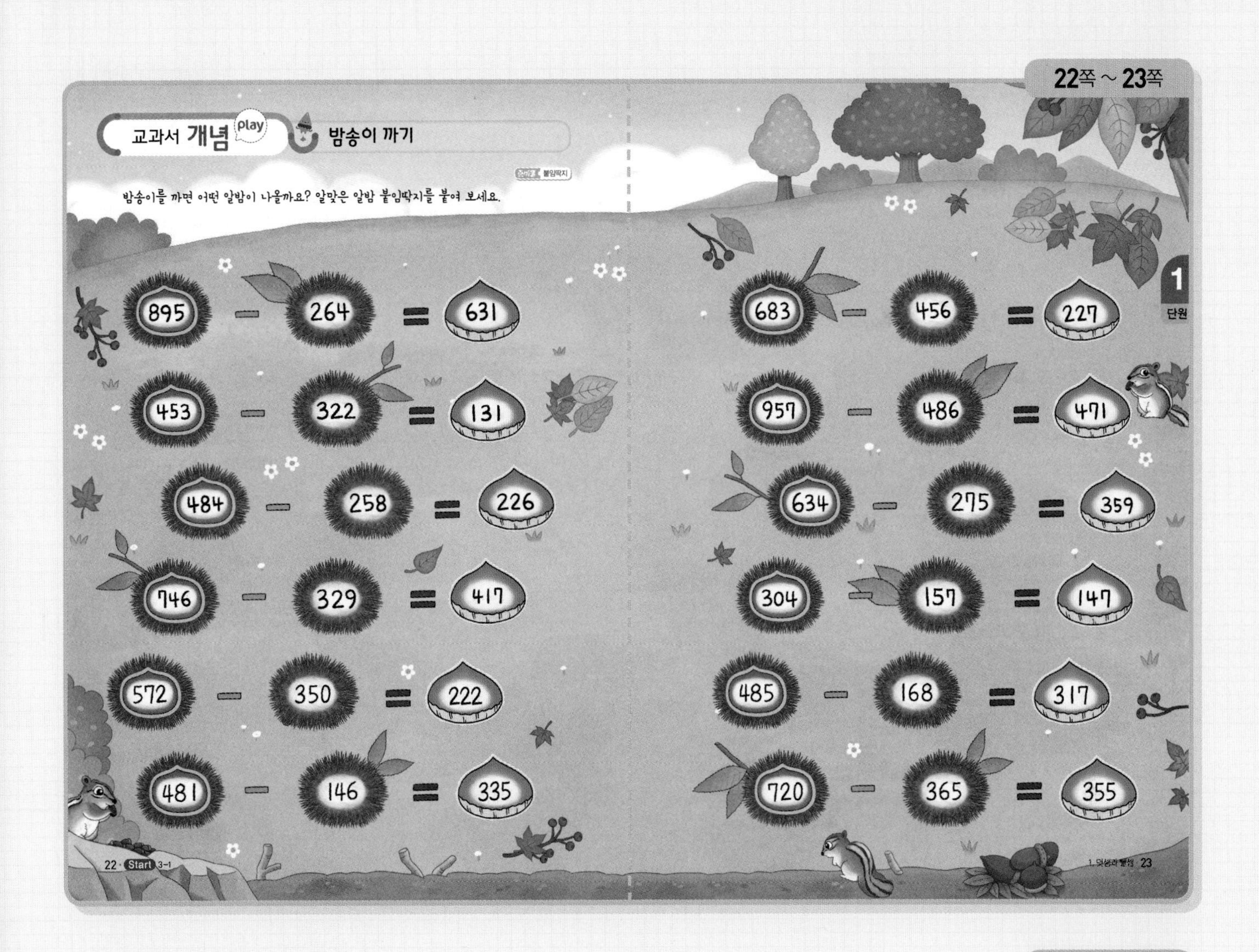

24쪽 ~ 25쪽

집중! 드릴 문제

정답과 풀이 p.5

[1~9] 계산해 보세요.

1 564 − 321 = 243

2 785 − 463 = 322

3 628 − 314 = 314

4 947 − 825 = 122

5 359 − 128 = 231

6 864 − 534 = 330

7 478 − 153 = 325

8 794 − 372 = 422

9 936 − 634 = 302

[10~18] 계산해 보세요.

10 453 − 127 = 326

11 362 − 226 = 136

12 784 − 528 = 256

13 536 − 119 = 417

14 871 − 625 = 246

15 965 − 848 = 117

16 564 − 237 = 327

17 685 − 419 = 266

18 716 − 308 = 408

[19~28] 계산해 보세요.

19 542 − 164 = 378

20 735 − 468 = 267

21 857 − 288 = 569

22 663 − 375 = 288

23 438 − 149 = 289

24 974 − 598 = 376

25 623 − 468 = 155

26 851 − 674 = 177

27 304 − 256 = 48

28 707 − 429 = 278

[29~36] 계산해 보세요.

29 463 − 285 = 178

30 527 − 369 = 158

31 835 − 447 = 388

32 643 − 256 = 387

33 974 − 687 = 287

34 751 − 582 = 169

35 402 − 158 = 244

36 607 − 539 = 68

1 단원

교과서 개념 확인 문제

정답과 풀이 p.6

1 수 모형을 보고 □ 안에 알맞은 수를 써넣으세요.

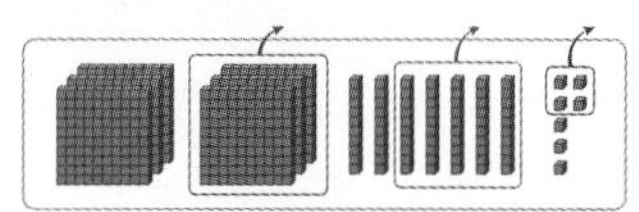

677－354=**323**

✤ 남은 수 모형은 백 모형이 6－3=3(개), 십 모형이 7－5=2(개), 일 모형이 7－4=3(개)이므로 323입니다.

2 계산해 보세요.

(1)
```
  5 7 8
- 1 2 7
-------
  4 5 1
```

(2)
```
  6 10
  7 7 8
- 3 8 5
-------
  3 9 3
```

(3)
```
    6 10
  3 7 2
- 1 3 9
-------
  2 3 3
```

3 두 수의 차를 구해 보세요.

(1) 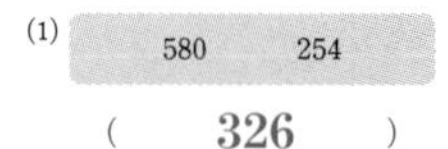

(**326**)

(2) 467 813

(**346**)

✤ (1)
```
    7 10
  5 8 0
- 2 5 4
-------
  3 2 6
```
(2)
```
  7 10 10
  8  1  3
- 4  6  7
---------
  3  4  6
```

4 그림을 보고 □ 안에 알맞은 수를 써넣으세요.

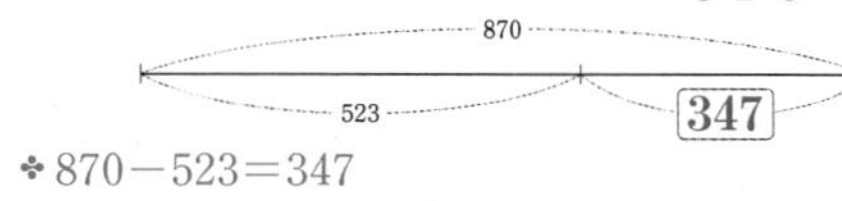

✤ 870－523=347

5 뺄셈에서 7이 실제로 나타내는 수를 써 보세요.

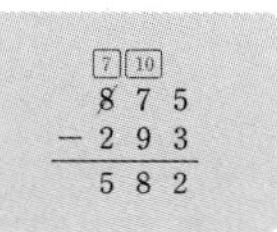

(**700**)

✤ 7은 800에서 십의 자리로 100을 받아내림하고 남은 수이므로 실제로 700을 나타냅니다.

6 두 수의 차를 빈 곳에 써넣으세요.

(1) 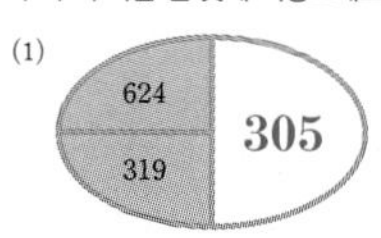

(2) 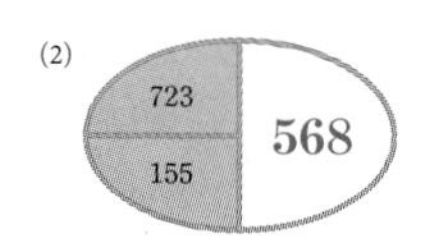

✤ (1) 624－319=305 (2) 723－155=568

7 수 모형이 나타내는 수보다 237 작은 수를 구해 보세요.

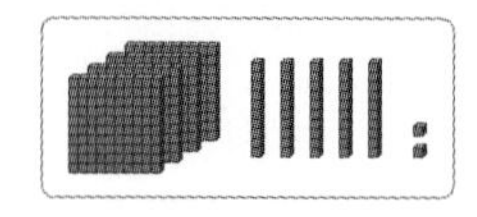

(**215**)

✤ 수 모형이 나타내는 수는 452이므로 452보다 237 작은 수는 452－237=215입니다.

교과서 개념 확인 문제

정답과 풀이 p.6

8 두 색 테이프의 길이의 차는 몇 cm인지 구해 보세요.

584 cm

347 cm

(**237 cm**)

✤ 584－347=237 (cm)

9 삼각형에 있는 수의 차를 구해 보세요.

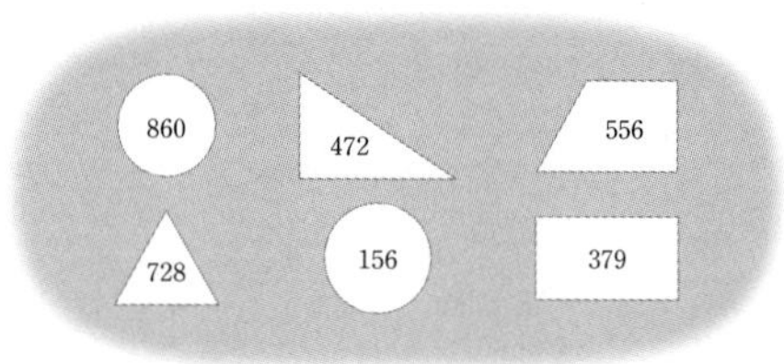

✤ 삼각형에 있는 수는 472, 728입니다. (**256**)
➔ 728－472=256

10 빈칸에 알맞은 수를 써넣으세요.

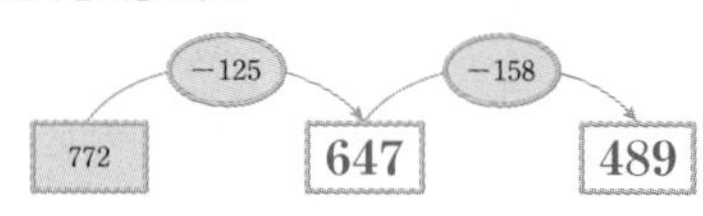

✤ 772－125=647, 647－158=489

11 계산 결과를 비교하여 ○ 안에 >, =, <를 알맞게 써넣으세요.

735－219 ⓥ> 614－172

✤ 735－219=516, 614－172=442
➔ 516>442

12 다음 수 중에서 가장 큰 수와 가장 작은 수의 차를 구해 보세요.

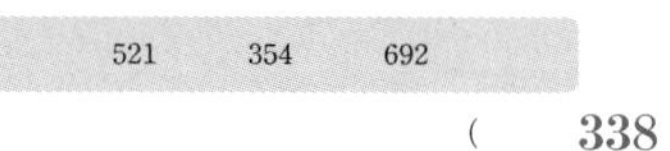

(**338**)

✤ 692>521>354이므로 가장 큰 수는 692이고 가장 작은 수는 354입니다. ➔ 692－354=338

13 빈칸에 알맞은 수를 써넣으세요.

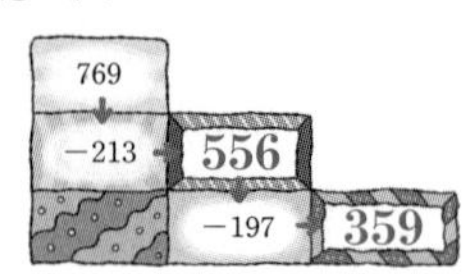

✤ 769－213=556, 556－197=359

14 은우네 학교 학생 수는 745명이고 현주네 학교 학생 수는 은우네 학교 학생 수보다 127명 더 적습니다. 현주네 학교 학생 수는 몇 명인지 구해 보세요.

(**618명**)

✤ (현주네 학교 학생 수)=(은우네 학교 학생 수)－127
=745－127=618(명)

15 문구점에 색종이가 600장 있습니다. 그중에서 416장을 팔았다면 남은 색종이는 몇 장인지 구해 보세요.

(**184장**)

✤ (남은 색종이 수)=(처음 색종이 수)－(판 색종이 수)
=600－416=184(장)

개념 확인평가 1. 덧셈과 뺄셈

맞은 개수

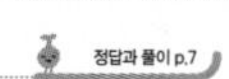

1 계산해 보세요.

(1) 426 + 152 = **578**

(2) 737 − 325 = **412**

(3) 258+326 = **584**

(4) 894−567 = **327**

✤ (3) 258 + 326 = 584 (4) 894 − 567 = 327

2 계산 결과를 찾아 선으로 이어 보세요.

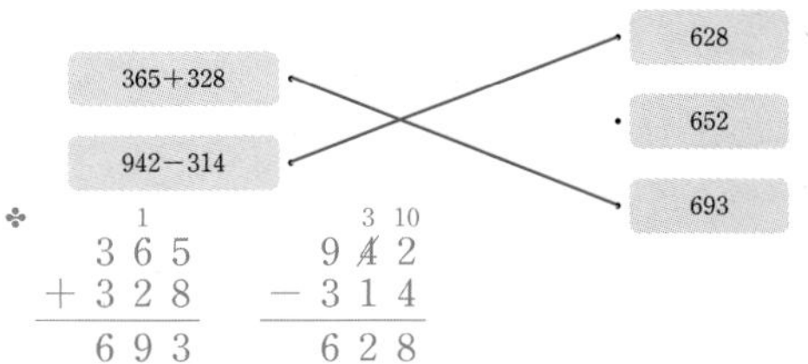

✤ 365 + 328 = 693, 942 − 314 = 628

3 빈칸에 알맞은 수를 써넣으세요.

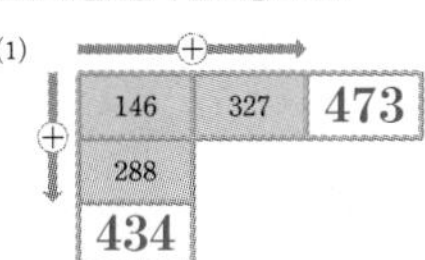

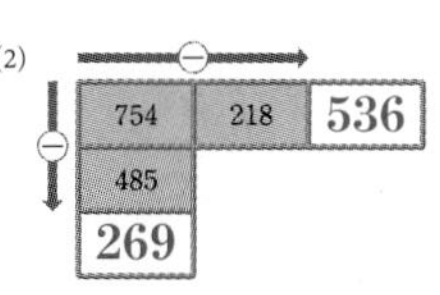

✤ (1) 146+327=473, 146+288=434
(2) 754−218=536, 754−485=269

4 가장 큰 수와 가장 작은 수의 합을 구해 보세요.

328 457 603

(**931**)

✤ 603>457>328이므로 가장 큰 수는 603이고 가장 작은 수는 328입니다.
→ 603+328=931

5 잘못 계산한 곳을 찾아 이유를 쓰고, 바르게 계산해 보세요.

425 − 187 = 338

이유 예 백의 자리에서 받아내림한 수를 빼지 않았습니다.

바르게 계산하기: 425 − 187 = **238**

✤ 425 − 187 = 238

6 ㉠과 ㉡이 나타내는 수의 합을 구해 보세요.

㉠ 100이 6개, 10이 8개, 1이 4개인 수
㉡ 100이 5개, 10이 6개, 1이 8개인 수

(**1252**)

✤ ㉠ 684, ㉡ 568이므로 두 수의 합은 684+568=1252입니다.

7 현아네 농장에서 작년에는 수박을 546통 수확했고, 올해에는 작년보다 137통 더 많이 수확했습니다. 현아네 농장에서 올해 수확한 수박은 몇 통인지 구해 보세요.

(**683통**)

✤ (올해 수확한 수박 수)
=(작년에 수확한 수박 수)+137
=546+137=683(통)

8 자전거 대여소에 자전거가 362대 있습니다. 그중에서 자전거 124대를 대여해 주었다면 대여소에 남은 자전거는 몇 대인지 구해 보세요.

(**238대**)

✤ (남은 자전거 수)
=(처음에 있던 자전거 수)−(대여해 준 자전거 수)
=362−124=238(대)

1 단원

개념 확인평가 1. 덧셈과 뺄셈

정답과 풀이 p.7

[9~10] 은상이네 학교 학생 수와 지훈이네 학교 학생 수를 조사하여 나타낸 표입니다. 물음에 답하세요.

학생 수

	은상이네 학교	지훈이네 학교
남학생 수	437명	339명
여학생 수	425명	348명

9 은상이네 학교 학생 수와 지훈이네 학교 학생 수는 각각 몇 명인지 구해 보세요.

은상이네 학교 학생 수 (**862명**)
지훈이네 학교 학생 수 (**687명**)

✤ (은상이네 학교 학생 수)=(남학생 수)+(여학생 수)=437+425=862(명)
(지훈이네 학교 학생 수)=(남학생 수)+(여학생 수)=339+348=687(명)

10 누구네 학교 학생 수가 몇 명 더 많은지 차례로 써 보세요.

(**은상이네 학교**), (**175명**)

✤ 862>687이므로 은상이네 학교 학생 수가 862−687=175(명) 더 많습니다.

11 3장의 수 카드를 모두 한 번씩만 사용하여 세 자리 수를 만들고 있습니다. 물음에 답하세요.

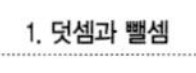

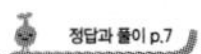

(1) 만들 수 있는 가장 큰 세 자리 수를 써 보세요.

(**862**)

✤ 높은 자리부터 큰 수를 놓으면 가장 큰 수가 되므로 가장 큰 세 자리 수는 862입니다.

(2) 만들 수 있는 가장 작은 세 자리 수를 써 보세요.

(**268**)

✤ 높은 자리부터 작은 수를 놓으면 가장 작은 수가 되므로 가장 작은 세 자리 수는 268입니다.

(3) 만들 수 있는 가장 큰 세 자리 수와 가장 작은 세 자리 수의 차를 구해 보세요.

(**594**)

✤ 862−268=594

[GO! 매쓰]
여기까지 1단원 내용입니다.
다음부터는 2단원 내용이 시작합니다.

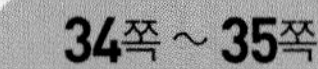

34쪽 ~ 35쪽

교과서 **개념** 잡기

개념 1 선의 종류 알아보기

- 두 점을 곧게 이은 선을 선분이라고 합니다.

점 ㄱ과 점 ㄴ을 이은 선분 → 선분 ㄱㄴ 또는 선분 ㄴㄱ

- 한 점에서 시작하여 한쪽으로 끝없이 늘인 곧은 선을 반직선이라고 합니다.

주의 반직선 ㄱㄴ과 반직선 ㄴㄱ은 같지 않습니다.

- 선분을 양쪽으로 끝없이 늘인 곧은 선을 직선이라고 합니다.

점 ㄱ과 점 ㄴ을 지나는 직선 → 직선 ㄱㄴ 또는 직선 ㄴㄱ

개념 OX

선분, 반직선, 직선을 바르게 그린 친구를 찾아 ○표 하세요.

선분 (○) / 반직선 / 직선

정답과 풀이 p.8

1 □ 안에 알맞은 말이나 기호를 써넣으세요.

(1) 선분을 양쪽으로 끝없이 늘인 곧은 선을 **직선**이라고 합니다.

(2) 반직선 ㄱㄴ은 점 **ㄱ**에서 시작하여 점 **ㄴ**을 지나는 반직선입니다.

✤ 직선: 선분을 양쪽으로 끝없이 늘인 곧은 선
반직선 ㄱㄴ: 점 ㄱ에서 시작하여 점 ㄴ을 지나는 반직선

2 직선을 찾아 기호를 써 보세요.

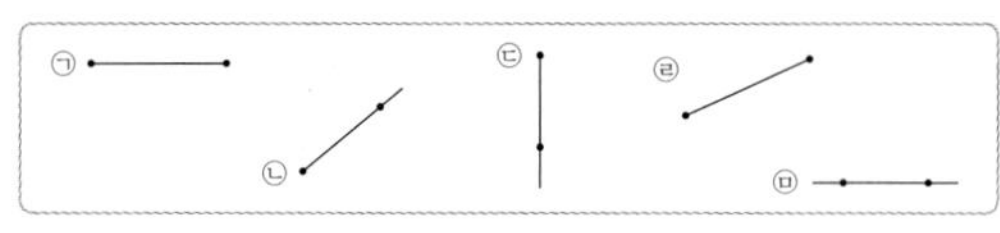

(㉤)

✤ 직선: 선분을 양쪽으로 끝없이 늘인 곧은 선
㉠, ㉣ 선분 ㉡, ㉢ 반직선

3 각 도형의 이름을 써 보세요.

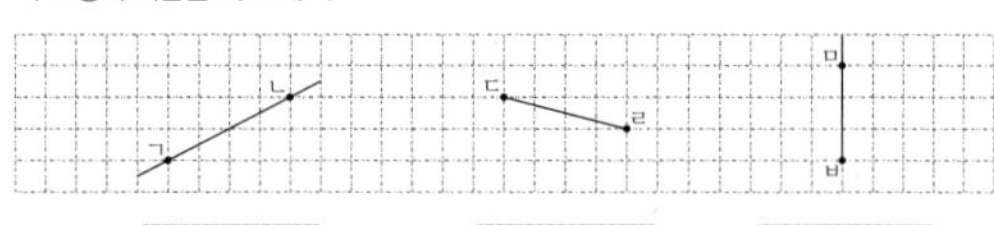

직선 ㄱㄴ 또는 직선 ㄴㄱ / **선분 ㄷㄹ** 또는 선분 ㄹㄷ / **반직선 ㅂㅁ**

✤ 반직선은 시작점과 지나는 점을 바꿔 읽지 않도록 주의합니다.

4 선분, 반직선, 직선을 그어 보세요.

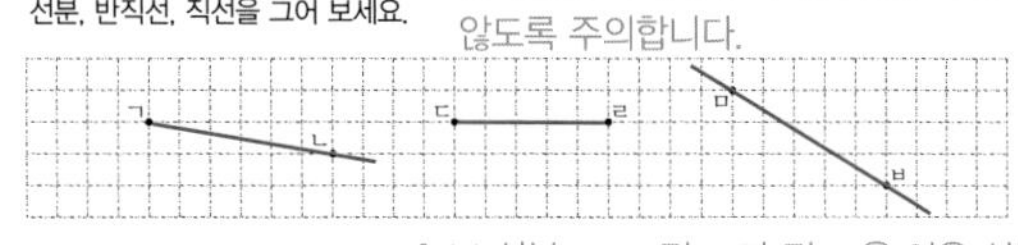

(1) 선분 ㄷㄹ을 그어 보세요.
(2) 반직선 ㄱㄴ을 그어 보세요.
(3) 직선 ㅁㅂ을 그어 보세요.

✤ (1) 선분 ㄷㄹ: 점 ㄷ과 점 ㄹ을 이은 선분
(2) 반직선 ㄱㄴ: 점 ㄱ에서 시작하여 점 ㄴ을 지나는 반직선
(3) 직선 ㅁㅂ: 점 ㅁ과 점 ㅂ을 지나는 직선

36쪽 ~ 37쪽

교과서 **개념** 잡기

개념 2 각 알아보기

- 한 점에서 그은 두 반직선으로 이루어진 도형을 각이라고 합니다.

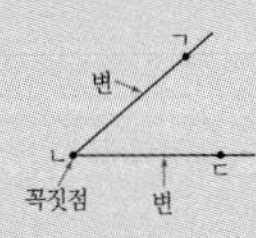

그림의 각을 각 ㄱㄴㄷ 또는 각 ㄷㄴㄱ이라 하고, 이때 점 ㄴ을 각의 꼭짓점이라고 합니다. 반직선 ㄴㄱ과 반직선 ㄴㄷ을 각의 변이라 하고, 이 변을 변 ㄴㄱ과 변 ㄴㄷ이라고 합니다.

개념 3 직각 알아보기

- 그림과 같이 종이를 반듯하게 두 번 접었을 때 생기는 각을 직각이라고 합니다.

직각 ㄱㄴㄷ을 나타낼 때에는 꼭짓점 ㄴ에 ∟ 표시를 합니다.

- 직각 삼각자를 이용하여 직각 찾기

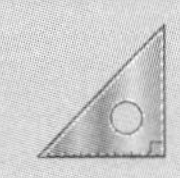

→ 직각 삼각자의 직각 부분을 이용하여 직각을 찾을 수 있습니다.

개념 OX

각의 꼭짓점과 변을 바르게 표시한 친구를 찾아 ○표 하세요.

정답과 풀이 p.8

1 각에 모두 ○표 하세요.

(○) ( ) ( ) ( ) (○)

✤ 각: 한 점에서 그은 두 반직선으로 이루어진 도형

2 직각을 모두 찾아 ∟로 표시해 보세요.

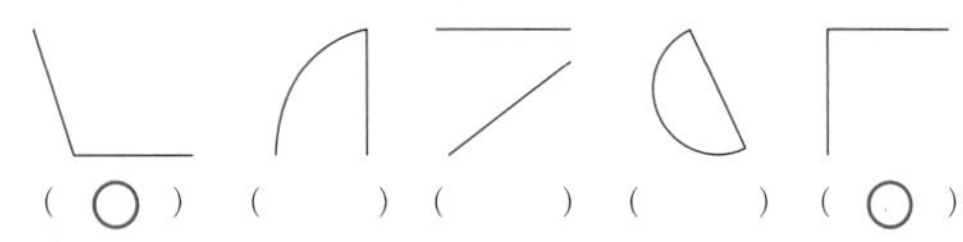

✤ 각에 직각 삼각자를 대었을 때 직각 삼각자의 직각인 부분과 꼭 맞게 겹쳐지는 각을 찾습니다.

3 각을 읽어 보세요.

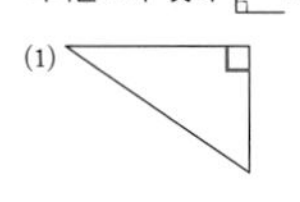
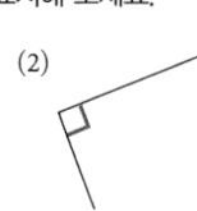
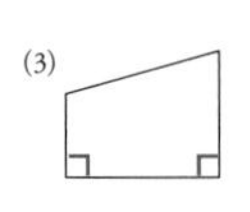

(1) (각 ㄱㄴㄷ 또는 각 ㄷㄴㄱ) (2) (각 ㄹㅁㅂ 또는 각 ㅂㅁㄹ)

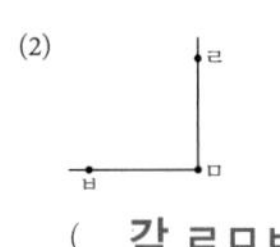

✤ 각을 읽을 때에는 각의 꼭짓점이 가운데에 오도록 읽습니다.

4 주어진 점을 각의 꼭짓점으로 하는 직각을 완성해 보세요.

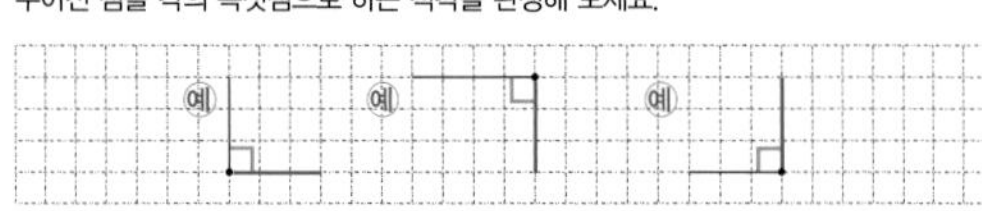

38쪽 ~ 39쪽

교과서 개념 play 알맞은 나비와 벌 찾기

붙임딱지

꽃에 있는 팻말에 알맞게 나비와 벌 모양 붙임딱지를 붙여 보세요.

✤ 반직선: 한 점에서 시작하여 한쪽으로 끝없이 늘인 곧은 선

✤ 직선: 선분을 양쪽으로 끝없이 늘인 곧은 선

✤ 각: 한 점에서 그은 두 반직선으로 이루어진 도형

✤ 선분: 두 점을 곧게 이은 선

38 · Start 3-1

2. 평면도형 · 39

40쪽 ~ 41쪽

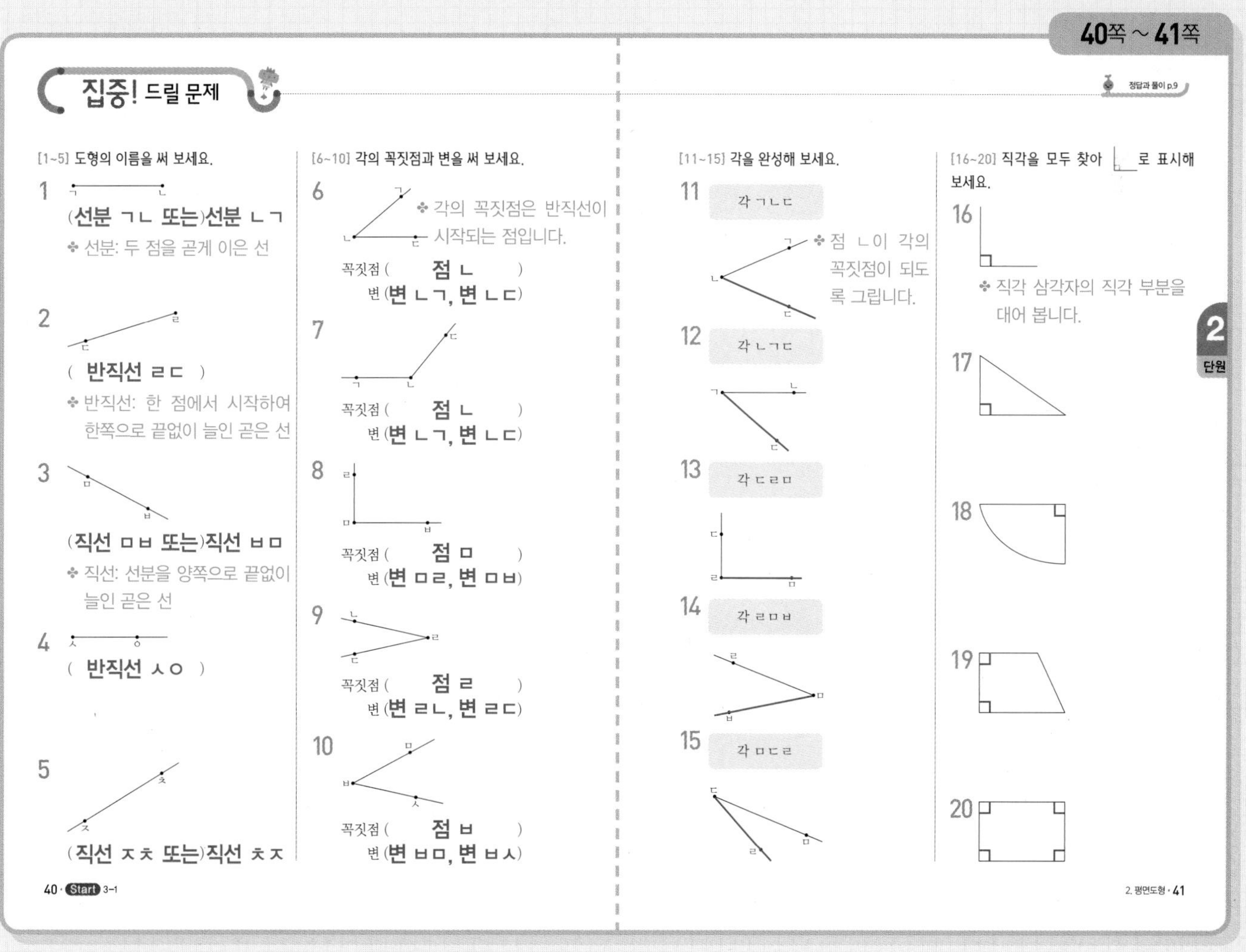

집중! 드릴 문제

정답과 풀이 p.9

[1~5] 도형의 이름을 써 보세요.

1 (선분 ㄱㄴ 또는)선분 ㄴㄱ
✤ 선분: 두 점을 곧게 이은 선

2 (반직선 ㄹㄷ)
✤ 반직선: 한 점에서 시작하여 한쪽으로 끝없이 늘인 곧은 선

3 (직선 ㅁㅂ 또는)직선 ㅂㅁ
✤ 직선: 선분을 양쪽으로 끝없이 늘인 곧은 선

4 (반직선 ㅅㅇ)

5 (직선 ㅈㅊ 또는)직선 ㅊㅈ

[6~10] 각의 꼭짓점과 변을 써 보세요.

6 꼭짓점 (점 ㄴ)
변 (변 ㄴㄱ, 변 ㄴㄷ)
✤ 각의 꼭짓점은 반직선이 시작되는 점입니다.

7 꼭짓점 (점 ㄴ)
변 (변 ㄴㄱ, 변 ㄴㄷ)

8 꼭짓점 (점 ㅁ)
변 (변 ㅁㄹ, 변 ㅁㅂ)

9 꼭짓점 (점 ㄹ)
변 (변 ㄹㄴ, 변 ㄹㄷ)

10 꼭짓점 (점 ㅂ)
변 (변 ㅂㅁ, 변 ㅂㅅ)

[11~15] 각을 완성해 보세요.

11 각 ㄱㄴㄷ
✤ 점 ㄴ이 각의 꼭짓점이 되도록 그립니다.

12 각 ㄴㄱㄷ

13 각 ㄷㄹㅁ

14 각 ㄹㅁㅂ

15 각 ㅁㄷㄹ

[16~20] 직각을 모두 찾아 ⌞ 로 표시해 보세요.

16
✤ 직각 삼각자의 직각 부분을 대어 봅니다.

17

18

19

20

40 · Start 3-1

2. 평면도형 · 41

42쪽 ~ 43쪽

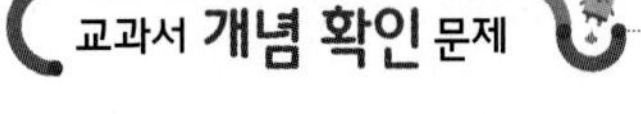

정답과 풀이 p.10

1 선분에 ○표, 직선에 △표 하세요.

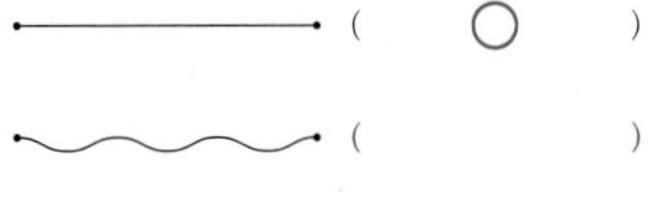

(○)

( )

(△)

✤ 두 점을 곧게 이은 선을 찾아 ○표, 선분을 양쪽으로 끝없이 늘인 곧은 선을 찾아 △표 합니다.

2 각을 찾아 ○표 하세요.

( ) ( ) (○)

✤ 한 점에서 그은 두 반직선으로 이루어진 도형을 찾습니다.

3 □ 안에 알맞은 말을 써넣으세요.

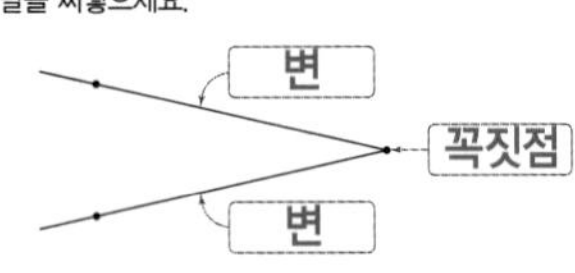

4 도형의 이름을 써 보세요.

(1) (선분 ㄱㄴ 또는 선분 ㄴㄱ) (2) (직선 ㄷㄹ 또는 직선 ㄹㄷ)

✤ (1) 점 ㄱ과 점 ㄴ을 이은 선분이므로 선분 ㄱㄴ 또는 선분 ㄴㄱ이라고 읽습니다.
(2) 점 ㄷ과 점 ㄹ을 지나는 곧은 선이므로 직선 ㄷㄹ 또는 직선 ㄹㄷ이라고 읽습니다.

5 삼각자의 어느 부분을 이용하면 직각을 그릴 수 있는지 ○표 하세요.

(1) 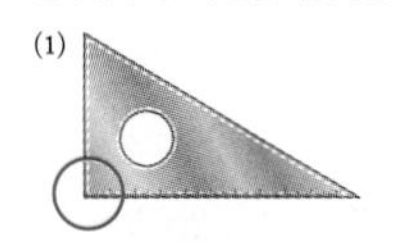 (2) 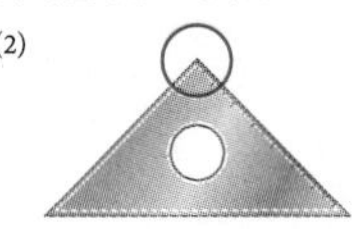

6 관계있는 것끼리 선으로 이어 보세요.

✤ 반직선 ㅁㅂ은 점 ㅁ이 시작점이고, 반직선 ㅂㅁ은 점 ㅂ이 시작점이므로 서로 다릅니다.

7 직선 ㄴㄷ을 그려 보세요.

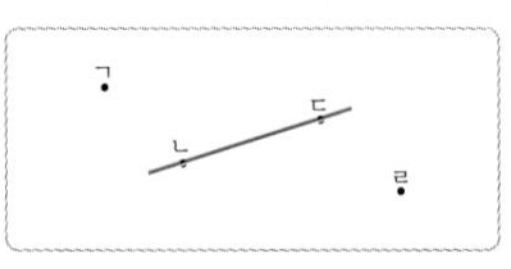

✤ 점 ㄴ과 점 ㄷ을 지나는 직선을 긋습니다.

8 각을 읽어 보세요.

(1) 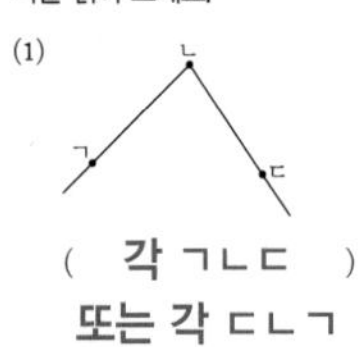 (각 ㄱㄴㄷ 또는 각 ㄷㄴㄱ)

(2) (각 ㅁㅂㅅ 또는 각 ㅅㅂㅁ)

✤ 각을 읽을 때에는 각의 꼭짓점이 가운데로 오도록 읽습니다.

44쪽 ~ 45쪽

교과서 개념 확인 문제

정답과 풀이 p.10

9 보기와 같이 직각을 모두 찾아 ∟로 표시해 보세요.

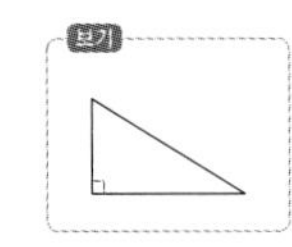 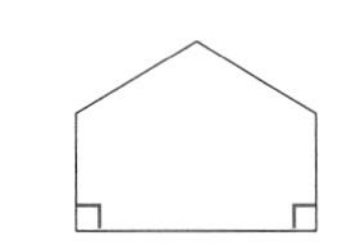

✤ 삼각자의 직각 부분이나 종이를 접어 만든 직각 부분을 이용하여 직각을 찾습니다.

10 점을 이어서 각을 그려 보세요.

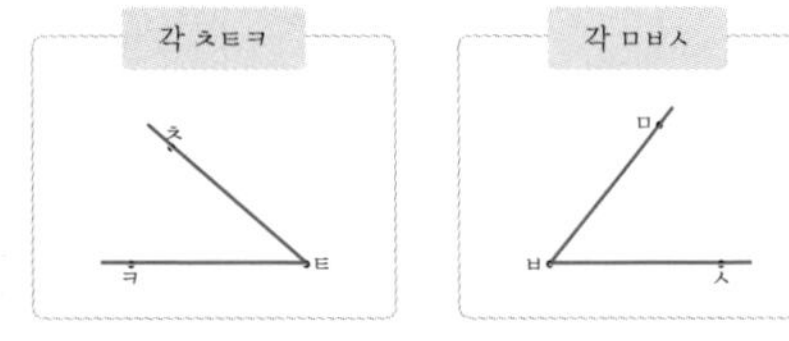

✤ 각 ㅊㅌㅋ ➔ 점 ㅌ을 각의 꼭짓점이 되도록 그립니다.
각 ㅁㅂㅅ ➔ 점 ㅂ을 각의 꼭짓점이 되도록 그립니다.

11 도형에서 각은 모두 몇 개인지 써 보세요.

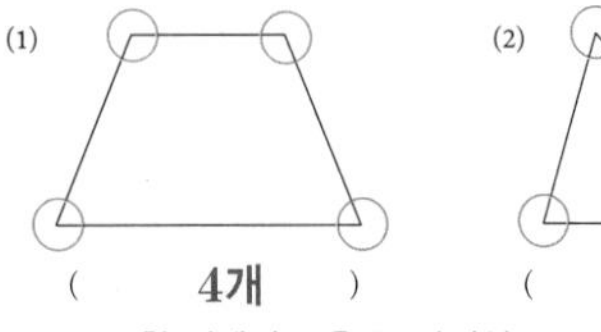

(1) (4개) (2) (3개)

✤ 한 점에서 그은 두 반직선으로 이루어진 도형을 각이라고 합니다.

12 도형에서 찾을 수 있는 직각은 모두 몇 개인지 써 보세요.

(1) 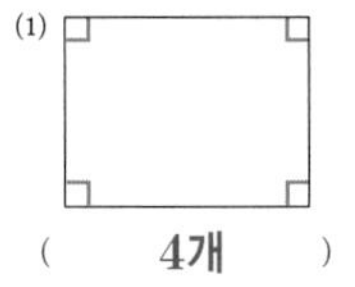 (4개) (2) 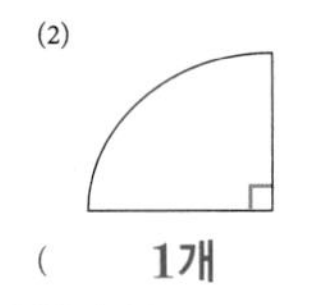 (1개)

✤ 각에 직각 삼각자를 대어 찾아 봅니다.

13 각이 많은 도형부터 차례로 기호를 써 보세요.

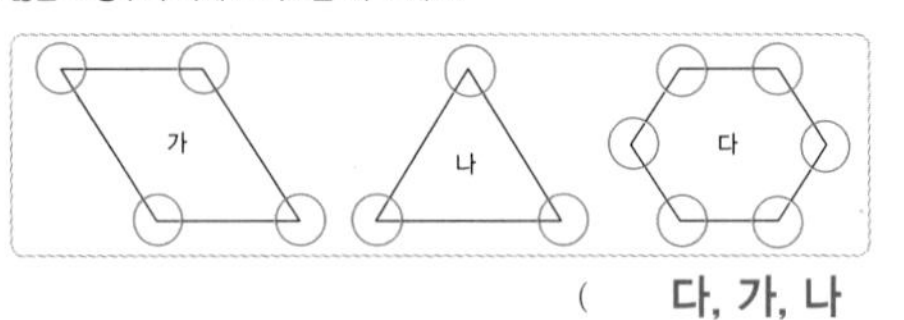

(다, 가, 나)

✤ 각이 가는 4개, 나는 3개, 다는 6개이고, $6>4>3$이므로 각이 많은 도형부터 차례로 기호를 쓰면 다, 가, 나입니다.

14 직각을 찾아 읽어 보세요.

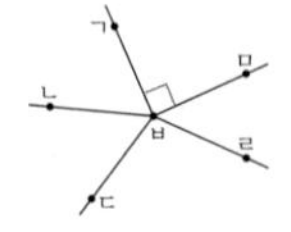

(각 ㄱㅂㅁ 또는 각 ㅁㅂㄱ)

✤ 직각 삼각자를 대어 보았을 때 꼭 맞게 겹쳐지는 각을 찾으면 각 ㄱㅂㅁ입니다.

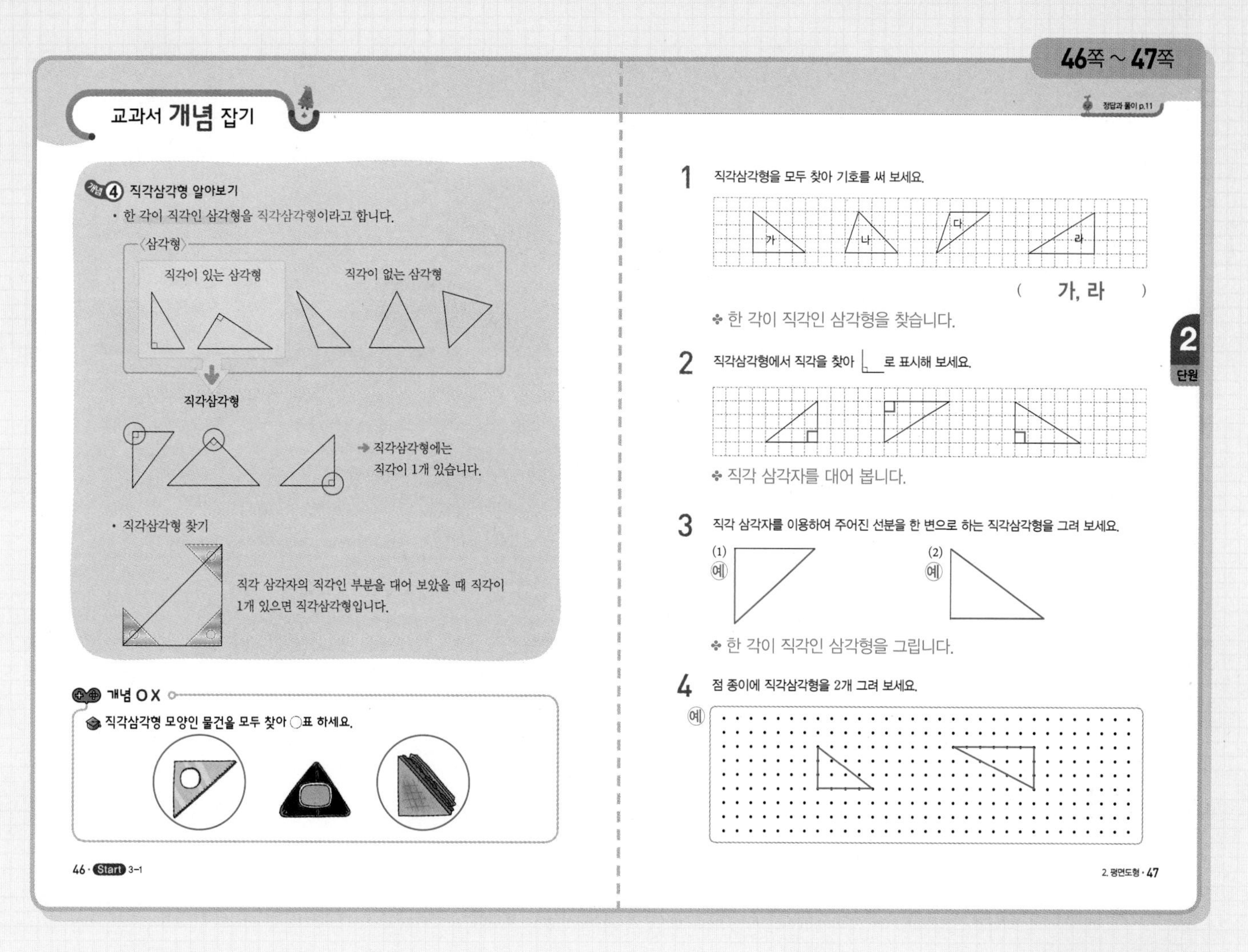

46쪽 ~ 47쪽

교과서 **개념** 잡기

개념 4 직각삼각형 알아보기

• 한 각이 직각인 삼각형을 직각삼각형이라고 합니다.

〈삼각형〉

직각이 있는 삼각형 / 직각이 없는 삼각형

직각삼각형

→ 직각삼각형에는 직각이 1개 있습니다.

• 직각삼각형 찾기

직각 삼각자의 직각인 부분을 대어 보았을 때 직각이 1개 있으면 직각삼각형입니다.

개념 O X

직각삼각형 모양인 물건을 모두 찾아 ○표 하세요.

46 · Start 3-1

정답과 풀이 p.11

1 직각삼각형을 모두 찾아 기호를 써 보세요.

가 / 나 / 다 / 라

(가, 라)

✤ 한 각이 직각인 삼각형을 찾습니다.

2 직각삼각형에서 직각을 찾아 ∟로 표시해 보세요.

✤ 직각 삼각자를 대어 봅니다.

3 직각 삼각자를 이용하여 주어진 선분을 한 변으로 하는 직각삼각형을 그려 보세요.

(1) 예 (2) 예

✤ 한 각이 직각인 삼각형을 그립니다.

4 점 종이에 직각삼각형을 2개 그려 보세요.

예

2 단원

2. 평면도형 · 47

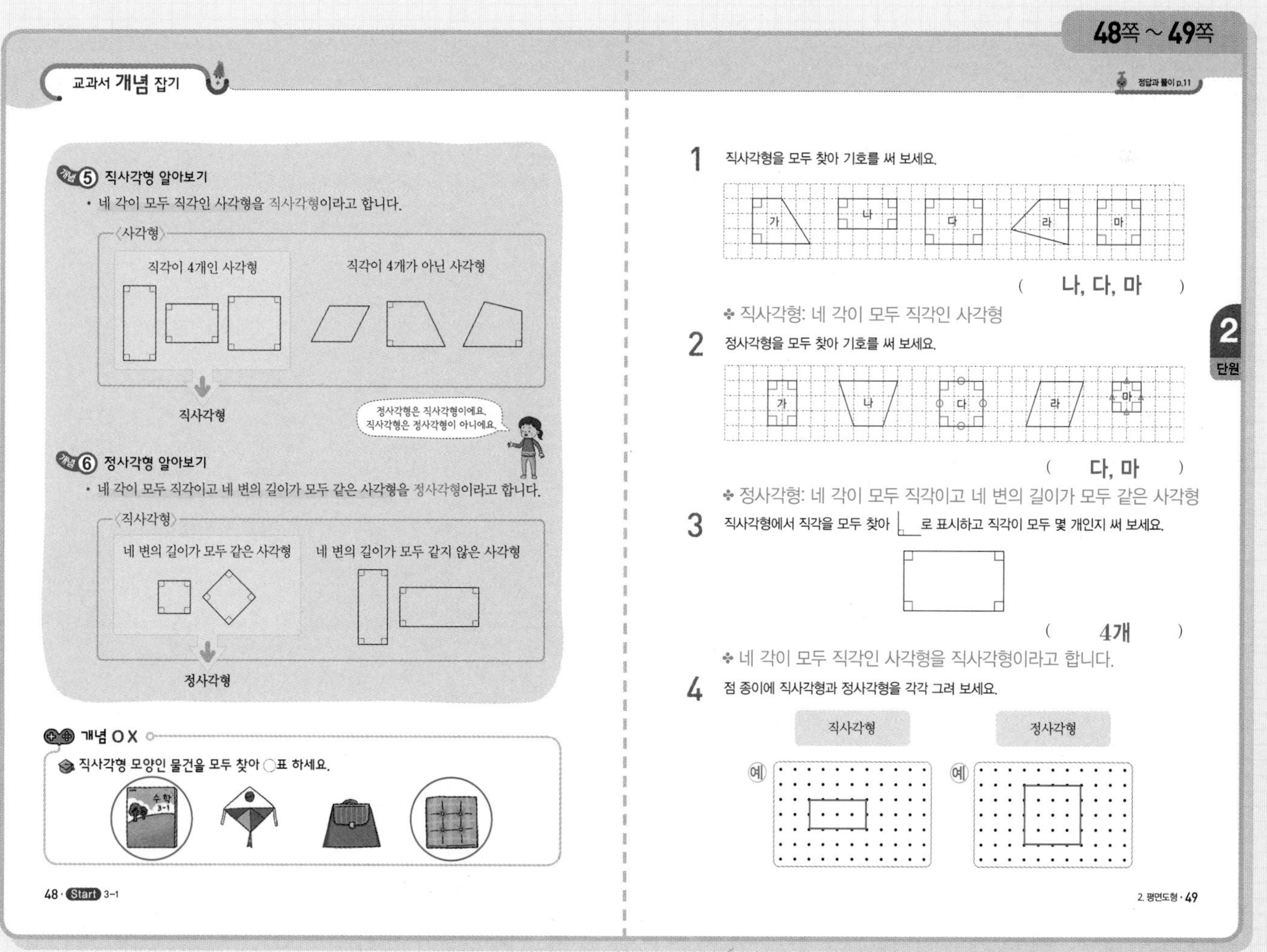

48쪽 ~ 49쪽

교과서 **개념** 잡기

개념 5 직사각형 알아보기

• 네 각이 모두 직각인 사각형을 직사각형이라고 합니다.

〈사각형〉

직각이 4개인 사각형 / 직각이 4개가 아닌 사각형

직사각형

정사각형은 직사각형이에요. 직사각형은 정사각형이 아니에요.

개념 6 정사각형 알아보기

• 네 각이 모두 직각이고 네 변의 길이가 모두 같은 사각형을 정사각형이라고 합니다.

〈직사각형〉

네 변의 길이가 모두 같은 사각형 / 네 변의 길이가 모두 같지 않은 사각형

정사각형

개념 O X

직사각형 모양인 물건을 모두 찾아 ○표 하세요.

수학 3-1

48 · Start 3-1

정답과 풀이 p.11

1 직사각형을 모두 찾아 기호를 써 보세요.

가 / 나 / 다 / 라 / 마

(나, 다, 마)

✤ 직사각형: 네 각이 모두 직각인 사각형

2 정사각형을 모두 찾아 기호를 써 보세요.

가 / 나 / 다 / 라 / 마

(다, 마)

✤ 정사각형: 네 각이 모두 직각이고 네 변의 길이가 모두 같은 사각형

3 직사각형에서 직각을 모두 찾아 ∟로 표시하고 직각이 모두 몇 개인지 써 보세요.

(4개)

✤ 네 각이 모두 직각인 사각형을 직사각형이라고 합니다.

4 점 종이에 직사각형과 정사각형을 각각 그려 보세요.

직사각형 / 정사각형

예 / 예

2 단원

2. 평면도형 · 49

50쪽 ~ 51쪽

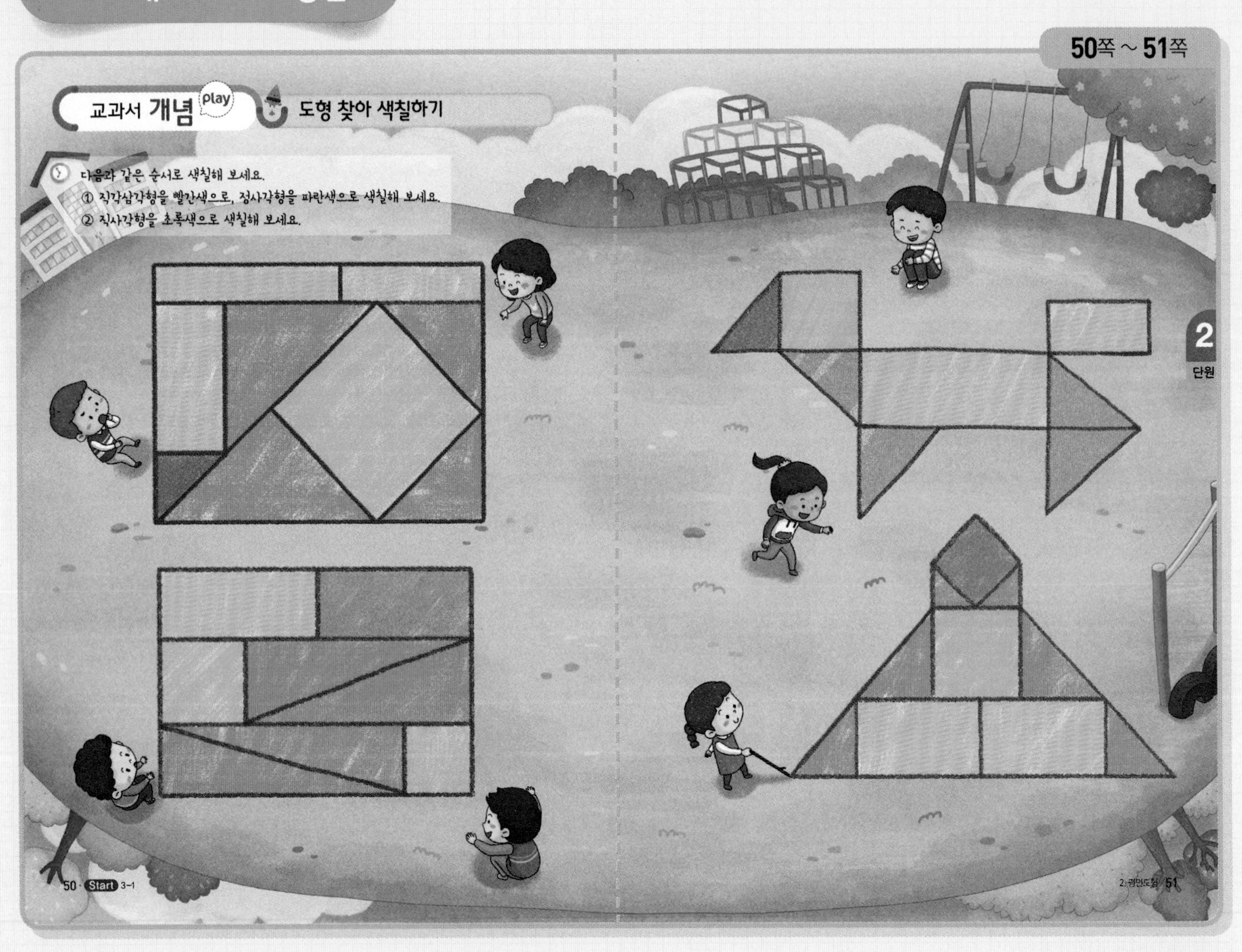

교과서 개념 play
도형 찾아 색칠하기
다음과 같은 순서로 색칠해 보세요.
① 직각삼각형을 빨간색으로, 정사각형을 파란색으로 색칠해 보세요.
② 직사각형을 초록색으로 색칠해 보세요.
2 단원
50 · Start 3-1
2. 평면도형 · 51

52쪽 ~ 53쪽

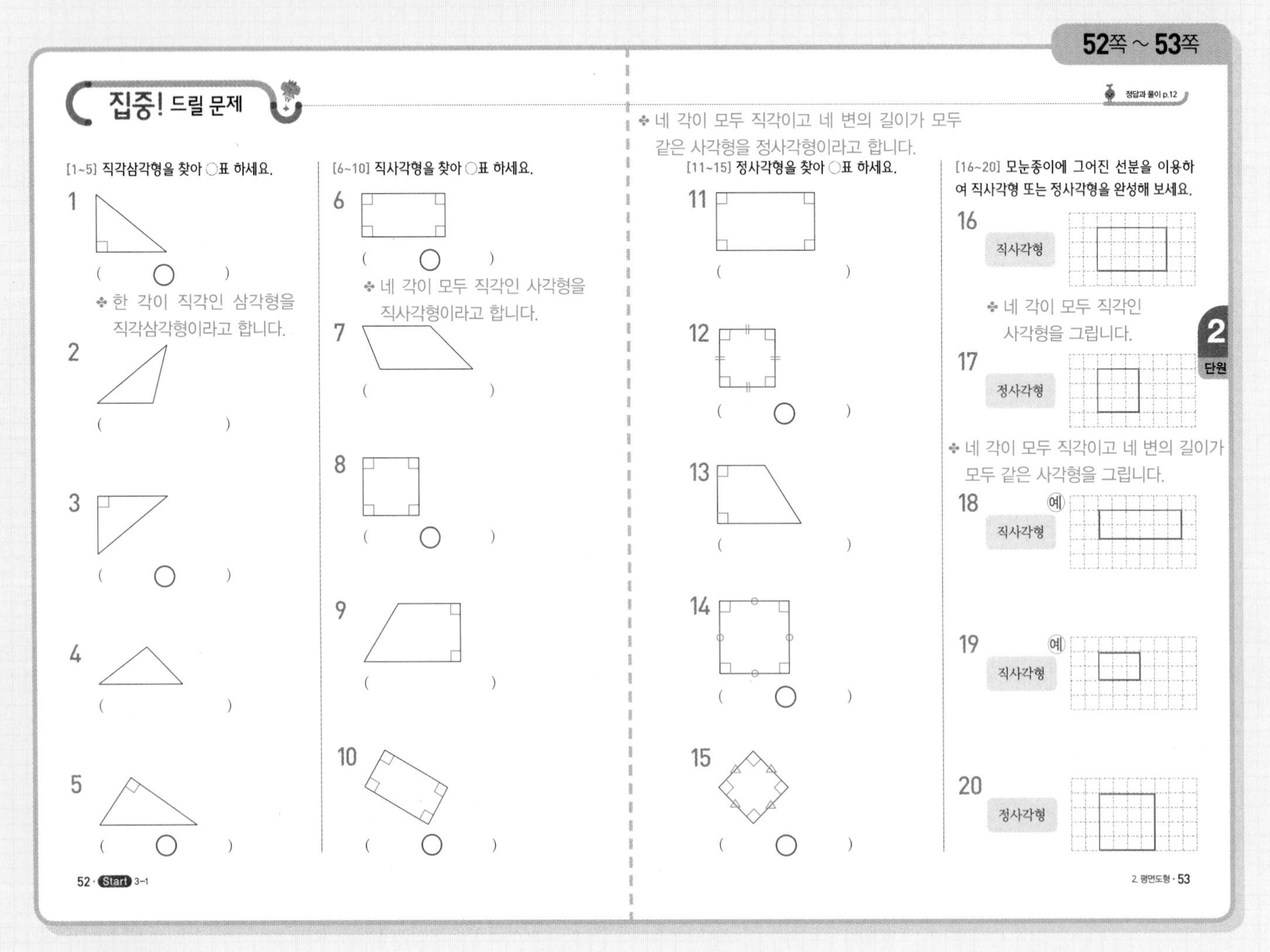

집중! 드릴 문제
정답과 풀이 p.12
[1~5] 직각삼각형을 찾아 ○표 하세요.
1 (○)
✤ 한 각이 직각인 삼각형을 직각삼각형이라고 합니다.
2 ( )
3 (○)
4 ( )
5 (○)
[6~10] 직사각형을 찾아 ○표 하세요.
6 (○)
✤ 네 각이 모두 직각인 사각형을 직사각형이라고 합니다.
7 ( )
8 (○)
9 ( )
10 (○)
✤ 네 각이 모두 직각이고 네 변의 길이가 모두 같은 사각형을 정사각형이라고 합니다.
[11~15] 정사각형을 찾아 ○표 하세요.
11 ( )
12 (○)
13 ( )
14 (○)
15 (○)
[16~20] 모눈종이에 그어진 선분을 이용하여 직사각형 또는 정사각형을 완성해 보세요.
16 직사각형
✤ 네 각이 모두 직각인 사각형을 그립니다.
17 정사각형
✤ 네 각이 모두 직각이고 네 변의 길이가 모두 같은 사각형을 그립니다.
18 예 직사각형
19 예 직사각형
20 정사각형
2 단원
52 · Start 3-1
2. 평면도형 · 53

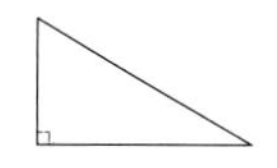

교과서 개념 확인 문제

정답과 풀이 p.13

1 도형을 보고 □ 안에 알맞은 말을 써넣으세요.

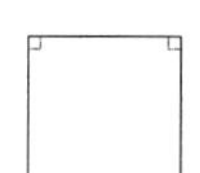

한 각이 [직각]인 삼각형을 [직각삼각형]이라고 합니다.

2 도형을 보고 □ 안에 알맞은 말을 써넣으세요.

네 각이 모두 [직각]이고 네 변의 길이가 모두 같은 사각형을 [정사각형]이라고 합니다.

3 도형을 보고 물음에 답하세요.

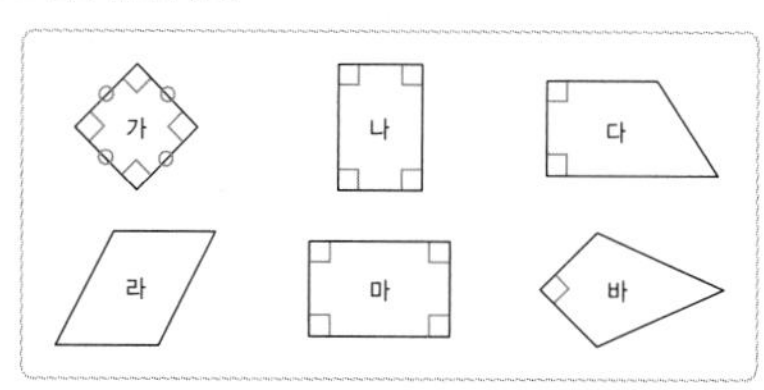

(1) 직사각형을 모두 찾아 기호를 써 보세요.

✤ 네 각이 모두 직각인 사각형을 찾습니다. (가, 나, 마)

(2) 정사각형을 찾아 기호를 써 보세요.

✤ 네 각이 모두 직각이고 네 변의 길이가 모두 같은 사각형을 찾습니다. (가)

4 모눈종이에 그어진 선분을 한 변으로 하는 정사각형을 그려 보세요.

(1)

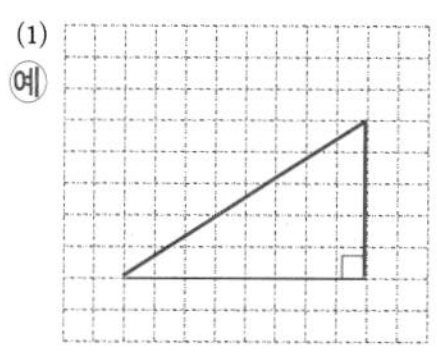

(2)

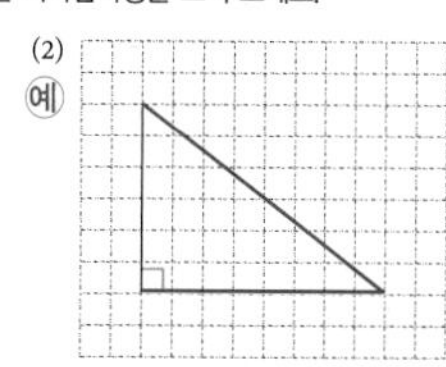

✤ 모눈종이의 모눈을 이용하여 네 각이 모두 직각이고 네 변의 길이가 모두 같은 사각형을 그립니다.

5 모눈종이에 그어진 선분을 한 변으로 하는 직각삼각형을 그려 보세요.

(1) 예

(2) 예

✤ 모눈종이의 모눈을 이용하여 한 각이 직각인 삼각형을 그립니다.

6 직사각형입니다. □ 안에 알맞은 수를 써넣으세요.

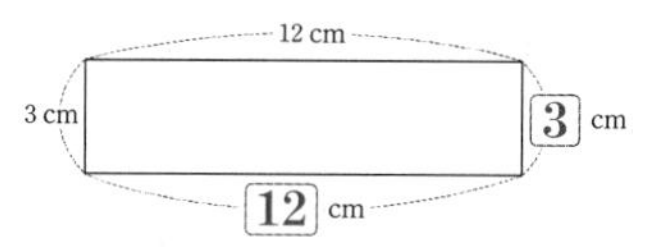

[3] cm, [12] cm

✤ 직사각형은 마주 보는 변의 길이가 같습니다.

교과서 개념 확인 문제

정답과 풀이 p.13

7 점 ㄱ을 옮겨서 직각삼각형이 되게 하려고 합니다. 점 ㄱ을 어느 점으로 옮겨야 하는지 번호를 써 보세요.

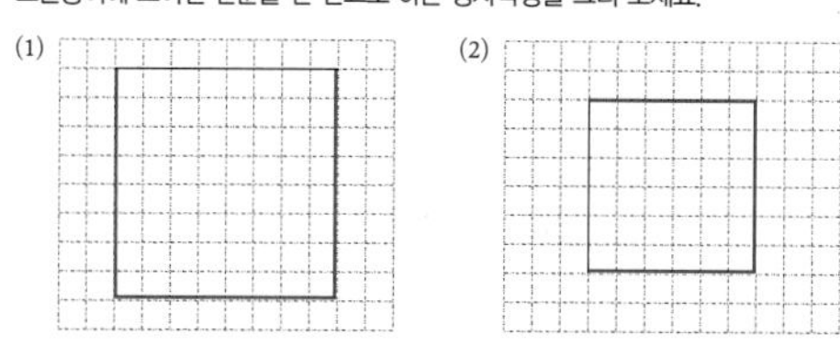

(④)

✤ ㄱ을 점 ④로 옮기면 직각삼각형이 됩니다.

8 어떤 도형에 대한 설명인지 써 보세요.

- 사각형입니다.
- 직각이 4개 있습니다.
- 네 변의 길이가 모두 같습니다.

(정사각형)

✤ 네 각이 모두 직각이고 네 변의 길이가 모두 같은 사각형은 정사각형입니다.

9 다음 도형이 직사각형이 아닌 이유를 써 보세요.

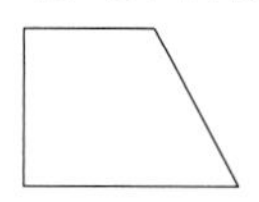

이유 예 네 각이 모두 직각인 사각형이 아니기 때문입니다.

✤ 직각이 2개뿐인 사각형입니다.

10 정사각형의 한 변의 길이가 5 cm일 때, 네 변의 길이의 합은 몇 cm인지 구해 보세요.

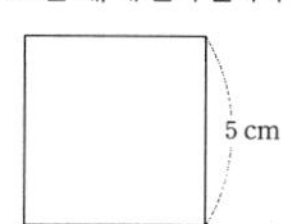

(20 cm)

✤ 정사각형은 네 변의 길이가 모두 같으므로 네 변의 길이의 합은 $5+5+5+5=20$ (cm)입니다.

11 시계의 긴바늘과 짧은바늘이 이루는 각이 직각인 시계를 찾아 시각을 써 보세요.

( ) ( ) (9시)

✤ 긴바늘과 짧은바늘이 이루는 각이 직각인 시각은 9시입니다.

12 칠교판의 모양 조각 7개 중에서 직각삼각형 모양은 모두 몇 개인지 써 보세요.

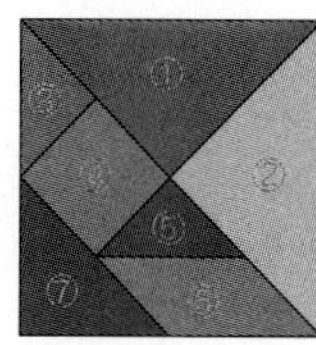

✤ 직각삼각형: ①, ②, ③, ⑤, ⑦ → 5개 (5개)

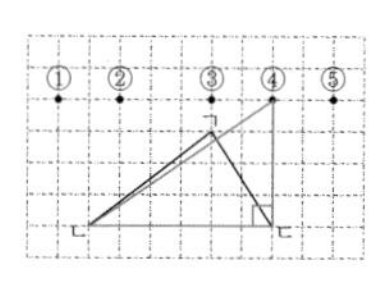

58쪽 ~ 59쪽

개념 확인평가 2. 평면도형

맞은 개수

1 도형을 보고 물음에 답하세요.

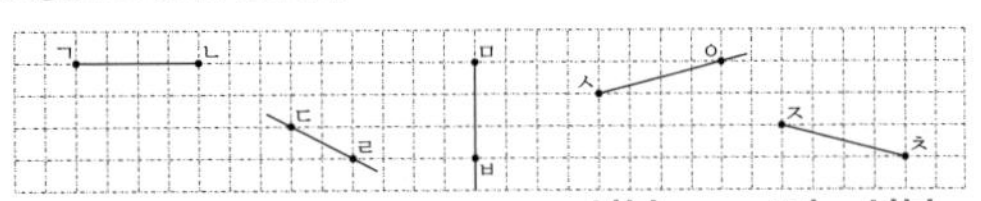

(1) 선분을 모두 찾아 이름을 써 보세요. (선분 ㄱㄴ 또는 선분 ㄴㄱ, 선분 ㅈㅊ 또는 선분 ㅊㅈ)

✤ 선분: 두 점을 곧게 이은 선

(2) 반직선을 모두 찾아 이름을 써 보세요. (반직선 ㅁㅂ, 반직선 ㅅㅇ)

✤ 반직선: 한 점에서 시작하여 한쪽으로 끝없이 늘인 곧은 선

(3) 직선을 찾아 이름을 써 보세요. (직선 ㄷㄹ 또는 직선 ㄹㄷ)

✤ 직선: 선분을 양쪽으로 끝없이 늘인 곧은 선

2 세 점을 이용하여 각 ㄷㄴㄱ을 그려 보세요.

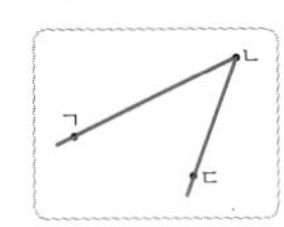

✤ 반직선 ㄴㄱ, 반직선 ㄴㄷ을 그어 각 ㄷㄴㄱ을 그립니다.

3 도형을 보고 물음에 답하세요.

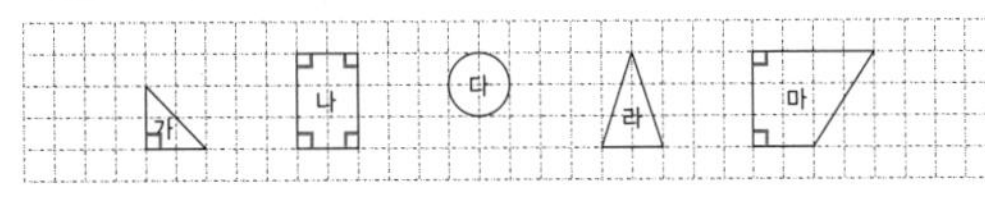

(1) 도형에서 직각을 모두 찾아 ∟ 로 표시해 보세요.

(2) 직각이 가장 많은 도형을 찾아 기호를 써 보세요. (나)

✤ 가 ➔ 1개, 나 ➔ 4개, 마 ➔ 2개

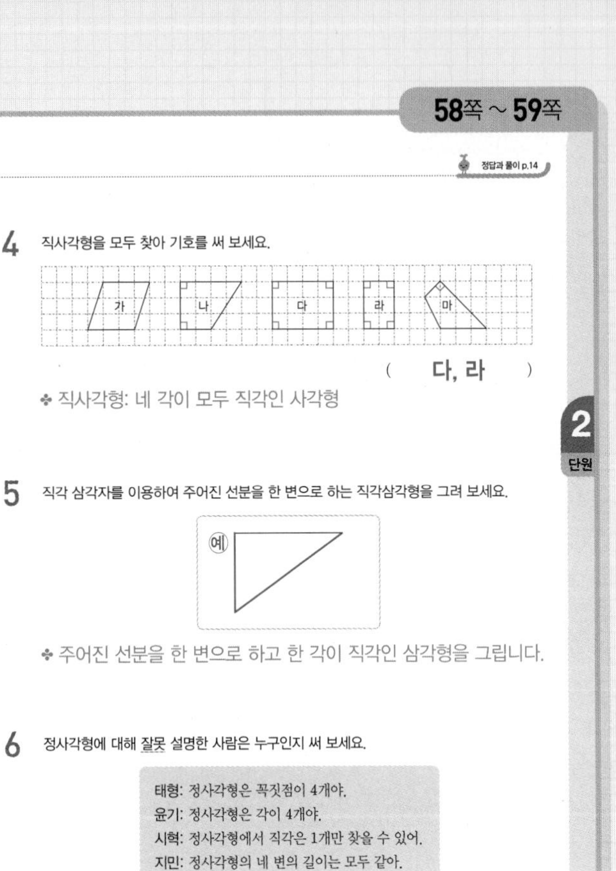

4 직사각형을 모두 찾아 기호를 써 보세요.

(다, 라)

✤ 직사각형: 네 각이 모두 직각인 사각형

5 직각 삼각자를 이용하여 주어진 선분을 한 변으로 하는 직각삼각형을 그려 보세요.

예

✤ 주어진 선분을 한 변으로 하고 한 각이 직각인 삼각형을 그립니다.

6 정사각형에 대해 잘못 설명한 사람은 누구인지 써 보세요.

태형: 정사각형은 꼭짓점이 4개야.
윤기: 정사각형은 각이 4개야.
시혁: 정사각형에서 직각은 1개만 찾을 수 있어.
지민: 정사각형의 네 변의 길이는 모두 같아.

(시혁)

✤ 정사각형은 네 각이 모두 직각입니다.

2 단원

60쪽

개념 확인평가 2. 평면도형

7 도형을 보고 잘못 설명한 것을 찾아 기호를 써 보세요.

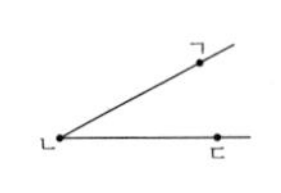

㉠ 각의 꼭짓점은 점 ㄷ입니다.
㉡ 변은 2개입니다.
㉢ 각의 꼭짓점은 1개입니다.
㉣ 각 ㄱㄴㄷ이라고 읽습니다.

(㉠)

✤ 각의 꼭짓점은 점 ㄴ입니다.

8 다음 직각삼각형의 같은 점을 써 보세요.

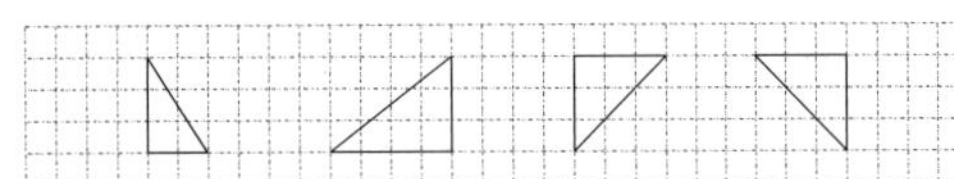

같은 점 위의 직각삼각형은 모두 한 각이 직각입니다.

9 각의 개수가 적은 도형부터 순서대로 기호를 써 보세요.

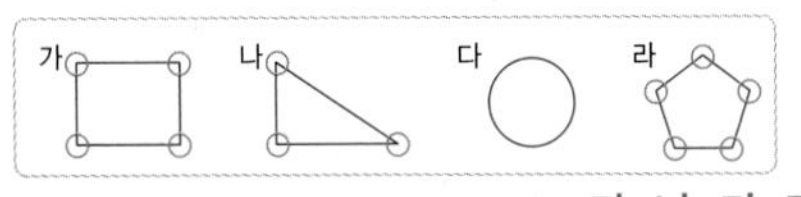

(다, 나, 가, 라)

✤ 가 ➔ 4개, 나 ➔ 3개, 다 ➔ 0개, 라 ➔ 5개

10 도형의 이름으로 알맞은 것을 모두 찾아 기호를 써 보세요.

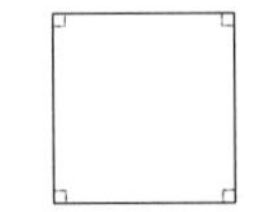

㉠ 삼각형 ㉡ 직각삼각형
㉢ 직사각형 ㉣ 정사각형

✤ 네 각이 모두 직각인 사각형 ➔ 직사각형 (㉢, ㉣)
네 각이 모두 직각이고 네 변의 길이가 모두 같은 사각형 ➔ 정사각형

[GO! 매쓰]
여기까지 2단원 내용입니다.
다음부터는 3단원 내용이 시작합니다.

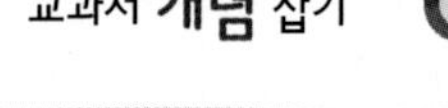

교과서 개념 잡기

정답과 풀이 p.15

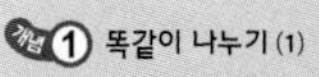

개념 1 똑같이 나누기 (1)

- 바둑돌 8개를 접시 2개에 똑같이 나누어 놓기

① 1개씩 번갈아 가며 놓기 ② 2개씩 번갈아 가며 놓기

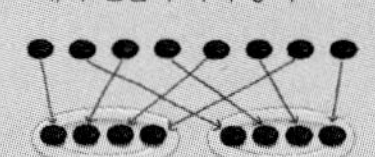
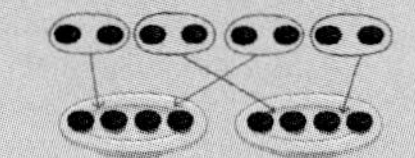

8을 2로 나누면 4가 됩니다.

8÷2=4

8÷2=4와 같은 식을 나눗셈식이라 하고 8 나누기 2는 4와 같습니다라고 읽습니다. 이때 4는 8을 2로 나눈 몫, 8은 나누어지는 수, 2는 나누는 수라고 합니다.

- 바둑돌 12개를 접시 4개에 똑같이 나누어 놓기

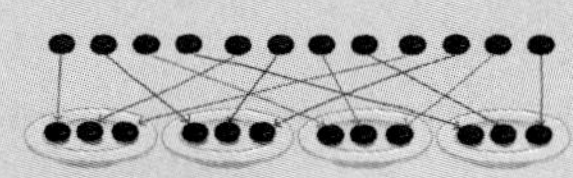

나눗셈식 12÷4=3 (나누어지는 수, 나누는 수, 몫)

읽기 12 나누기 4는 3과 같습니다.

체크 Play

과자 12개를 접시 2개에 똑같이 나누어 담으려고 합니다. 접시에 과자 붙임딱지를 알맞게 붙이고, □ 안에 알맞은 수를 써넣으세요.

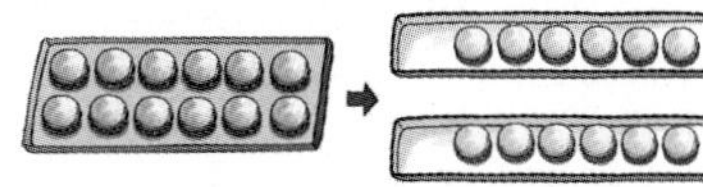

→ 한 접시에 [6]개씩 담을 수 있습니다.

1 토마토 12개를 접시 3개에 똑같이 나누어 담으려고 합니다. 접시 한 개에 토마토를 몇 개씩 담을 수 있는지 접시에 ○를 그려 알아보세요.

접시 한 개에 토마토를 [4]개씩 담을 수 있습니다.

2 나눗셈식을 읽어 보세요.

(1) 10÷2=5 → [10] 나누기 [2]은/는 [5]와/과 같습니다.

(2) 42÷7=6 → [42] 나누기 [7]은/는 [6]와/과 같습니다.

✤ ■÷●=▲ → ■ 나누기 ●는 ▲와 같습니다.

3 테니스공 28개를 상자 4개에 똑같이 나누어 담으려고 합니다. 상자 한 개에 테니스공을 몇 개씩 담을 수 있는지 나눗셈식으로 나타내어 보세요.

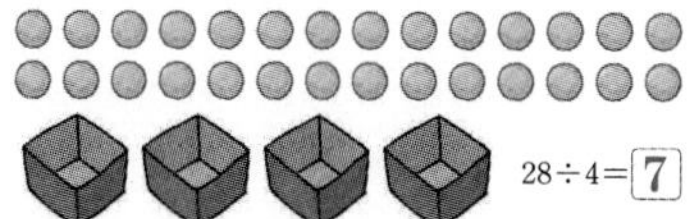

28÷4=[7]

✤ 테니스공 28개를 상자 4개에 똑같이 나누어 담으면 상자 한 개에 7개씩 담을 수 있습니다. → 28÷4=7

4 참외 30개를 봉지 6개에 똑같이 나누어 담으려고 합니다. 봉지 한 개에 참외를 몇 개씩 담을 수 있는지 나눗셈식으로 나타내어 보세요.

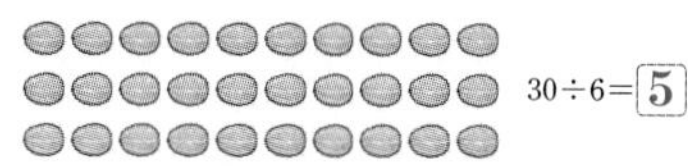

30÷6=[5]

✤ 참외 30개를 봉지 6개에 똑같이 나누어 담으면 봉지 한 개에 5개씩 담을 수 있습니다. → 30÷6=5

교과서 개념 잡기

정답과 풀이 p.15

개념 2 똑같이 나누기 (2)

- 바둑돌 8개를 2개씩 덜어 내기

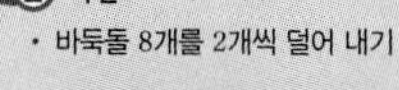

바둑돌 8개를 2개씩 덜어 내면 4번 덜어 낼 수 있습니다.

뺄셈으로 나타내기 8−2−2−2−2=0

2개씩 4번 덜어 낼 수 있습니다.

바둑돌의 수가 0이 될 때까지 덜어 내야 해요.

8에서 2씩 4번 빼면 0이 됩니다.

이것을 나눗셈식으로 나타내면 8÷2=4입니다.

8−2−2−2−2=0 (4번) → 8÷2=4 (빼는 수, 뺀 횟수)

- 땅콩 28개를 4개씩 묶기

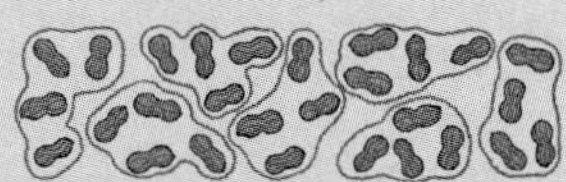

땅콩 28개를 4개씩 묶으면 7묶음이 됩니다.

28−4−4−4−4−4−4−4=0 → 나눗셈식 28÷4=7 (묶음 수)

개념 OX

오른쪽 뺄셈식을 보고 나눗셈식으로 바르게 나타낸 친구에게 ○표 하세요.

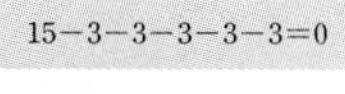

15−3−3−3−3−3=0

15÷3=5 (○)

15÷5=3

[1~2] 사과 24개를 한 바구니에 4개씩 담으려면 바구니가 몇 개 필요한지 알아보세요.

1 사과 24개를 4개씩 덜어 내면 몇 번 덜어 낼 수 있는지 뺄셈으로 알아보세요.

24−[4]−[4]−[4]−[4]−[4]−[4]=0

→ 4개씩 [6]번 덜어 낼 수 있습니다.

2 필요한 바구니는 몇 개일까요?

(6개)

✤ 사과를 한 바구니에 4개씩 담으려면 바구니가 6개 필요합니다.

3 뺄셈식을 보고 □ 안에 알맞은 수를 써넣으세요.

(1) 18−3−3−3−3−3−3=0 (2) 35−7−7−7−7−7=0

18÷3=[6] 35÷7=[5]

✤ (1) 18−3−3−3−3−3−3=0 → 18÷3=6 (6번)

(2) 35−7−7−7−7−7=0 → 35÷7=5 (5번)

4 초콜릿 40개를 한 명에게 5개씩 주면 몇 명에게 나누어 줄 수 있는지 나눗셈식으로 나타내어 보세요.

40÷5=[8]

✤ 초콜릿 40개를 한 명에게 5개씩 주면 8명에게 나누어 줄 수 있습니다. → 40÷5=8

66쪽 ~ 67쪽

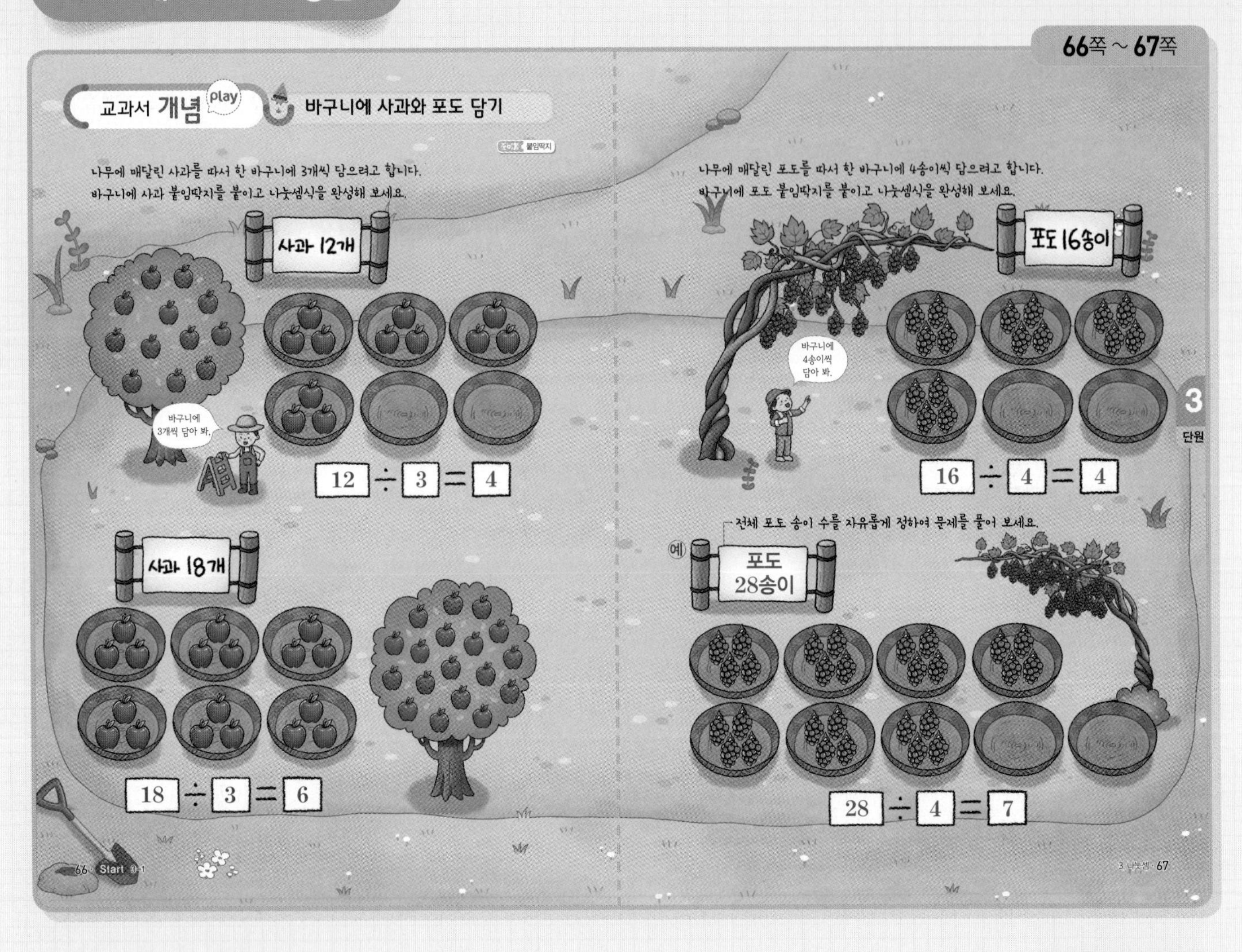

68쪽 ~ 69쪽

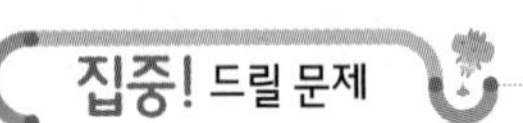

집중! 드릴 문제

정답과 풀이 p.16

[1~4] 바둑돌을 접시에 똑같이 나누어 놓으려고 합니다. 접시 1개에 바둑돌을 몇 개씩 놓을 수 있는지 접시에 ○를 그려 알아보세요.

1 (바둑돌 6개, 접시 2개)

접시 1개에 바둑돌을 [3]개씩 놓을 수 있습니다.

2 (바둑돌 12개, 접시 2개)

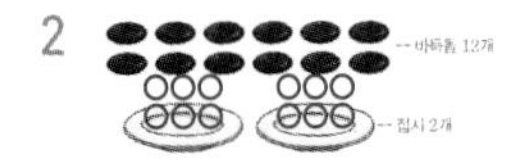

접시 1개에 바둑돌을 [6]개씩 놓을 수 있습니다.

3 (바둑돌 9개, 접시 3개)

접시 1개에 바둑돌을 [3]개씩 놓을 수 있습니다.

4 (바둑돌 15개, 접시 3개)

접시 1개에 바둑돌을 [5]개씩 놓을 수 있습니다.

[5~8] 그림을 보고 □ 안에 알맞은 수를 써넣으세요.

5

8÷2=[4]

✣ 딸기 8개를 접시 2개에 똑같이 나누어 담으면 접시 한 개에 4개씩 담을 수 있습니다. ➔ 8÷2=4

6

12÷3=[4]

✣ 귤 12개를 접시 3개에 똑같이 나누어 담으면 접시 한 개에 4개씩 담을 수 있습니다. ➔ 12÷3=4

7

10÷2=[5]

✣ 참외 10개를 접시 2개에 똑같이 나누어 담으면 접시 한 개에 5개씩 담을 수 있습니다. ➔ 10÷2=5

8

24÷4=[6]

✣ 자두 24개를 접시 4개에 똑같이 나누어 담으면 접시 한 개에 6개씩 담을 수 있습니다. 24÷4=6

[9~14] 뺄셈식을 나눗셈식으로 나타내려고 합니다. □ 안에 알맞은 수를 써넣으세요.

9 뺄셈식 10−2−2−2−2−2=0
나눗셈식 10÷2=[5]

✣ 10−2−2−2−2−2=0 (5번) ➔ 10÷2=5

10 뺄셈식 14−7−7=0
나눗셈식 14÷7=[2]

✣ 14−7−7=0 (2번) ➔ 14÷7=2

11 뺄셈식 20−5−5−5−5=0
나눗셈식 20÷5=[4]

✣ 20−5−5−5−5=0 (4번) ➔ 20÷5=4

12 뺄셈식 24−4−4−4−4−4−4=0
나눗셈식 24÷4=[6]

✣ 24−4−4−4−4−4−4=0 (6번) ➔ 24÷4=6

13 뺄셈식 30−6−6−6−6−6=0
나눗셈식 30÷6=[5]

✣ 30−6−6−6−6−6=0 (5번) ➔ 30÷6=5

14 뺄셈식 54−9−9−9−9−9−9=0
나눗셈식 54÷9=[6]

✣ 54−9−9−9−9−9−9=0 (6번) ➔ 54÷9=6

[15~18] 사탕을 주어진 수만큼 묶으면 몇 묶음인지 알아보세요.

15 4개씩 묶기

12÷4=[3]

16 5개씩 묶기

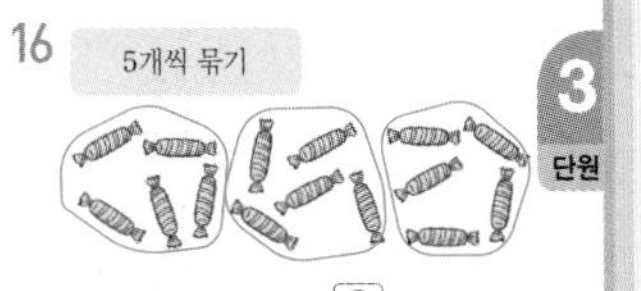

15÷5=[3]

17 3개씩 묶기

18÷3=[6]

18 6개씩 묶기

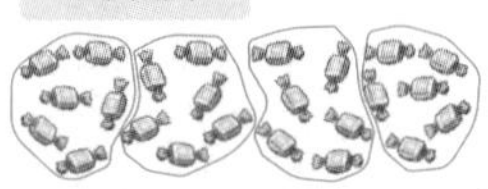

24÷6=[4]

3 단원

교과서 개념 확인 문제

정답과 풀이 p.17

1 딸기 20개를 접시 4개에 똑같이 나누어 담으려고 합니다. 물음에 답하세요.

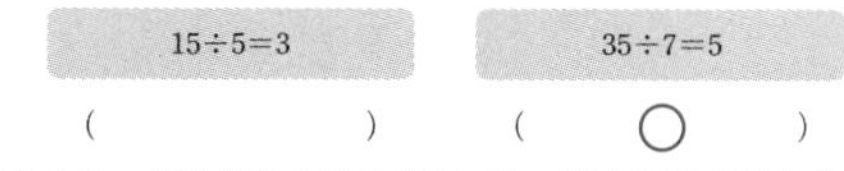

(1) 딸기 20개를 똑같이 나누어 접시 위에 ○를 그려 보세요.

(2) 한 접시에 딸기를 [5]개씩 놓아야 합니다.

(3) 나눗셈식으로 나타내면 20÷4=[5]입니다.

2 나눗셈의 몫이 5인 것에 ○표 하세요.

15÷5=3	35÷7=5
( )	(○)

✤ 15÷5=3의 몫은 3이고 35÷7=5의 몫은 5입니다.

3 나눗셈식을 읽어 보세요.

(1) 21÷7=3 (21 나누기 7은 3과 같습니다.)

(2) 36÷9=4 (36 나누기 9는 4와 같습니다.)

✤ '÷'는 나누기, '='는 '~와 같습니다'라고 읽습니다.

4 그림을 보고 □ 안에 알맞은 수를 써넣으세요.

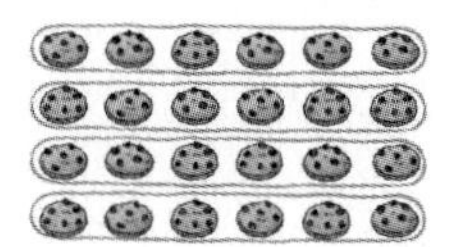

24−6−[6]−[6]−[6]=0

➜ 24÷6=[4]

✤ 쿠키 24개를 6개씩 4번 덜어 내면 남는 것이 없으므로 24−6−6−6−6=0입니다. ➜ 24÷6=4

5 뺄셈식을 나눗셈식으로 나타내려고 합니다. □ 안에 알맞은 수를 써넣으세요.

(1) 42−7−7−7−7−7−7=0 ➜ 42÷[7]=[6]

(2) 72−9−9−9−9−9−9−9−9=0 ➜ 72÷[9]=[8]

✤ (1) 42에서 7을 6번 빼면 0이 됩니다. ➜ 42÷7=6

(2) 72에서 9를 8번 빼면 0이 됩니다. ➜ 72÷9=8

6 과자 30개를 한 봉지에 6개씩 담으면 몇 봉지가 되는지 알아보려고 합니다. 물음에 답하세요.

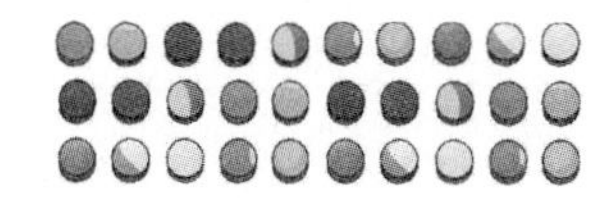

(1) 30에서 6을 몇 번 빼면 0이 되는지 뺄셈식을 쓰고 답을 구해 보세요.

식 30−[6]−[6]−[6]−[6]−[6]=0

답 [5]번

(2) 나눗셈식으로 나타내어 보세요.

[30]÷[6]=[5]

✤ (1) 30−6−6−6−6−6=0이므로 30에서 6을 5번 빼면 0이 됩니다.

(2) 30에서 6을 5번 빼면 0이 되므로 30÷6=5입니다.

교과서 개념 확인 문제

정답과 풀이 p.17

7 다음 중 20÷5=4를 뺄셈식으로 바르게 나타낸 것을 찾아 기호를 써 보세요.

㉠ 20−5−5−4−4=0
㉡ 20−4−4−4−4−4=0
㉢ 20−5−5−5−5=0

(㉢)

✤ 20÷5=4 (빼는 수: 5, 뺀 횟수: 4) ➜ 20−5−5−5−5=0 (4번)

8 다음을 뺄셈식과 나눗셈식으로 각각 나타내어 보세요.

(1) 15에서 3씩 5번 빼면 0이 됩니다.

뺄셈식 15−[3]−[3]−[3]−[3]−[3]=0

나눗셈식 [15]÷[3]=[5]

✤ (1) 15−3−3−3−3−3=0 (5번) ➜ 15÷3=5

(2) 28에서 7씩 4번 빼면 0이 됩니다.

뺄셈식 28−[7]−[7]−[7]−[7]=0

나눗셈식 [28]÷[7]=[4]

✤ (2) 28−7−7−7−7=0 (4번) ➜ 28÷7=4

9 귤이 16개 있습니다. 한 명에게 귤을 2개씩 주면 몇 명에게 나누어 줄 수 있을까요?

(8명)

✤ 귤 16개를 한 명에게 2개씩 주면 8명에게 나누어 줄 수 있습니다.

10 도넛 24개를 접시에 똑같이 나누어 담으려고 합니다. 접시의 수에 따라 담을 수 있는 도넛의 수를 구해 보세요.

• 접시 4개에 놓을 때: 한 접시에 [6]개씩 담을 수 있습니다.

• 접시 3개에 놓을 때: 한 접시에 [8]개씩 담을 수 있습니다.

✤ • 도넛 24개를 접시 4개에 놓을 때: 24÷4=6

• 도넛 24개를 접시 3개에 놓을 때: 24÷3=8

11 구슬 40개를 5명이 똑같이 나누어 가지려고 합니다. 한 명이 구슬을 몇 개씩 가질 수 있는지 나눗셈식을 쓰고 답을 구해 보세요.

식 [40]÷[5]=[8]

답 [8]개

✤ 5명이 구슬을 1개씩 번갈아 가며 가지면 한 명이 구슬을 8개씩 가질 수 있습니다. ➜ 40÷5=8

12 감자 63개를 한 상자에 9개씩 담으려면 필요한 상자는 몇 개인지 나눗셈식을 쓰고 답을 구해 보세요.

식 [63]÷[9]=[7]

답 [7]개

✤ 감자 63개를 한 상자에 9개씩 담으려면 필요한 상자는 7개입니다. ➜ 63÷9=7

74쪽 ~ 75쪽

교과서 **개념** 잡기

정답과 풀이 p.18

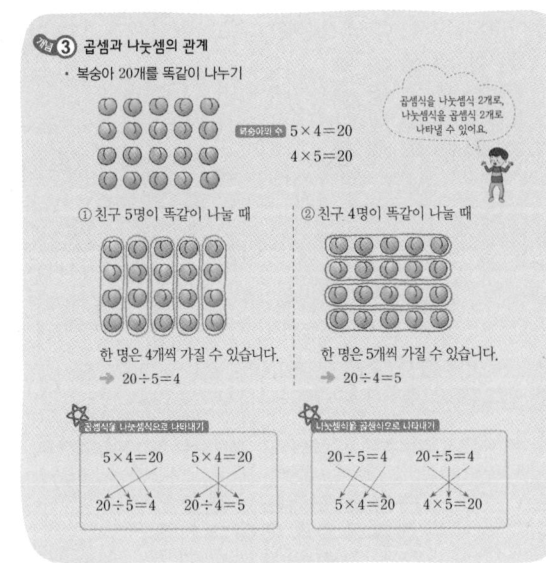

개념 3 곱셈과 나눗셈의 관계

- 복숭아 20개를 똑같이 나누기

복숭아의 수 5×4=20, 4×5=20

곱셈식을 나눗셈식 2개로, 나눗셈식을 곱셈식 2개로 나타낼 수 있어요.

① 친구 5명이 똑같이 나눌 때

한 명은 4개씩 가질 수 있습니다.

→ 20÷5=4

② 친구 4명이 똑같이 나눌 때

한 명은 5개씩 가질 수 있습니다.

→ 20÷4=5

곱셈식을 나눗셈식으로 나타내기

5×4=20 → 20÷5=4, 5×4=20 → 20÷4=5

나눗셈식을 곱셈식으로 나타내기

20÷5=4 → 5×4=20, 20÷5=4 → 4×5=20

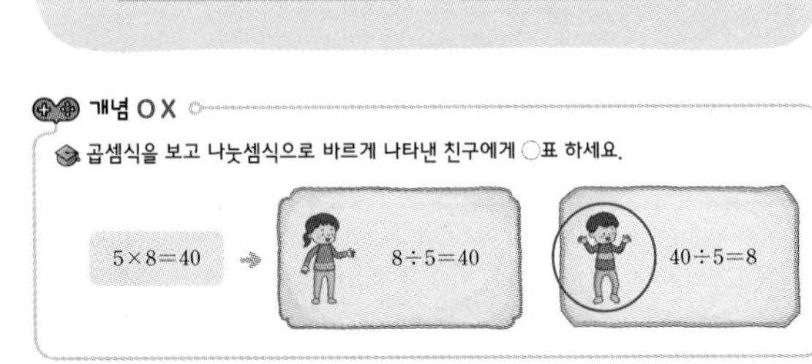

개념 OX

곱셈식을 보고 나눗셈식으로 바르게 나타낸 친구에게 ○표 하세요.

5×8=40 → 8÷5=40, (○) 40÷5=8

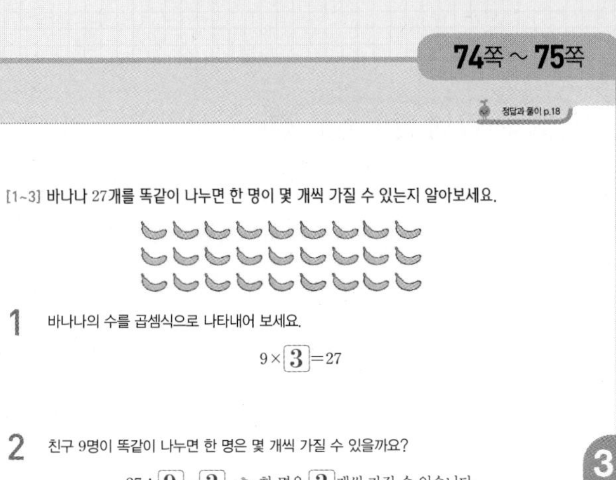

[1~3] 바나나 27개를 똑같이 나누면 한 명이 몇 개씩 가질 수 있는지 알아보세요.

1 바나나의 수를 곱셈식으로 나타내어 보세요.

9×[3]=27

2 친구 9명이 똑같이 나누면 한 명은 몇 개씩 가질 수 있을까요?

27÷[9]=[3] → 한 명은 [3]개씩 가질 수 있습니다.

3 친구 3명이 똑같이 나누면 한 명은 몇 개씩 가질 수 있을까요?

27÷[3]=[9] → 한 명은 [9]개씩 가질 수 있습니다.

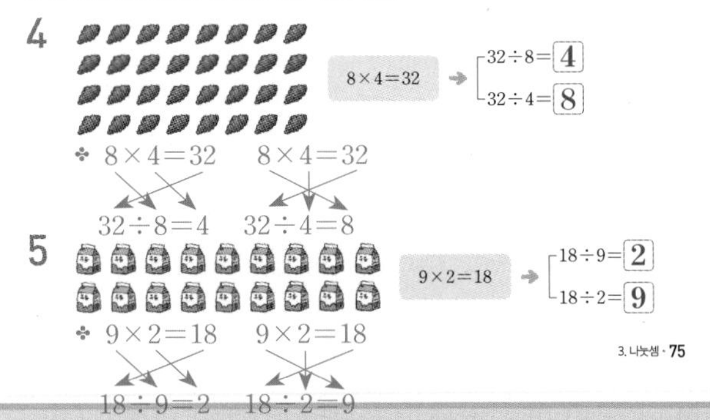

[4~5] 그림을 보고 □ 안에 알맞은 수를 써넣으세요.

4 8×4=32 → 32÷8=[4], 32÷4=[8]

✣ 8×4=32 → 32÷8=4, 8×4=32 → 32÷4=8

5 9×2=18 → 18÷9=[2], 18÷2=[9]

✣ 9×2=18 → 18÷9=2, 9×2=18 → 18÷2=9

76쪽 ~ 77쪽

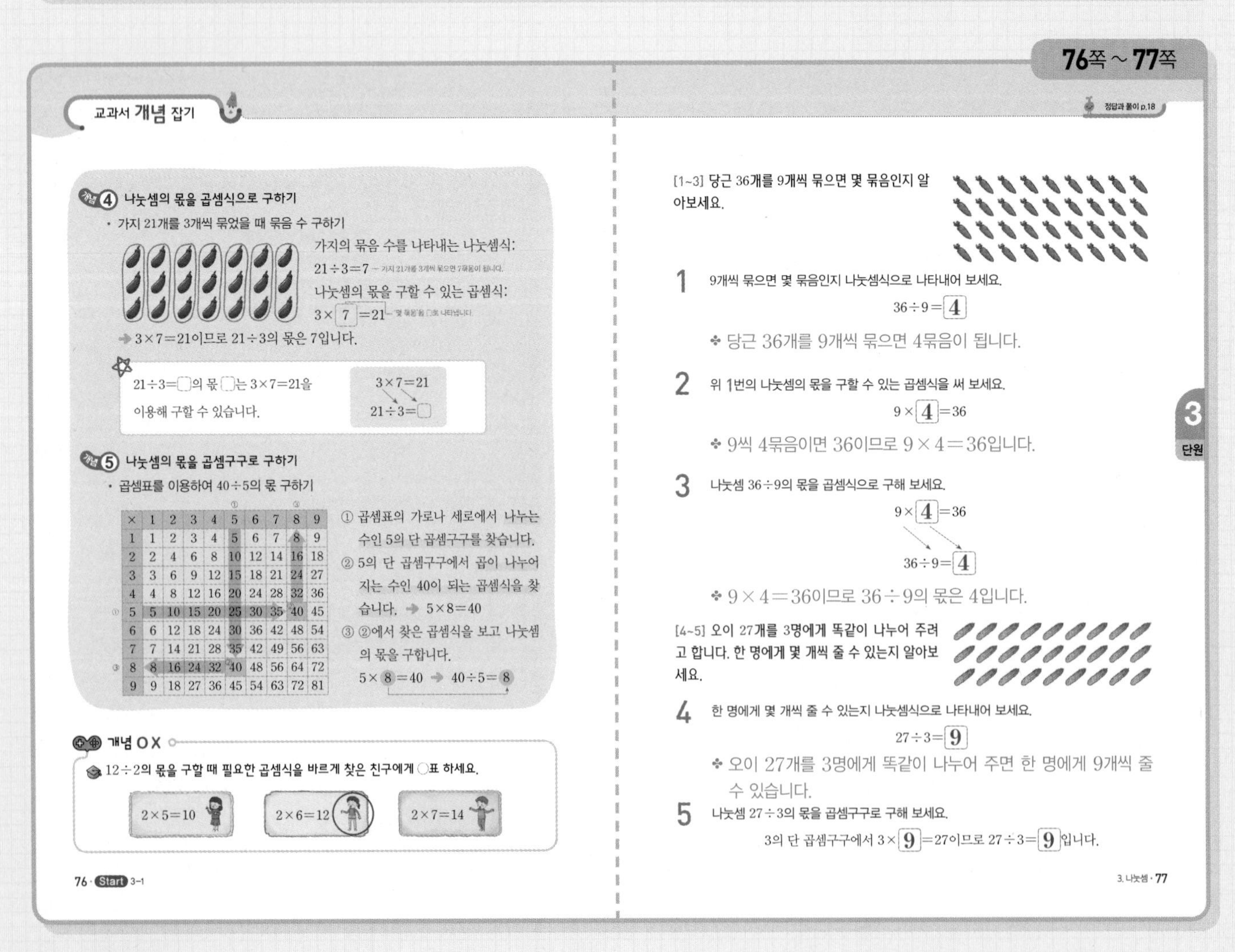

교과서 **개념** 잡기

정답과 풀이 p.18

개념 4 나눗셈의 몫을 곱셈식으로 구하기

- 가지 21개를 3개씩 묶었을 때 묶음 수 구하기

가지의 묶음 수를 나타내는 나눗셈식:

21÷3=7 ← 가지 21개를 3개씩 묶으면 7묶음이 됩니다.

나눗셈의 몫을 구할 수 있는 곱셈식:

3×[7]=21 ← '몇 묶음'을 □로 나타냅니다.

→ 3×7=21이므로 21÷3의 몫은 7입니다.

21÷3=□의 몫 □는 3×7=21을 이용해 구할 수 있습니다.

3×7=21 → 21÷3=□

개념 5 나눗셈의 몫을 곱셈구구로 구하기

- 곱셈표를 이용하여 40÷5의 몫 구하기

×	1	2	3	4	5	6	7	8	9
1	1	2	3	4	5	6	7	8	9
2	2	4	6	8	10	12	14	16	18
3	3	6	9	12	15	18	21	24	27
4	4	8	12	16	20	24	28	32	36
5	5	10	15	20	25	30	35	40	45
6	6	12	18	24	30	36	42	48	54
7	7	14	21	28	35	42	49	56	63
8	8	16	24	32	40	48	56	64	72
9	9	18	27	36	45	54	63	72	81

① 곱셈표의 가로나 세로에서 나누는 수인 5의 단 곱셈구구를 찾습니다.

② 5의 단 곱셈구구에서 곱이 나누어지는 수인 40이 되는 곱셈식을 찾습니다. → 5×8=40

③ ②에서 찾은 곱셈식을 보고 나눗셈의 몫을 구합니다.

5×⑧=40 → 40÷5=⑧

개념 OX

12÷2의 몫을 구할 때 필요한 곱셈식을 바르게 찾은 친구에게 ○표 하세요.

2×5=10, (○) 2×6=12, 2×7=14

[1~3] 당근 36개를 9개씩 묶으면 몇 묶음인지 알아보세요.

1 9개씩 묶으면 몇 묶음인지 나눗셈식으로 나타내어 보세요.

36÷9=[4]

✣ 당근 36개를 9개씩 묶으면 4묶음이 됩니다.

2 위 1번의 나눗셈의 몫을 구할 수 있는 곱셈식을 써 보세요.

9×[4]=36

✣ 9씩 4묶음이면 36이므로 9×4=36입니다.

3 나눗셈 36÷9의 몫을 곱셈식으로 구해 보세요.

9×[4]=36 → 36÷9=[4]

✣ 9×4=36이므로 36÷9의 몫은 4입니다.

[4~5] 오이 27개를 3명에게 똑같이 나누어 주려고 합니다. 한 명에게 몇 개씩 줄 수 있는지 알아보세요.

4 한 명에게 몇 개씩 줄 수 있는지 나눗셈식으로 나타내어 보세요.

27÷3=[9]

✣ 오이 27개를 3명에게 똑같이 나누어 주면 한 명에게 9개씩 줄 수 있습니다.

5 나눗셈 27÷3의 몫을 곱셈구구로 구해 보세요.

3의 단 곱셈구구에서 3×[9]=27이므로 27÷3=[9]입니다.

78쪽 ~ 79쪽

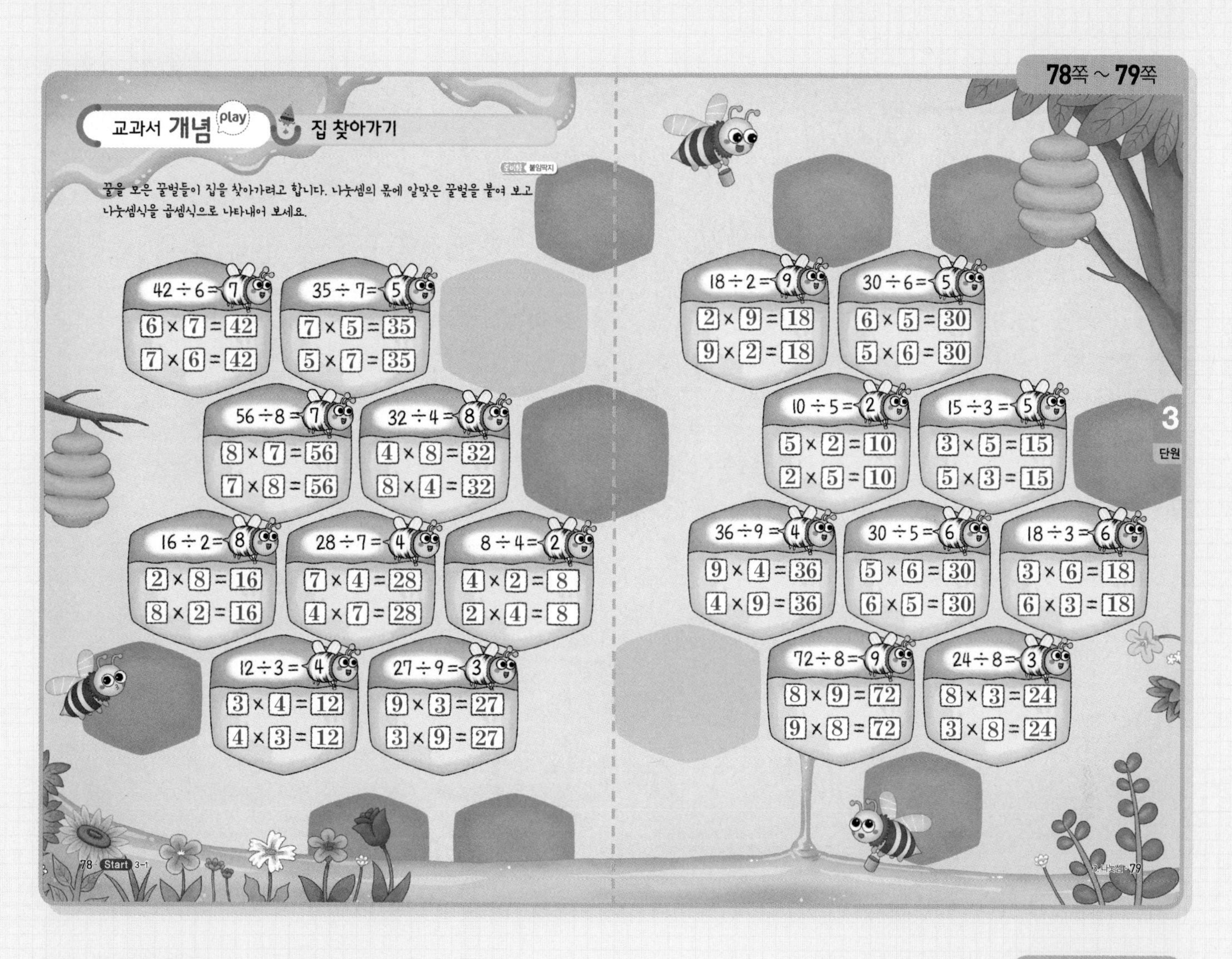

교과서 개념 play 집 찾아가기

붙임딱지

꿀을 모은 꿀벌들이 집을 찾아가려고 합니다. 나눗셈의 몫에 알맞은 꿀벌을 붙여 보고 나눗셈식을 곱셈식으로 나타내어 보세요.

42 ÷ 6 = 7
6 × 7 = 42
7 × 6 = 42

35 ÷ 7 = 5
7 × 5 = 35
5 × 7 = 35

56 ÷ 8 = 7
8 × 7 = 56
7 × 8 = 56

32 ÷ 4 = 8
4 × 8 = 32
8 × 4 = 32

16 ÷ 2 = 8
2 × 8 = 16
8 × 2 = 16

28 ÷ 7 = 4
7 × 4 = 28
4 × 7 = 28

8 ÷ 4 = 2
4 × 2 = 8
2 × 4 = 8

12 ÷ 3 = 4
3 × 4 = 12
4 × 3 = 12

27 ÷ 9 = 3
9 × 3 = 27
3 × 9 = 27

18 ÷ 2 = 9
2 × 9 = 18
9 × 2 = 18

30 ÷ 6 = 5
6 × 5 = 30
5 × 6 = 30

10 ÷ 5 = 2
5 × 2 = 10
2 × 5 = 10

15 ÷ 3 = 5
3 × 5 = 15
5 × 3 = 15

36 ÷ 9 = 4
9 × 4 = 36
4 × 9 = 36

30 ÷ 5 = 6
5 × 6 = 30
6 × 5 = 30

18 ÷ 3 = 6
3 × 6 = 18
6 × 3 = 18

72 ÷ 8 = 9
8 × 9 = 72
9 × 8 = 72

24 ÷ 8 = 3
8 × 3 = 24
3 × 8 = 24

78 Start 3-1 · 3. 나눗셈 79

3 단원

80쪽 ~ 81쪽

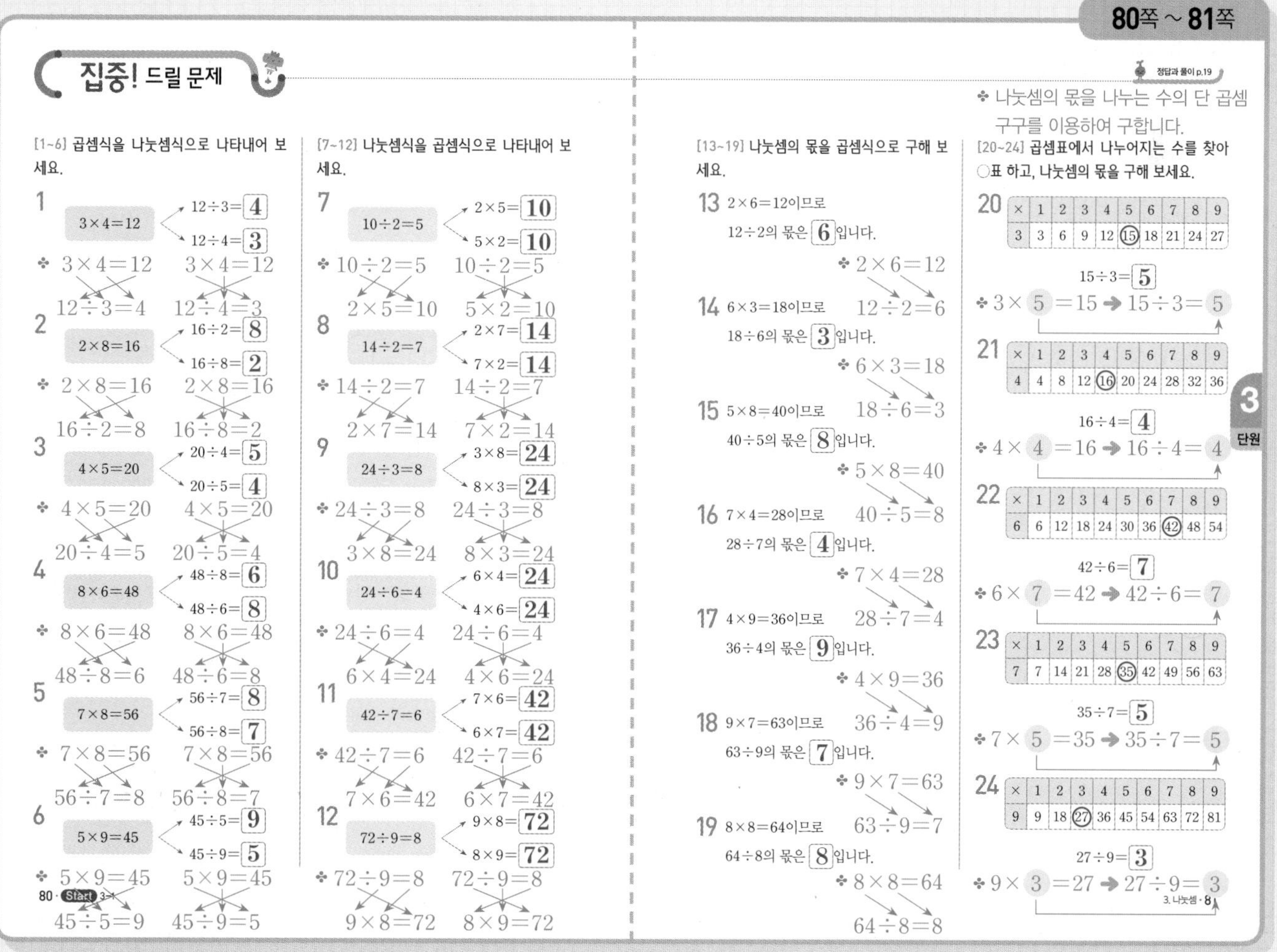

집중! 드릴 문제

[1~6] 곱셈식을 나눗셈식으로 나타내어 보세요.

1 3×4=12 → 12÷3=4, 12÷4=3
✣ 3×4=12 → 12÷3=4 / 3×4=12 → 12÷4=3

2 2×8=16 → 16÷2=8, 16÷8=2
✣ 2×8=16 → 16÷2=8 / 2×8=16 → 16÷8=2

3 4×5=20 → 20÷4=5, 20÷5=4
✣ 4×5=20 → 20÷4=5 / 4×5=20 → 20÷5=4

4 8×6=48 → 48÷8=6, 48÷6=8
✣ 8×6=48 → 48÷8=6 / 8×6=48 → 48÷6=8

5 7×8=56 → 56÷7=8, 56÷8=7
✣ 7×8=56 → 56÷7=8 / 7×8=56 → 56÷8=7

6 5×9=45 → 45÷5=9, 45÷9=5
✣ 5×9=45 → 45÷5=9 / 5×9=45 → 45÷9=5

[7~12] 나눗셈식을 곱셈식으로 나타내어 보세요.

7 10÷2=5 → 2×5=10, 5×2=10
✣ 10÷2=5 → 2×5=10 / 10÷2=5 → 5×2=10

8 14÷2=7 → 2×7=14, 7×2=14
✣ 14÷2=7 → 2×7=14 / 14÷2=7 → 7×2=14

9 24÷3=8 → 3×8=24, 8×3=24
✣ 24÷3=8 → 3×8=24 / 24÷3=8 → 8×3=24

10 24÷6=4 → 6×4=24, 4×6=24
✣ 24÷6=4 → 6×4=24 / 24÷6=4 → 4×6=24

11 42÷7=6 → 7×6=42, 6×7=42
✣ 42÷7=6 → 6×7=42 / 42÷7=6 → 6×7=42

12 72÷9=8 → 9×8=72, 8×9=72
✣ 72÷9=8 → 9×8=72 / 72÷9=8 → 8×9=72

[13~19] 나눗셈의 몫을 곱셈식으로 구해 보세요.

13 2×6=12이므로 12÷2의 몫은 6입니다.
✣ 2×6=12 → 12÷2=6

14 6×3=18이므로 18÷6의 몫은 3입니다.
✣ 6×3=18 → 18÷6=3

15 5×8=40이므로 40÷5의 몫은 8입니다.
✣ 5×8=40 → 40÷5=8

16 7×4=28이므로 28÷7의 몫은 4입니다.
✣ 7×4=28 → 28÷7=4

17 4×9=36이므로 36÷4의 몫은 9입니다.
✣ 4×9=36 → 36÷4=9

18 9×7=63이므로 63÷9의 몫은 7입니다.
✣ 9×7=63 → 63÷9=7

19 8×8=64이므로 64÷8의 몫은 8입니다.
✣ 8×8=64 → 64÷8=8

정답과 풀이 p.19

✣ 나눗셈의 몫을 나누는 수의 단 곱셈구구를 이용하여 구합니다.

[20~24] 곱셈표에서 나누어지는 수를 찾아 ○표 하고, 나눗셈의 몫을 구해 보세요.

20

×	1	2	3	4	5	6	7	8	9
3	3	6	9	12	(15)	18	21	24	27

15÷3=5

✣ 3×5=15 → 15÷3=5

21

×	1	2	3	4	5	6	7	8	9
4	4	8	12	(16)	20	24	28	32	36

16÷4=4

✣ 4×4=16 → 16÷4=4

22

×	1	2	3	4	5	6	7	8	9
6	6	12	18	24	30	36	(42)	48	54

42÷6=7

✣ 6×7=42 → 42÷6=7

23

×	1	2	3	4	5	6	7	8	9
7	7	14	21	28	(35)	42	49	56	63

35÷7=5

✣ 7×5=35 → 35÷7=5

24

×	1	2	3	4	5	6	7	8	9
9	9	18	(27)	36	45	54	63	72	81

27÷9=3

✣ 9×3=27 → 27÷9=3

80 · Start 3-1 · 3. 나눗셈 · 81

3 단원

교과서 개념 확인 문제

정답과 풀이 p.20

1 그림을 보고 □ 안에 알맞은 수를 써넣으세요.

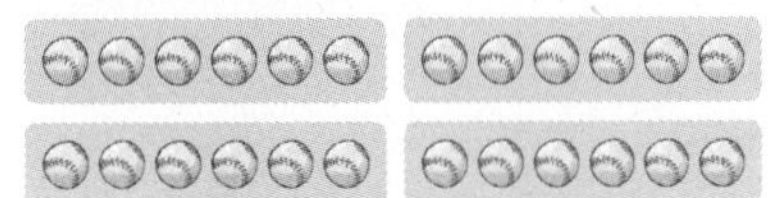

$6\times4=24$ → $24\div6=$ [4]

2 주어진 나눗셈의 몫을 구할 때 필요한 곱셈구구를 써 보세요.

(1) $32\div8$ → [8]의 단 곱셈구구

(2) $49\div7$ → [7]의 단 곱셈구구

✤ ■÷●의 몫을 구할 때는 나누는 수인 ●의 단 곱셈구구에서 곱이 ■가 되는 곱셈식을 찾습니다.

3 관계있는 것끼리 선으로 이어 보세요.

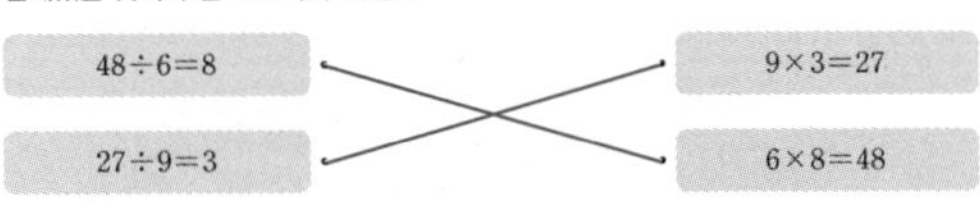

✤ $48\div6=8$ → $6\times8=48$, $8\times6=48$
$27\div9=3$ → $9\times3=27$, $3\times9=27$

4 곱셈표를 이용하여 나눗셈의 몫을 구해 보세요.

×	1	2	3	4	5	6	7	8	9
6	6	12	18	24	30	36	42	48	54

$54\div6=$ [9]

✤ 6의 단 곱셈구구에서 곱이 54인 곱셈식을 찾으면 $6\times9=54$입니다.
$6\times$ [9] $=54$ → $54\div6=$ [9]

5 곱셈식을 나눗셈식으로 나타내어 보세요.

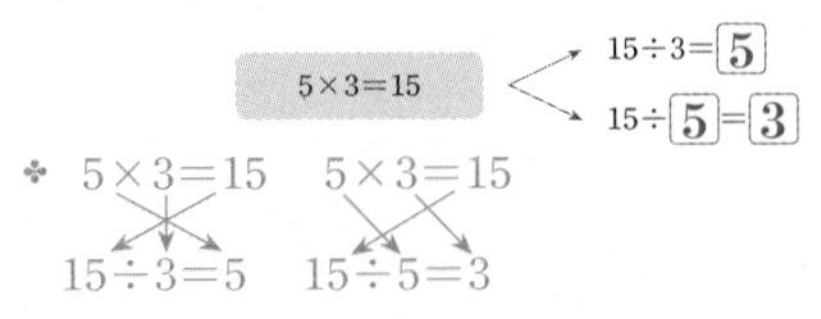

$5\times3=15$ → $15\div3=$ [5], $15\div$ [5] $=$ [3]

✤ $5\times3=15$ → $15\div3=5$, $5\times3=15$ → $15\div5=3$

6 나눗셈식을 곱셈식으로 나타내어 보세요.

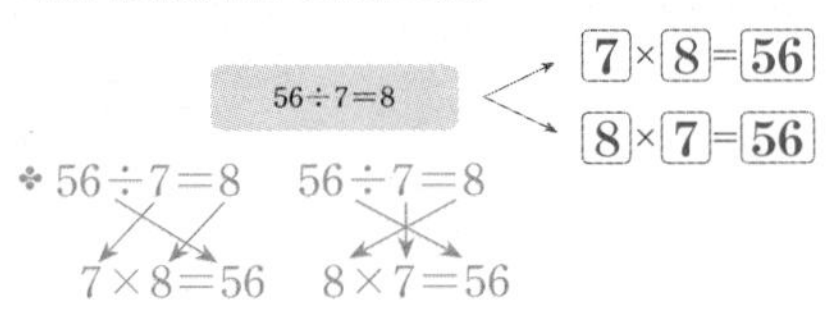

$56\div7=8$ → [7] × [8] = [56], [8] × [7] = [56]

✤ $56\div7=8$ → $7\times8=56$, $56\div7=8$ → $8\times7=56$

7 관계있는 것끼리 선으로 이어 보세요.

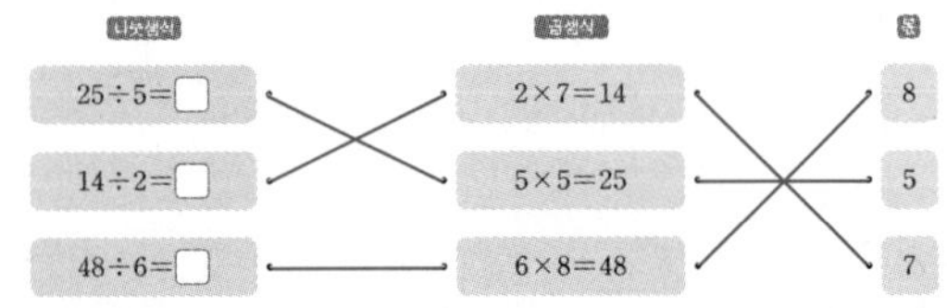

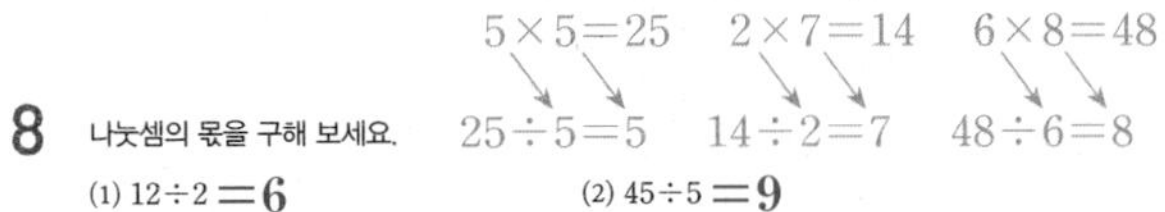

✤ 나눗셈의 몫을 곱셈식으로 구합니다.
$5\times5=25$ → $25\div5=5$, $2\times7=14$ → $14\div2=7$, $6\times8=48$ → $48\div6=8$

8 나눗셈의 몫을 구해 보세요.

(1) $12\div2=6$ (2) $45\div5=9$

(3) $18\div6=3$ (4) $54\div9=6$

교과서 개념 확인 문제

정답과 풀이 p.20

9 빈칸에 알맞은 수를 써넣으세요.

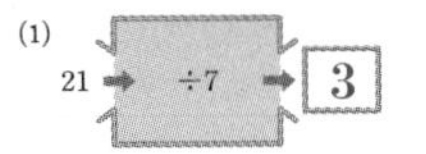

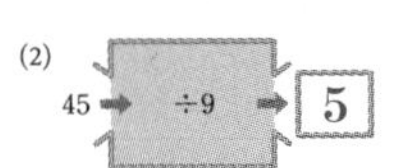

(1) 21 → ÷7 → [3] (2) 45 → ÷9 → [5]

✤ (1) $21\div7=3$ (2) $45\div9=5$

10 몫의 크기를 비교하여 ○ 안에 >, =, <를 알맞게 써넣으세요.

(1) $72\div8$ (=) $81\div9$

(2) $24\div6$ (<) $35\div5$

✤ (1) $72\div8=9$, $81\div9=9$ → $9=9$
(2) $24\div6=4$, $35\div5=7$ → $4<7$

11 빈칸에 알맞은 수를 써넣으세요.

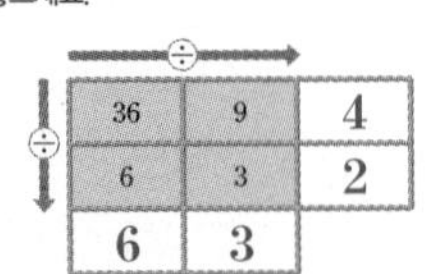

36	9	4
6	3	2
6	3	

✤ $36\div9=4$, $6\div3=2$, $36\div6=6$, $9\div3=3$

12 나눗셈의 몫을 구하고, 나눗셈식을 곱셈식으로 나타내어 보세요.

$24\div8=$ [3] → [8] × [3] = 24

(또는 $3\times8=24$)

13 나눗셈의 몫이 가장 큰 것의 기호를 써 보세요.

㉠ $24\div6$ ㉡ $20\div4$ ㉢ $32\div4$

(㉢)

✤ ㉠ $24\div6=4$ ㉡ $20\div4=5$ ㉢ $32\div4=8$
$8>5>4$이므로 몫이 가장 큰 것은 ㉢입니다.

14 그림을 보고 곱셈식과 나눗셈식을 각각 2개씩 써 보세요.

곱셈식 [2] × [7] = [14], [7] × [2] = [14]

나눗셈식 [14] ÷ [2] = [7], [14] ÷ [7] = [2]

15 빵 18개를 3바구니에 똑같이 나누어 담으려고 합니다. 한 바구니에 몇 개씩 담아야 하는지 구해 보세요.

(6개)

✤ $18\div3=6$(개)

16 63쪽짜리 동화책을 하루에 9쪽씩 매일 읽으려고 합니다. 이 책을 모두 읽으려면 며칠이 걸리는지 나눗셈식을 쓰고 답을 구해 보세요.

식 [63] ÷ [9] = [7]

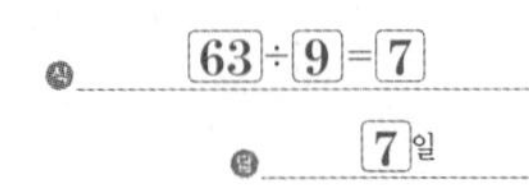

답 [7]일

개념 확인평가 3. 나눗셈

맞은 개수

정답과 풀이 p.21

1 귤 32개를 4명이 똑같이 나누어 먹으려고 합니다. 한 명이 귤을 몇 개씩 먹을 수 있는지 접시에 ○를 그려 알아보세요.

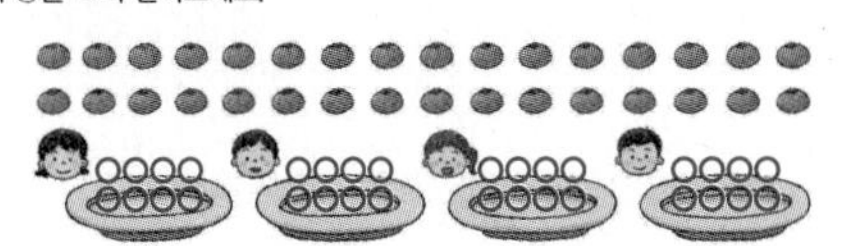

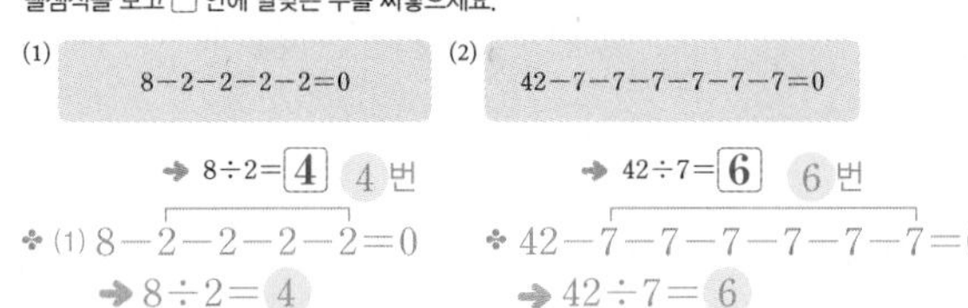

한 명이 귤을 [8]개씩 먹을 수 있습니다. ➔ 32÷4=[8]

2 뺄셈식을 보고 □ 안에 알맞은 수를 써넣으세요.

(1) 8−2−2−2−2=0 ➔ 8÷2=[4] 4번

(2) 42−7−7−7−7−7−7=0 ➔ 42÷7=[6] 6번

✤ (1) 8−2−2−2−2=0 ➔ 8÷2=4 ✤ 42−7−7−7−7−7−7=0 ➔ 42÷7=6

3 30÷5의 몫을 구하려고 합니다. 곱셈표에서 나누어지는 수 30을 찾아 ○표 하고 □ 안에 알맞은 수를 써넣으세요.

×	1	2	3	4	5	6	7	8	9
5	5	10	15	20	25	(30)	35	40	45

➔ 30÷5=[6]

✤ 나누는 수인 5의 단 곱셈구구에서 곱이 나누어지는 수 30인 곱셈식을 찾으면 5×6=30이므로 30÷5의 몫은 6입니다.

4 빈칸에 알맞은 수를 써넣으세요.

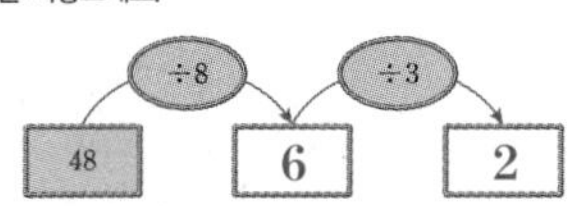

48 —(÷8)→ [6] —(÷3)→ [2]

✤ 48÷8=6, 6÷3=2

5 곱셈식을 나눗셈식으로, 나눗셈식을 곱셈식으로 나타내어 보세요.

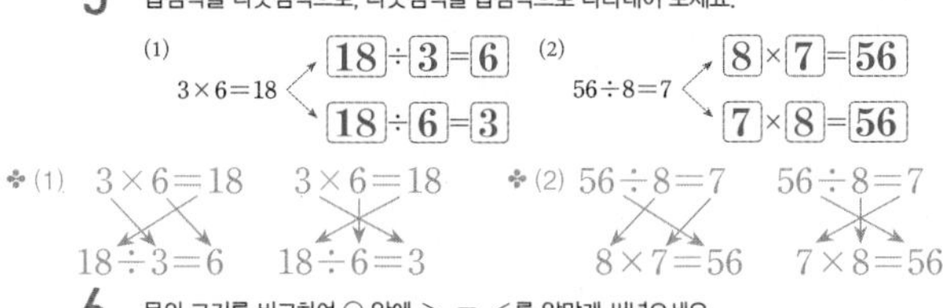

(1) 3×6=18 → [18]÷[3]=[6], [18]÷[6]=[3]

(2) 56÷8=7 → [8]×[7]=[56], [7]×[8]=[56]

✤ (1) 3×6=18 → 18÷3=6, 3×6=18 → 18÷6=3 ✤ (2) 56÷8=7 → 8×7=56, 56÷8=7 → 7×8=56

6 몫의 크기를 비교하여 ○ 안에 >, =, <를 알맞게 써넣으세요.

24÷4 (<) 48÷6

✤ 24÷4=6, 48÷6=8이므로 6<8입니다.

7 관계있는 것끼리 선으로 이어 보세요.

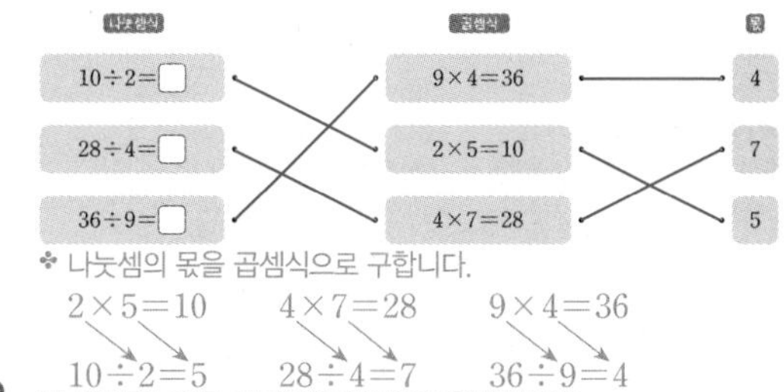

✤ 나눗셈의 몫을 곱셈식으로 구합니다.
2×5=10 → 10÷2=5, 4×7=28 → 28÷4=7, 9×4=36 → 36÷9=4

8 나눗셈의 몫을 구하고, 나눗셈식을 곱셈식으로 나타내어 보세요.

(1) 24÷3=[8] ➔ 3×[8]=[24]

(2) 49÷7=[7] ➔ 7×[7]=[49]

✤ (1) 3×8=24이므로 24÷3의 몫은 8입니다.
(2) 7×7=49이므로 49÷7의 몫은 7입니다.

3 단원

개념 확인평가 3. 나눗셈

정답과 풀이 p.21

9 그림을 보고 곱셈식과 나눗셈식을 각각 2개씩 써 보세요.

곱셈식 7×5=35, 5×7=35

나눗셈식 35÷7=5, 35÷5=7

10 초콜릿 27개를 3명이 똑같이 나누어 가지려고 합니다. 한 명이 초콜릿을 몇 개씩 가질 수 있는지 나눗셈식을 쓰고 답을 구해 보세요.

식 27÷3=9

답 9개

✤ (한 명이 가질 수 있는 초콜릿 수)=(전체 초콜릿 수)÷(사람 수)
=27÷3=9(개)

11 연필 40자루를 한 명에게 5자루씩 주려고 합니다. 몇 명에게 나누어 줄 수 있는지 나눗셈식을 쓰고 답을 구해 보세요.

식 40÷5=8

답 8명

✤ (나누어 줄 수 있는 사람 수)
=(전체 연필 수)÷(한 명에게 주는 연필 수)
=40÷5=8(명)

12 길이가 24 cm인 철사를 이용하여 가장 큰 정사각형을 1개 만들었습니다. 만든 정사각형의 한 변의 길이는 몇 cm일까요?

(6 cm)

✤ 정사각형은 네 변의 길이가 모두 같습니다.
➔ (정사각형의 한 변의 길이)=24÷4=6 (cm)

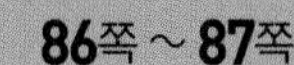

[GO! 매쓰]
여기까지 3단원 내용입니다.
다음부터는 4단원 내용이
시작합니다.

90쪽 ~ 91쪽

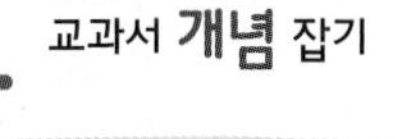

정답과 풀이 p.22

개념 ① (몇십)×(몇) 구하기

• 20×3을 수 모형으로 알아보기

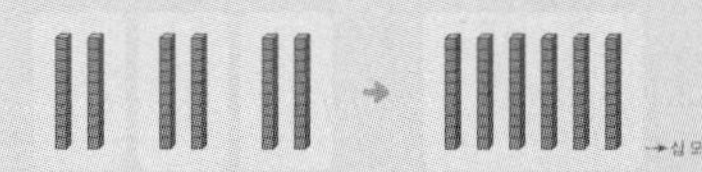

십 모형의 수: 2×3=6 → 십 모형이 6개이므로 60입니다.

• 20×3의 계산 방법 알아보기

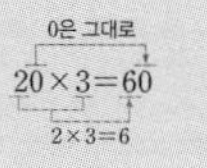

	2	0
×		3
	6	0

0은 그대로

20×3은 2×3의 계산 결과에 0을 붙입니다.
2×3=6이고 계산한 6에 0을 붙이면 20×3=60입니다.

→ (몇십)×(몇)은 (몇)×(몇)의 계산 결과에 0을 붙입니다.

개념 OX

수 모형을 보고 곱셈식으로 바르게 나타낸 친구를 찾아 ○표 하세요.

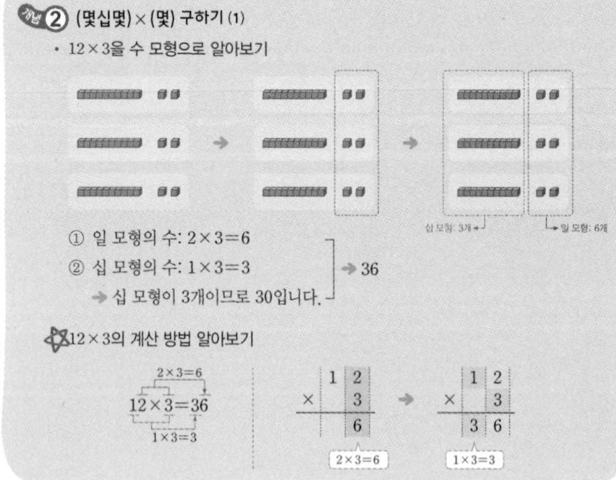

1 수 모형으로 40×2의 계산 과정을 나타낸 그림입니다. □ 안에 알맞은 수를 써넣으세요.

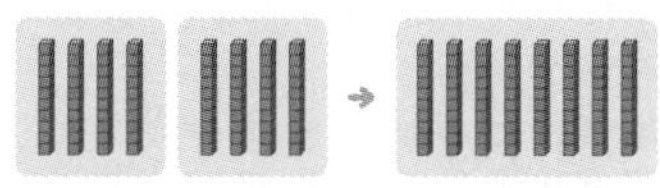

십 모형이 4×2=[8](개)이므로 40×2=[80]입니다.

✤ 십 모형이 ■개이면 ■0입니다.

2 그림을 보고 □ 안에 알맞은 수를 써넣으세요.

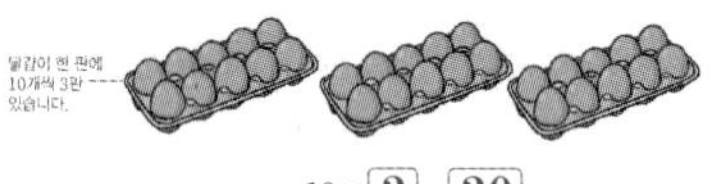

10×[3]=[30]

✤ 달걀이 10개씩 3묶음 있으므로 10×3=30입니다.

3 □ 안에 알맞은 수를 써넣으세요.

0은 그대로
30×3=[9][0]
3×3=[9]

✤ 30×3은 3×3의 계산 결과에 0을 붙입니다.

4 계산해 보세요.

(1) 10×9=**90** (2) 20×2=**40** (3) 20×4=**80**

✤ (몇십)×(몇)은 (몇)×(몇)의 계산 결과에 0을 붙입니다.

4 단원

92쪽 ~ 93쪽

교과서 개념 잡기

정답과 풀이 p.22

개념 ② (몇십몇)×(몇) 구하기 (1)

• 12×3을 수 모형으로 알아보기

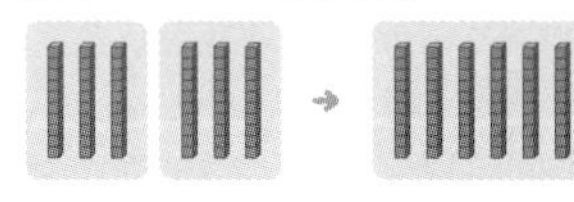

① 일 모형의 수: 2×3=6
② 십 모형의 수: 1×3=3
→ 십 모형이 3개이므로 30입니다.
→ 36

• 12×3의 계산 방법 알아보기

	1	2
×		3
		6

→

	1	2
×		3
	3	6

개념 OX

수 모형을 보고 곱셈식으로 바르게 나타낸 친구를 찾아 ○표 하세요.

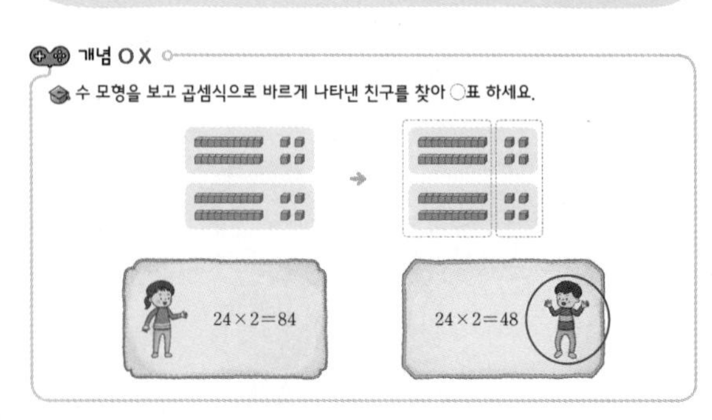

1 수 모형으로 23×3의 계산 과정을 나타낸 그림입니다. □ 안에 알맞은 수를 써넣으세요.

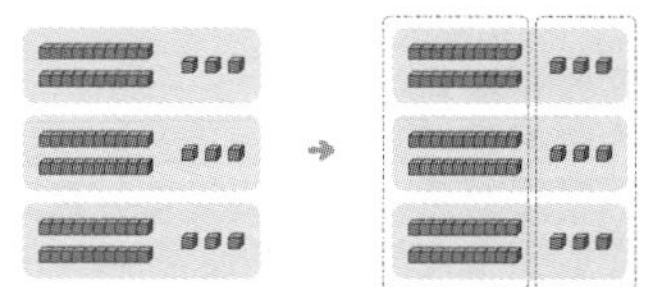

일 모형은 3×3=[9](개)이고, 십 모형은 2×3=[6](개)이므로
23×3=[69]입니다.

✤ 일 모형의 수: 3×3=9, 십 모형의 수: 2×3=6
→ 9+60=69이므로 23×3=69입니다.

2 그림을 보고 □ 안에 알맞은 수를 써넣으세요.

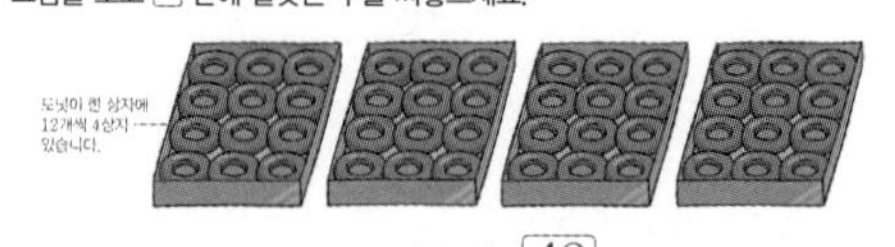

12×4=[48]

✤ 도넛이 12개씩 4상자 있으므로 12×4=48입니다.

3 □ 안에 알맞은 수를 써넣으세요.

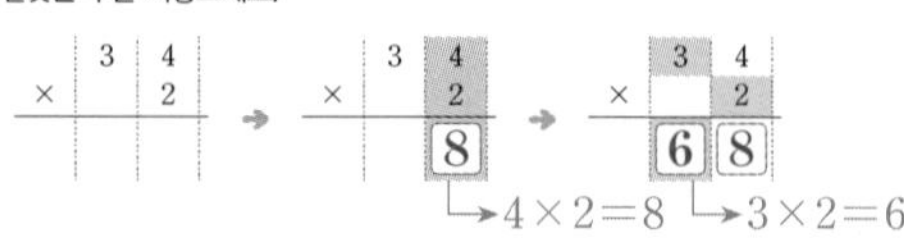

	3	4
×		2
	[6]	[8]

→ 4×2=8, → 3×2=6

4 계산해 보세요.

(1) 21×4=**84** (2) 13×2=**26** (3) 33×3=**99**

✤ (1) 21×4=84 (2) 13×2=26 (3) 33×3=99

4 단원

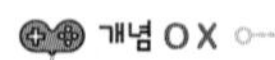
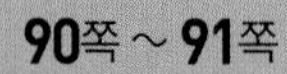

94쪽 ~ 95쪽
교과서 개념 play 튜브 완성하기
계산 결과가 같은 것끼리 붙임딱지를 붙여 튜브를 완성해 보세요.
10 × 6
60
30 × 2
20씩 3묶음
42 × 2
84
21 × 4
21씩 4묶음
12 × 4
48
2 × 24
24씩 2묶음
40씩 2묶음
80
20 × 4
2 × 40
10 × 9
90
30 × 3
9씩 10묶음
12 × 3
36
12씩 3묶음
12 + 12 + 12
33 × 3
99
11 × 9
33씩 3묶음
94 Start 3-1
4. 곱셈 · 95

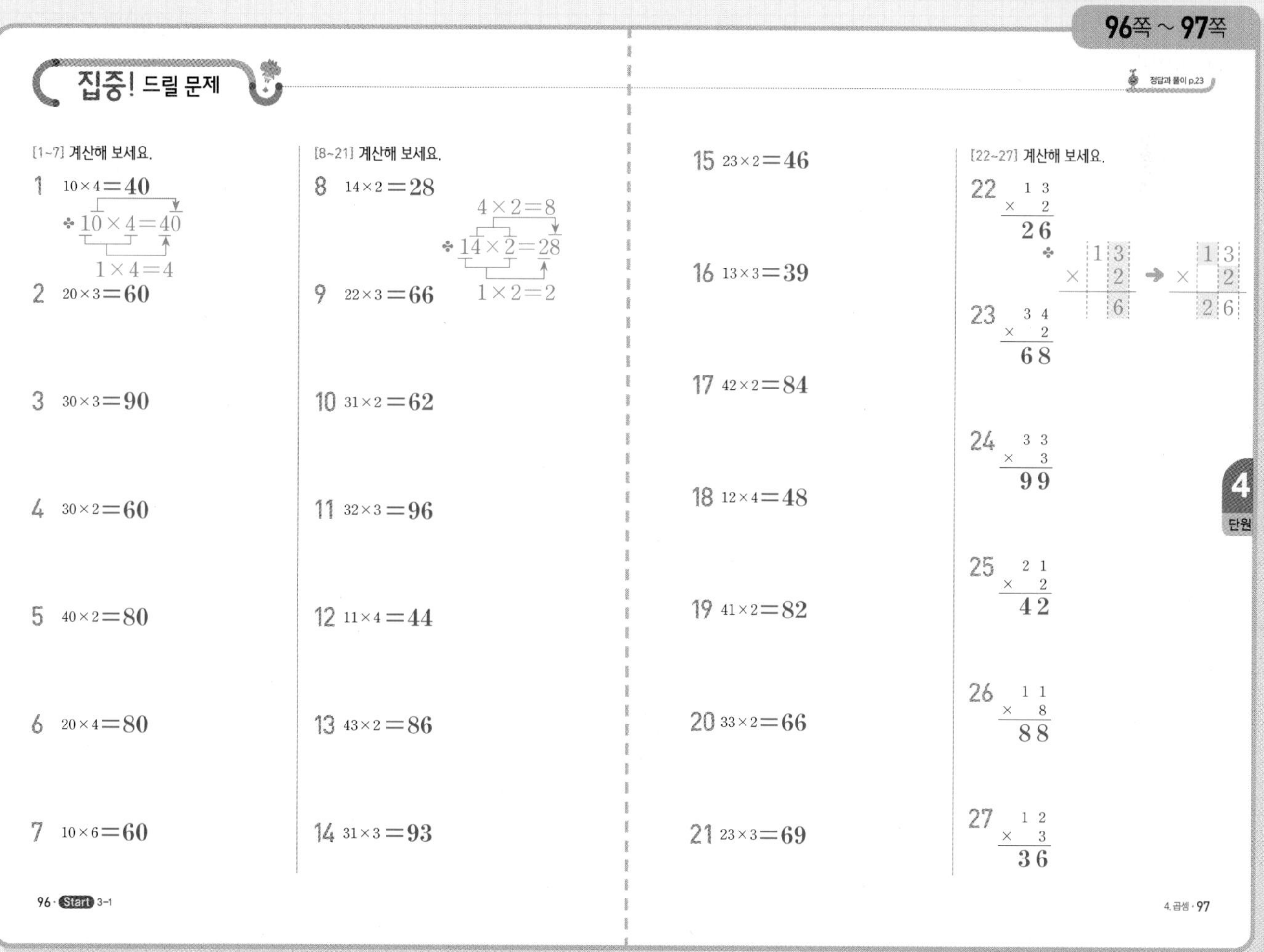
96쪽 ~ 97쪽
집중! 드릴 문제
정답과 풀이 p.23
[1~7] 계산해 보세요.
1 10×4=40
10×4=40
1×4=4
2 20×3=60
3 30×3=90
4 30×2=60
5 40×2=80
6 20×4=80
7 10×6=60
[8~21] 계산해 보세요.
8 14×2=28
4×2=8
14×2=28
1×2=2
9 22×3=66
10 31×2=62
11 32×3=96
12 11×4=44
13 43×2=86
14 31×3=93
15 23×2=46
16 13×3=39
17 42×2=84
18 12×4=48
19 41×2=82
20 33×2=66
21 23×3=69
[22~27] 계산해 보세요.
22 13 × 2 = 26
23 34 × 2 = 68
24 33 × 3 = 99
25 21 × 2 = 42
26 11 × 8 = 88
27 12 × 3 = 36
96 · Start 3-1
4. 곱셈 · 97

교과서 개념 확인 문제

정답과 풀이 p.24

1 수 모형을 보고 물음에 답하세요.

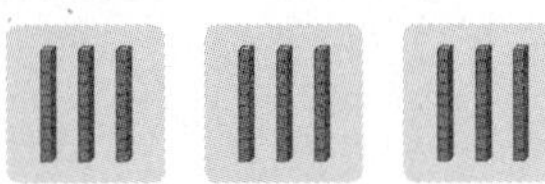

(1) 십 모형의 수를 곱셈식으로 나타내어 보세요.

3 × 3 = 9

(2) □ 안에 알맞은 수를 써넣으세요.

30 × 3 = 90

✤ 십 모형이 ■개이면 ■0입니다.

2 수 모형을 보고 □ 안에 알맞은 수를 써넣으세요.

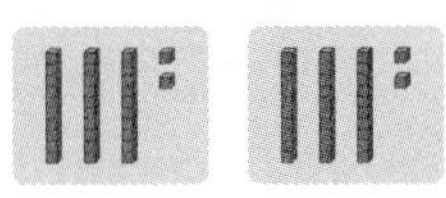

32 × 3 = 96

✤ 일 모형이 2×3=6(개), 십 모형이 3×3=9(개)이므로 96입니다.

3 □ 안에 알맞은 수를 써넣으세요.

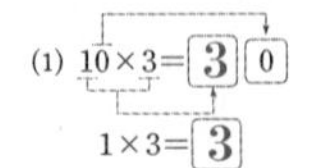

(1) 10×3=30, 1×3=3

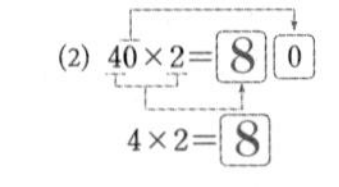

(2) 40×2=80, 4×2=8

(3) 20×3=60, 2×3=6

(4) 10×2=20, 1×2=2

✤ (1) 10×3은 1×3의 계산 결과에 0을 붙입니다.

4 □ 안에 알맞은 수를 써넣으세요.

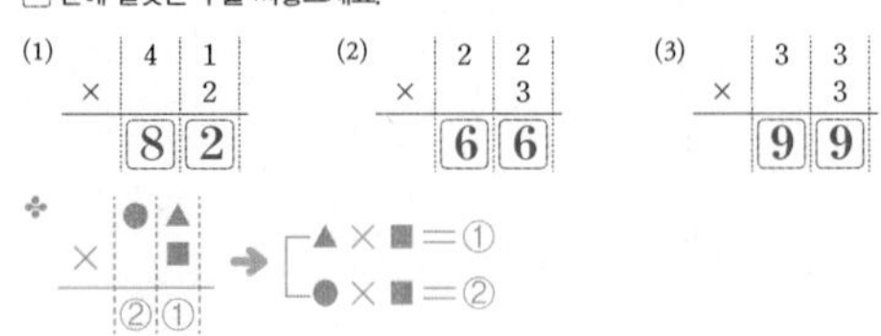

(1) 41 × 2 = 82 (2) 22 × 3 = 66 (3) 33 × 3 = 99

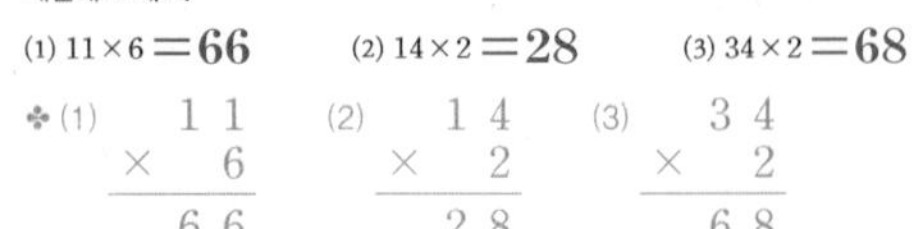

✤ ▲×■=①, ●×■=②

5 계산해 보세요.

(1) 11×6=66 (2) 14×2=28 (3) 34×2=68

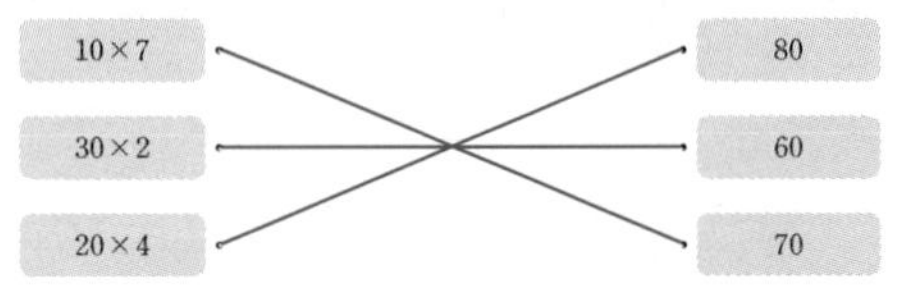

✤ (1) 11×6=66 (2) 14×2=28 (3) 34×2=68

6 계산 결과를 찾아 선으로 이어 보세요.

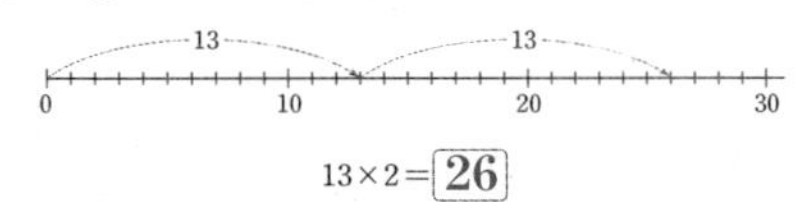

10×7 — 70, 30×2 — 60, 20×4 — 80

✤ 10×7=70, 30×2=60, 20×4=80

7 수직선을 보고 □ 안에 알맞은 수를 써넣으세요.

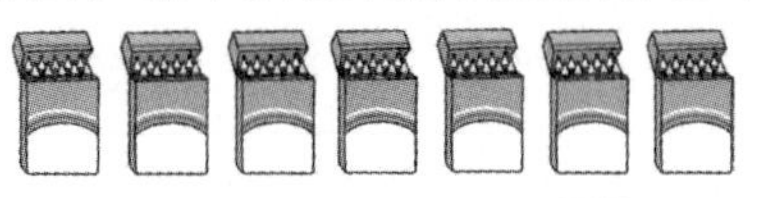

13×2=26

✤ 13씩 2번 뛰어 센 것입니다. ➜ 13×2=26

교과서 개념 확인 문제

정답과 풀이 p.24

8 두 수의 곱을 구해 보세요.

(1) 12 4 (48) (2) 11 7 (77)

✤ (1) 12×4=48 (2) 11×7=77

9 빈 곳에 알맞은 수를 써넣으세요.

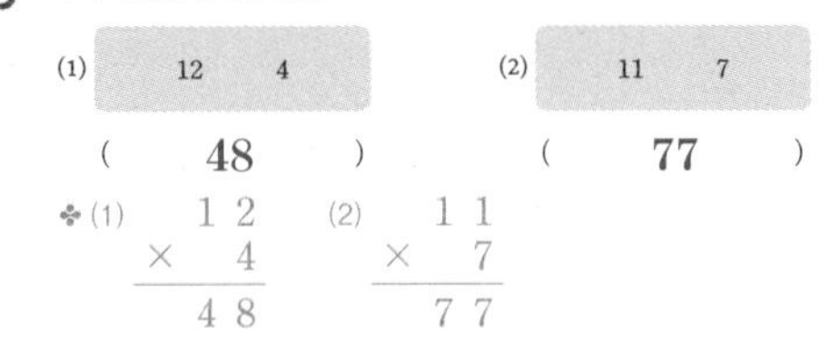

✤ 10×2=20, 20×4=80

10 빈칸에 알맞은 수를 써넣으세요.

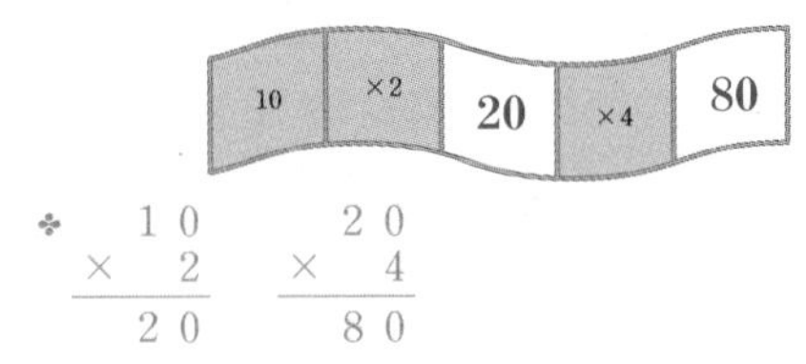

✤ 11×2=22, 22×2=44

11 계산 결과를 비교하여 ○ 안에 >, =, <를 알맞게 써넣으세요.

(1) 14×2 > 20 (2) 20×4 > 31×2

✤ (1) 14×2=28 ➜ 28>20 (2) 20×4=80, 31×2=62 ➜ 80>62

12 색연필이 한 상자에 10자루씩 7상자 있습니다. □ 안에 알맞은 수를 써넣으세요.

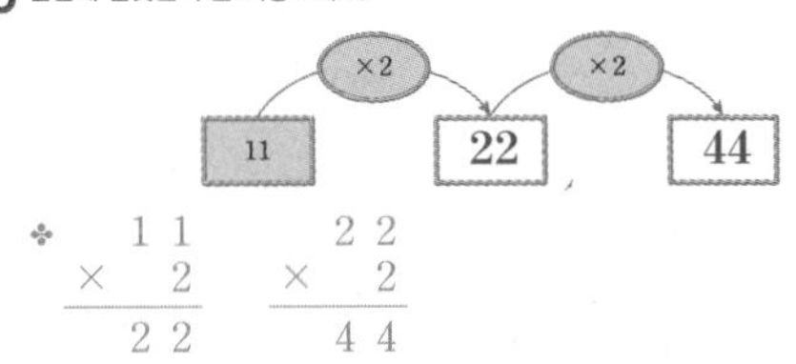

10+10+10+10+10+10+10=70

10×7=70

✤ 색연필이 한 상자에 10자루씩 7상자이므로 10×7=70입니다.

13 계산 결과가 가장 큰 것에 ○표 하세요.

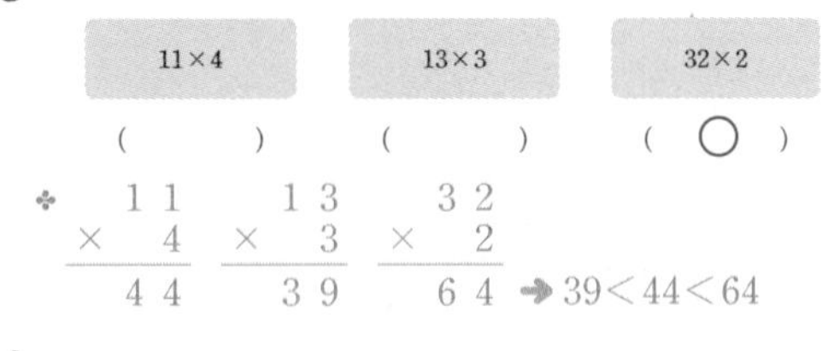

11×4 ( ) 13×3 ( ) 32×2 (○)

✤ 11×4=44, 13×3=39, 32×2=64 ➜ 39<44<64

14 구슬이 한 묶음에 10개씩 4묶음이 있습니다. 구슬은 모두 몇 개인지 구해 보세요.

(40개)

✤ (구슬의 수)=10×4=40(개)

15 윤기 어머니의 연세는 42세이고 윤기 할머니의 연세는 어머니의 연세의 2배입니다. 할머니의 연세는 몇 세인지 구해 보세요.

(84세)

✤ (할머니의 연세)=42×2=84(세)

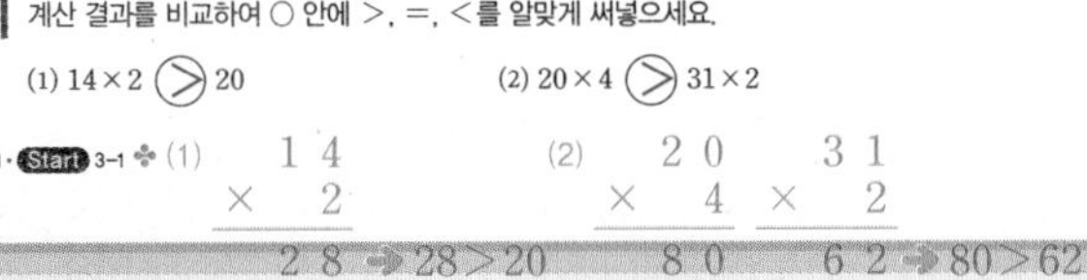

교과서 개념 잡기

정답과 풀이 p.25

개념 ③ (몇십몇)×(몇) 구하기 (2) — 십의 자리에서 올림

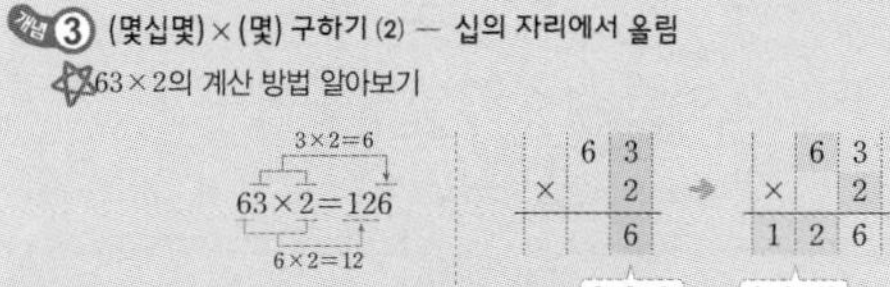

63×2의 계산 방법 알아보기
3×2=6
63×2=126
6×2=12
3×2=6
6×2=12

개념 ④ (몇십몇)×(몇) 구하기 (3) — 일의 자리에서 올림

• 26×3을 수 모형으로 알아보기

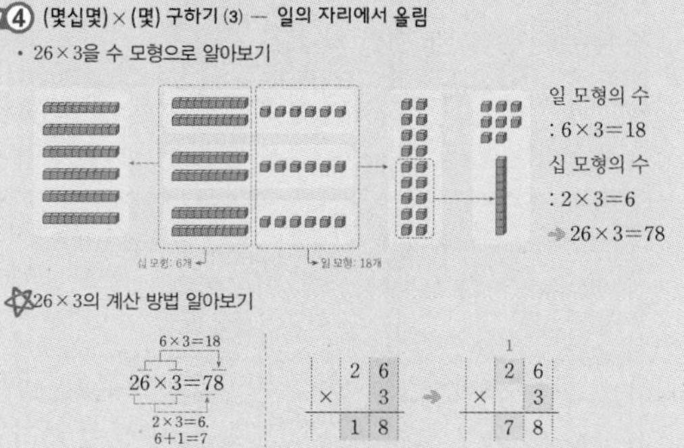

개념 OX

바르게 계산한 친구를 찾아 ○표 하세요.

1 수 모형으로 31×4의 계산 과정을 나타낸 그림입니다. □ 안에 알맞은 수를 써넣으세요.

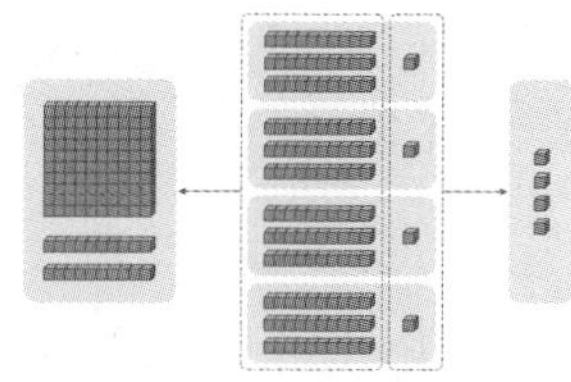

일 모형은 1×4=**4**(개)이고, 십 모형은 3×4=**12**(개)이므로 31×4=**124**입니다.

✤ 일 모형의 수: 1×4=4, 십 모형의 수: 3×4=12
→ 4+120=124이므로 31×4=124입니다.

2 □ 안에 알맞은 수를 써넣으세요.

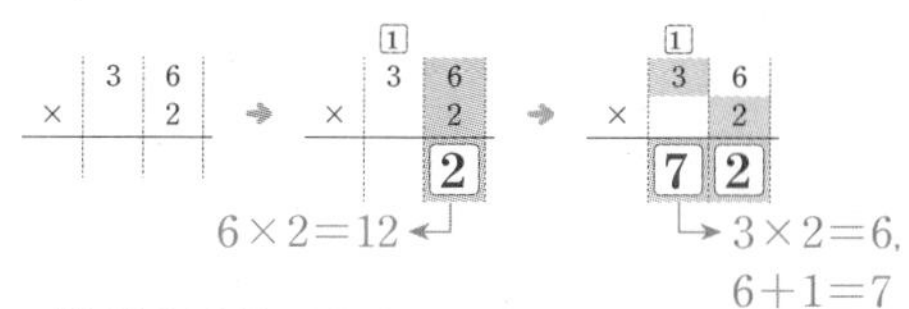

3 그림을 보고 □ 안에 알맞은 수를 써넣으세요.

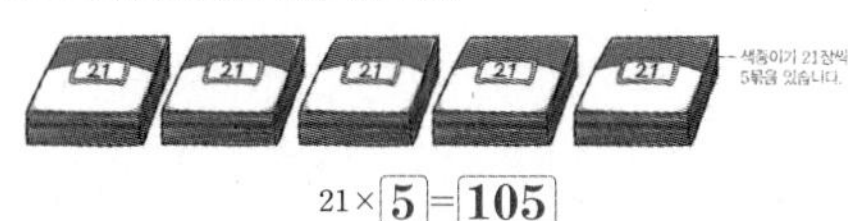

21×**5**=**105**

✤ 색종이가 21장씩 5묶음 있습니다. → 21×5=105

4 계산해 보세요.

(1) 64×2=**128** (2) 37×2=**74** (3) 81×6=**486**

✤ (1) 64×2=128 (2) 37×2=74 (3) 81×6=486

교과서 개념 잡기

정답과 풀이 p.25

개념 ⑤ (몇십몇)×(몇) 구하기 (4) — 십의 자리와 일의 자리에서 올림

• 34×4를 수 모형으로 알아보기

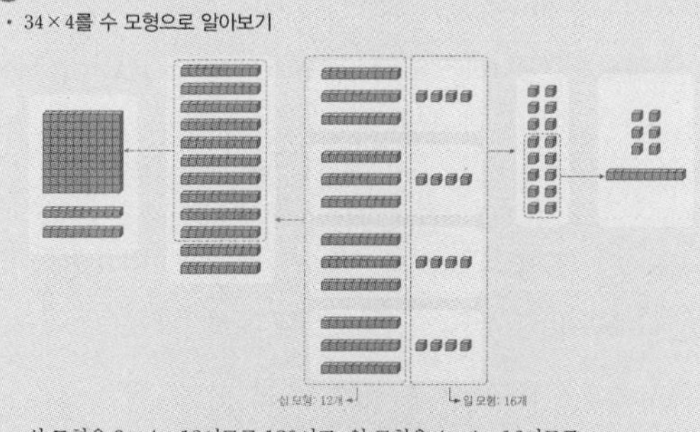

십 모형은 3×4=12이므로 120이고, 일 모형은 4×4=16이므로 120+16=136입니다. → 34×4=136

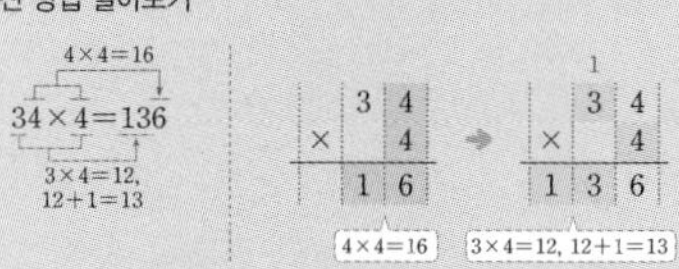

34×4의 계산 방법 알아보기
4×4=16
34×4=136
3×4=12, 12+1=13
4×4=16
3×4=12, 12+1=13

개념 OX

바르게 계산한 친구를 찾아 ○표 하세요.

1 수 모형으로 76×2의 계산 과정을 나타낸 그림입니다. □ 안에 알맞은 수를 써넣으세요.

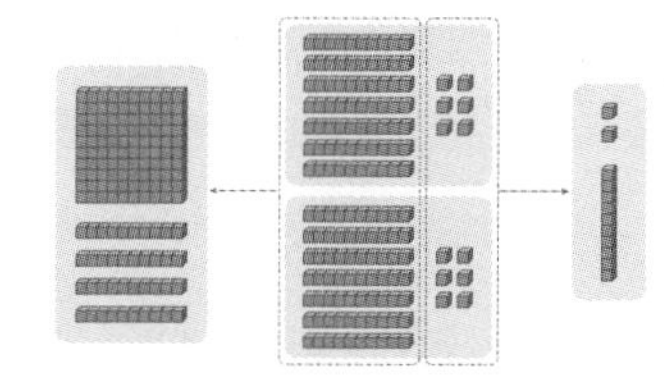

일 모형은 6×2=**12**(개)이고, 십 모형은 7×2=**14**(개)이므로 76×2=**152**입니다.

✤ 일 모형의 수: 6×2=12, 십 모형의 수: 7×2=14
→ 12+140=152이므로 76×2=152입니다.

2 □ 안에 알맞은 수를 써넣으세요.

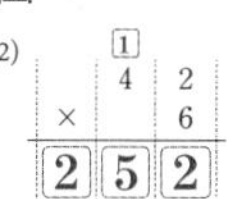
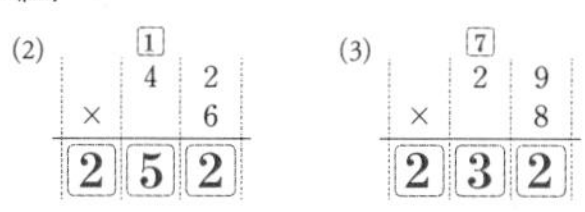

(1) 78×3=**234** (2) 42×6=**252** (3) 29×8=**232**

3 초콜릿이 한 상자에 16개씩 8상자 있습니다. □ 안에 알맞은 수를 써넣으세요.

16×**8**=**128**

✤ 초콜릿이 16개씩 8상자 있습니다. → 16×8=128

4 계산해 보세요.

(1) 67×2=**134** (2) 38×5=**190** (3) 45×9=**405**

✤ (1) 67×2=134 (2) 38×5=190 (3) 45×9=405

106쪽 ~ 107쪽

교과서 개념 play
꽃송이 완성하기
알맞은 계산 결과가 적힌 붙임딱지를 붙여 꽃송이를 완성해 보세요.
13 × 6 = 78
92 × 5 = 460
45 × 2 = 90
29 × 3 = 87
58 × 7 = 406
73 × 6 = 438
36 × 2 = 72
25 × 3 = 75
19 × 6 = 114
93 × 5 = 465
64 × 5 = 320
43 × 5 = 215
94 × 4 = 376
106 Start 3-1
4. 곱셈 107

108쪽 ~ 109쪽

집중! 드릴 문제

정답과 풀이 p.26

[1~12] 계산해 보세요.

1. $17 \times 6 = 102$
2. $48 \times 3 = 144$
3. $54 \times 5 = 270$
4. $83 \times 2 = 166$
5. $33 \times 7 = 231$
6. $21 \times 6 = 126$
7. $53 \times 3 = 159$
8. $72 \times 3 = 216$
9. $18 \times 4 = 72$
10. $27 \times 5 = 135$
11. $89 \times 2 = 178$
12. $96 \times 3 = 288$

[13~26] 계산해 보세요.

13. $53 \times 2 = 106$
14. $24 \times 3 = 72$
15. $61 \times 5 = 305$
16. $29 \times 9 = 261$
17. $75 \times 2 = 150$
18. $17 \times 5 = 85$
19. $94 \times 3 = 282$
20. $43 \times 3 = 129$
21. $83 \times 2 = 166$
22. $13 \times 6 = 78$
23. $27 \times 3 = 81$
24. $18 \times 9 = 162$
25. $56 \times 4 = 224$
26. $37 \times 7 = 259$

교과서 개념 확인 문제

정답과 풀이 p.27

1 □ 안에 알맞은 수를 써넣으세요.

$$\begin{array}{r} 4\ 3 \\ \times\ \ \ 3 \\ \hline \end{array} \rightarrow \begin{array}{r} 4\ 3 \\ \times\ \ \ 3 \\ \hline \boxed{9} \end{array} \rightarrow \begin{array}{r} 4\ 3 \\ \times\ \ \ 3 \\ \hline \boxed{1}\boxed{2}\boxed{9} \end{array}$$

$3\times3=9$, $4\times3=12$

2 빈 곳에 알맞은 수를 써넣으세요.

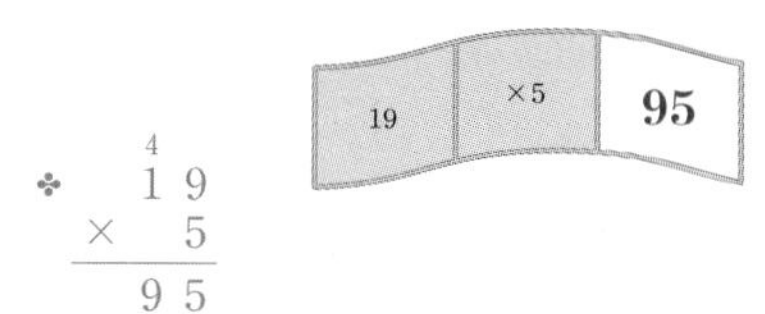

✤ $\begin{array}{r} {}^{4}\ \ \\ 1\ 9 \\ \times\ \ \ 5 \\ \hline 9\ 5 \end{array}$

3 계산해 보세요.

(1) $\begin{array}{r} {}^{1}\ \ \\ 5\ 6 \\ \times\ \ \ 2 \\ \hline 112 \end{array}$ (2) $\begin{array}{r} {}^{2}\ \ \\ 2\ 8 \\ \times\ \ \ 3 \\ \hline 84 \end{array}$

(3) $41\times4=$**164** (4) $92\times3=$**276**

✤ (3) $\begin{array}{r} 4\ 1 \\ \times\ \ \ 4 \\ \hline 1\ 6\ 4 \end{array}$ (4) $\begin{array}{r} 9\ 2 \\ \times\ \ \ 3 \\ \hline 2\ 7\ 6 \end{array}$

4 빈칸에 알맞은 수를 써넣으세요.

×	32	43	54
4	**128**	**172**	**216**

✤ $\begin{array}{r} 3\ 2 \\ \times\ \ \ 4 \\ \hline 1\ 2\ 8 \end{array}$ $\begin{array}{r} {}^{1}\ \ \\ 4\ 3 \\ \times\ \ \ 4 \\ \hline 1\ 7\ 2 \end{array}$ $\begin{array}{r} {}^{1}\ \ \\ 5\ 4 \\ \times\ \ \ 4 \\ \hline 2\ 1\ 6 \end{array}$

5 계산에서 잘못된 부분을 찾아서 바르게 고쳐 보세요.

$\begin{array}{r} 4\ 6 \\ \times\ \ \ 2 \\ \hline 8\ 2 \end{array} \rightarrow \begin{array}{r} {}^{1}\ \ \\ 4\ 6 \\ \times\ \ \ 2 \\ \hline 9\ 2 \end{array}$

✤ 일의 자리에서 올림한 수를 십의 자리의 계산에 더해야 합니다.

6 빈칸에 알맞은 수를 써넣으세요.

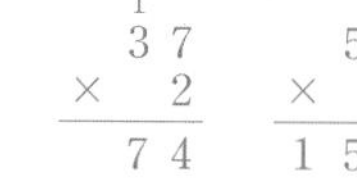

37	3	**111**
2	52	**104**
74	**156**	

✤ $\begin{array}{r} {}^{2}\ \ \\ 3\ 7 \\ \times\ \ \ 3 \\ \hline 1\ 1\ 1 \end{array}$ $\begin{array}{r} 5\ 2 \\ \times\ \ \ 2 \\ \hline 1\ 0\ 4 \end{array}$ $\begin{array}{r} {}^{1}\ \ \\ 3\ 7 \\ \times\ \ \ 2 \\ \hline 7\ 4 \end{array}$ $\begin{array}{r} 5\ 2 \\ \times\ \ \ 3 \\ \hline 1\ 5\ 6 \end{array}$

7 가장 큰 수와 가장 작은 수의 곱을 구해 보세요.

56 3 19 74

(**222**)

✤ $74>56>19>3$이므로 가장 큰 수는 74이고, 가장 작은 수는 3입니다.

$\rightarrow \begin{array}{r} {}^{1}\ \ \\ 7\ 4 \\ \times\ \ \ 3 \\ \hline 2\ 2\ 2 \end{array}$

교과서 개념 확인 문제

정답과 풀이 p.27

8 곱셈식에서 $\boxed{1}$이 실제로 나타내는 수를 구해 보세요.

$\begin{array}{r} \boxed{1}\ \ \\ 4\ 6 \\ \times\ \ \ 3 \\ \hline 1\ 3\ 8 \end{array}$

(**10**)

✤ $6\times3=18$에서 10을 십의 자리로 올림한 것이므로 1이 실제로 나타내는 수는 10입니다.

9 계산 결과를 찾아 선으로 이어 보세요.

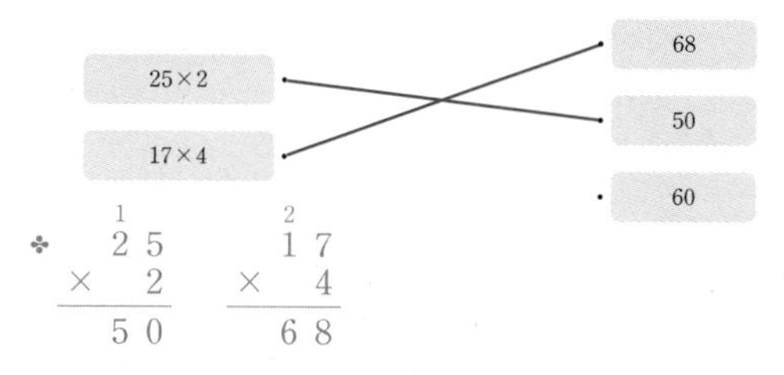

✤ $\begin{array}{r} {}^{1}\ \ \\ 2\ 5 \\ \times\ \ \ 2 \\ \hline 5\ 0 \end{array}$ $\begin{array}{r} {}^{2}\ \ \\ 1\ 7 \\ \times\ \ \ 4 \\ \hline 6\ 8 \end{array}$

10 계산 결과를 비교하여 ○ 안에 >, =, <를 알맞게 써넣으세요.

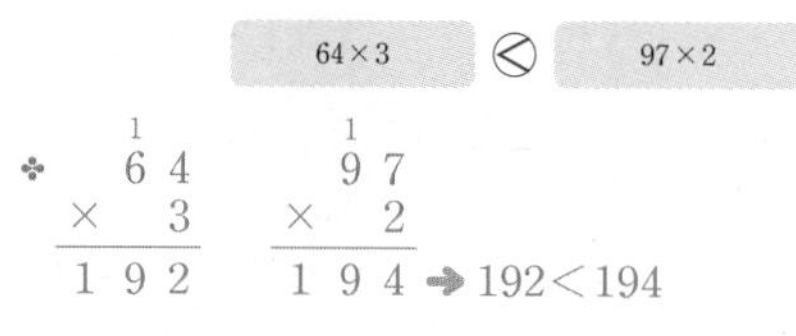

✤ $\begin{array}{r} {}^{1}\ \ \\ 6\ 4 \\ \times\ \ \ 3 \\ \hline 1\ 9\ 2 \end{array}$ $\begin{array}{r} {}^{1}\ \ \\ 9\ 7 \\ \times\ \ \ 2 \\ \hline 1\ 9\ 4 \end{array} \rightarrow 192<194$

11 주호는 길이가 63 m인 공원을 5바퀴 걸었습니다. 주호가 걸은 거리는 모두 몇 m인지 구해 보세요.

(**315 m**)

✤ (주호가 걸은 거리)=(공원의 거리)×(걸은 바퀴 수)
$=63\times5$
$=315$ (m)

12 연필 1타는 12자루입니다. 선생님께서 연필 6타를 학생들에게 나누어 주려고 합니다. 나누어 줄 연필은 모두 몇 자루인지 구해 보세요.

(**72자루**)

✤ 연필 1타는 12자루이므로 연필 6타는 $12\times6=72$(자루)입니다.

13 빈칸에 알맞은 수를 써넣으세요.

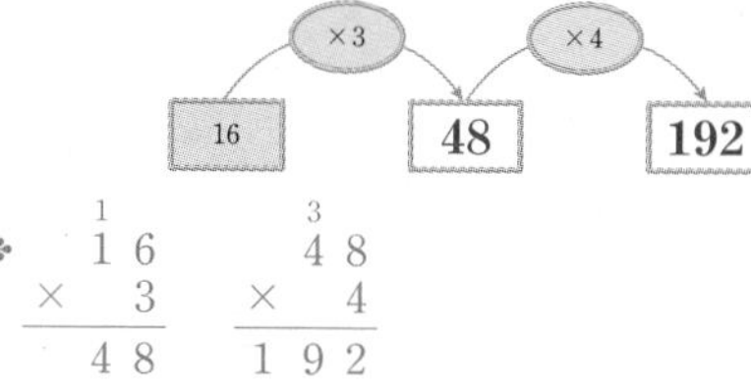

✤ $\begin{array}{r} {}^{1}\ \ \\ 1\ 6 \\ \times\ \ \ 3 \\ \hline 4\ 8 \end{array}$ $\begin{array}{r} {}^{3}\ \ \\ 4\ 8 \\ \times\ \ \ 4 \\ \hline 1\ 9\ 2 \end{array}$

14 계산 결과가 다른 하나를 찾아 기호를 써 보세요.

㉠ 35×2 ㉡ 17×5 ㉢ 10×7

(**㉡**)

✤ ㉠ $35\times2=70$ ㉡ $17\times5=85$ ㉢ $10\times7=70$
따라서 계산 결과가 다른 하나는 ㉡입니다.

114쪽 ~ 115쪽

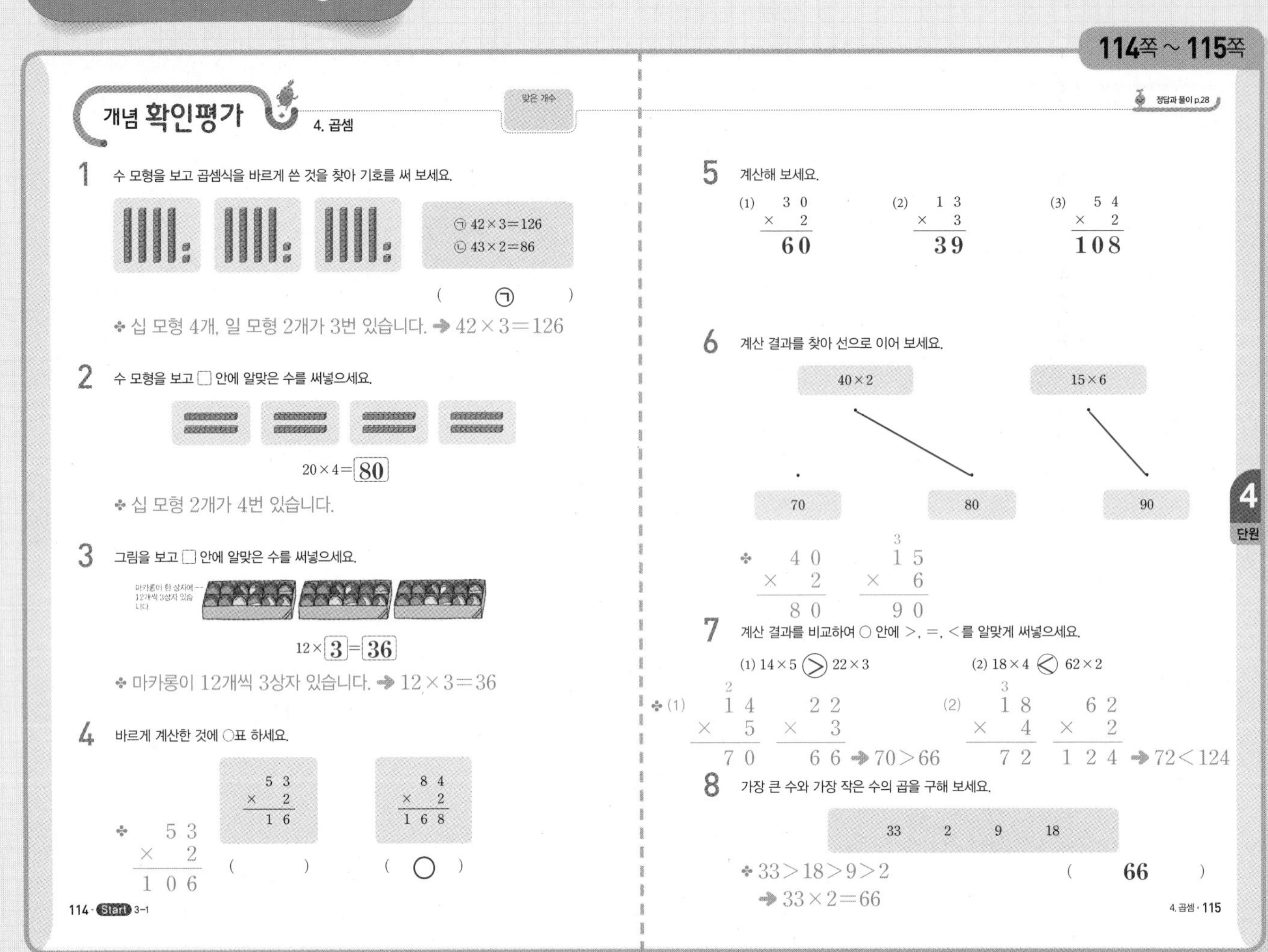

개념 확인평가 4. 곱셈

맞은 개수

정답과 풀이 p.28

1 수 모형을 보고 곱셈식을 바르게 쓴 것을 찾아 기호를 써 보세요.

㉠ $42\times3=126$
㉡ $43\times2=86$

(㉠)

✤ 십 모형 4개, 일 모형 2개가 3번 있습니다. ➔ $42\times3=126$

2 수 모형을 보고 □ 안에 알맞은 수를 써넣으세요.

$20\times4=$ [80]

✤ 십 모형 2개가 4번 있습니다.

3 그림을 보고 □ 안에 알맞은 수를 써넣으세요.

마카롱이 한 상자에 12개씩 3상자 있습니다.

$12\times$ [3] $=$ [36]

✤ 마카롱이 12개씩 3상자 있습니다. ➔ $12\times3=36$

4 바르게 계산한 것에 ○표 하세요.

$53\times2=16$ ( )

$84\times2=168$ (○)

✤ $53\times2=106$

5 계산해 보세요.

(1) $30\times2=$ **60**
(2) $13\times3=$ **39**
(3) $54\times2=$ **108**

6 계산 결과를 찾아 선으로 이어 보세요.

40×2 — 80
15×6 — 90
70

✤ $40\times2=80$, $15\times6=90$

7 계산 결과를 비교하여 ○ 안에 >, =, <를 알맞게 써넣으세요.

(1) 14×5 (>) 22×3
(2) 18×4 (<) 62×2

✤ (1) $14\times5=70$, $22\times3=66$ ➔ $70>66$
(2) $18\times4=72$, $62\times2=124$ ➔ $72<124$

8 가장 큰 수와 가장 작은 수의 곱을 구해 보세요.

33 2 9 18

(66)

✤ $33>18>9>2$
➔ $33\times2=66$

114 · Start 3-1

4. 곱셈 · 115

4 단원

116쪽

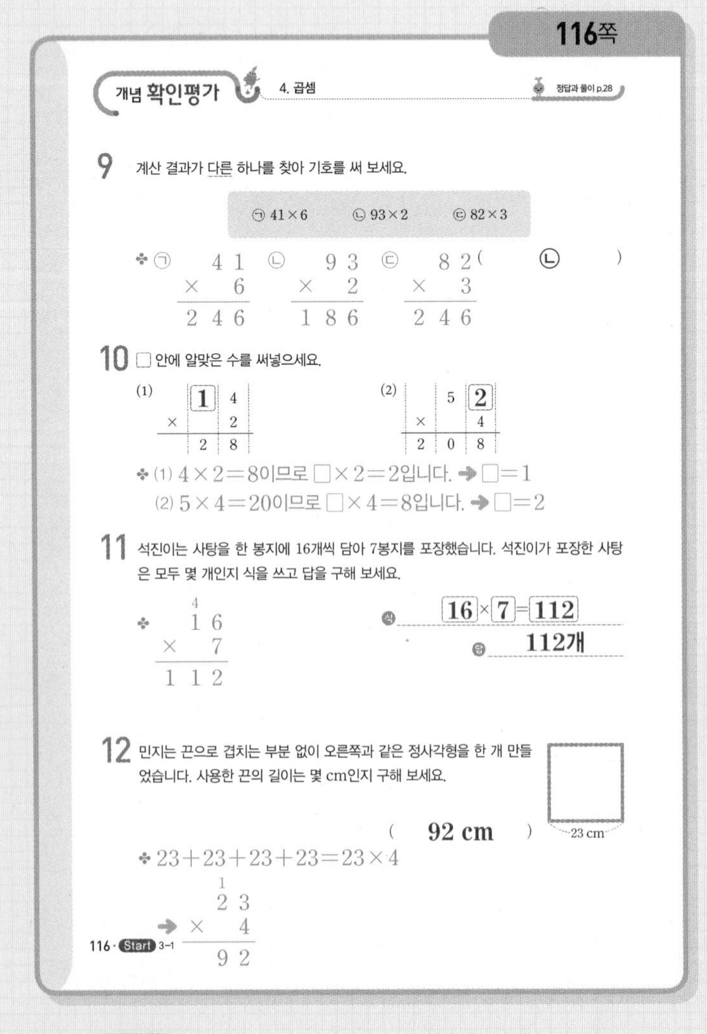

개념 확인평가 4. 곱셈

정답과 풀이 p.28

9 계산 결과가 다른 하나를 찾아 기호를 써 보세요.

㉠ 41×6 ㉡ 93×2 ㉢ 82×3

(㉡)

✤ ㉠ $41\times6=246$ ㉡ $93\times2=186$ ㉢ $82\times3=246$

10 □ 안에 알맞은 수를 써넣으세요.

(1) [1]4 × 2 = 28
(2) 5[2] × 4 = 208

✤ (1) $4\times2=8$이므로 $\square\times2=2$입니다. ➔ $\square=1$
(2) $5\times4=20$이므로 $\square\times4=8$입니다. ➔ $\square=2$

11 석진이는 사탕을 한 봉지에 16개씩 담아 7봉지를 포장했습니다. 석진이가 포장한 사탕은 모두 몇 개인지 식을 쓰고 답을 구해 보세요.

식 [16] × [7] = [112]
답 112개

✤ $16\times7=112$

12 민지는 끈으로 겹치는 부분 없이 오른쪽과 같은 정사각형을 한 개 만들었습니다. 사용한 끈의 길이는 몇 cm인지 구해 보세요.

23 cm

(92 cm)

✤ $23+23+23+23=23\times4$
➔ $23\times4=92$

116 · Start 3-1

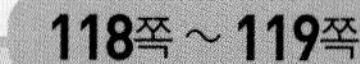

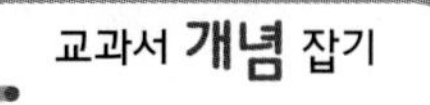

교과서 **개념** 잡기

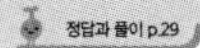

정답과 풀이 p.29

개념 ① 1 cm보다 작은 단위 알아보기

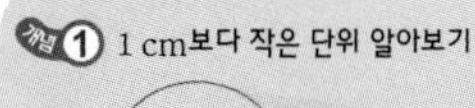

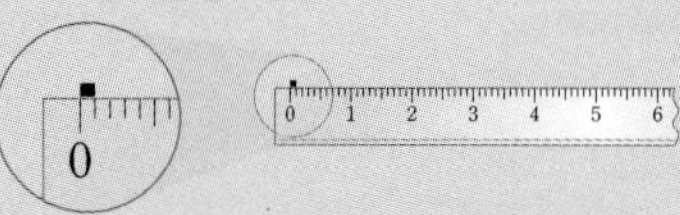

1 cm( )를 10칸으로 똑같이 나누었을 때( ) 작은 눈금 한 칸의 길이(•)를 1 mm라 쓰고 1 밀리미터라고 읽습니다.

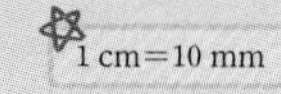

1 mm

1 cm=10 mm

23 cm보다 5 mm 더 긴 것을 23 cm 5 mm라 쓰고 23 센티미터 5 밀리미터라고 읽습니다.
23 cm 5 mm는 235 mm입니다.

23 cm 5 mm=235 mm

개념 ② 1 m보다 큰 단위 알아보기

1000 m를 1 km라 쓰고 1 킬로미터라고 읽습니다.

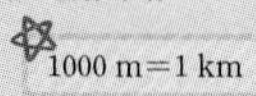

1 km

1000 m=1 km

4 km보다 500 m 더 긴 것을 4 km 500 m라 쓰고 4 킬로미터 500 미터라고 읽습니다.
4 km 500 m는 4500 m입니다.

4 km 500 m=4500 m

체크 Play

손톱의 길이, 광안대교의 길이를 재었습니다. 길이에 알맞은 사진을 찾아 붙여 보세요.

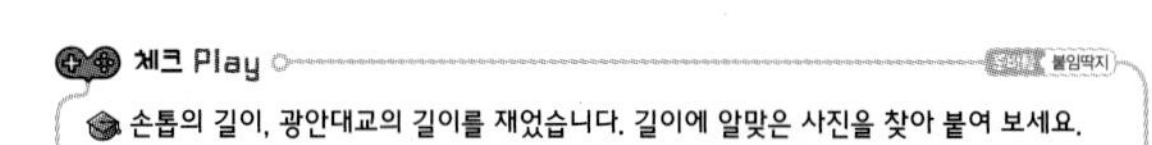

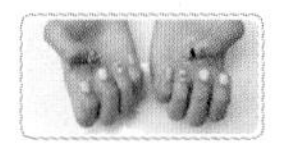

1 cm 5 mm=15 mm

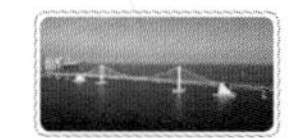

7 km 420 m=7420 m

[1~2] 주어진 길이를 쓰고 읽어 보세요.

1 3 cm 5 mm

쓰기 3 cm 5 mm
읽기 (3 센티미터 5 밀리미터)

✤ ■ cm ● mm ➔ ■ 센티미터 ● 밀리미터

2 7 km 300 m

쓰기 7 km 300 m
읽기 (7 킬로미터 300 미터)

✤ ■ km ● m ➔ ■ 킬로미터 ● 미터

[3~4] 주어진 선분의 길이를 알아보세요.

3 ➔ 5 cm 2 mm

✤ 5 cm보다 2 mm 더 긴 길이이므로 5 cm 2 mm입니다.

4 ➔ 8 cm 6 mm

✤ 8 cm보다 6 mm 더 긴 길이이므로 8 cm 6 mm입니다.

5 □ 안에 알맞은 수를 써넣으세요.

(1) 5 cm 3 mm= 53 mm (2) 76 mm= 7 cm 6 mm

(3) 4 km 620 m= 4620 m (4) 3800 m= 3 km 800 m

✤ 1 cm=10 mm, 1 km=1000 m임을 이용합니다.

교과서 **개념** 잡기

정답과 풀이 p.29

개념 ③ 길이와 거리를 어림하고 재어 보기

• 엄지손가락 너비를 기준으로 어림하기

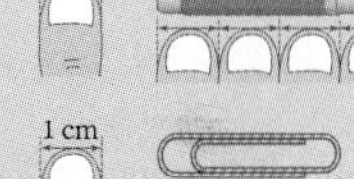

1 cm

지우개의 길이는 엄지손가락 너비의 약 4배이므로 약 4 cm입니다.

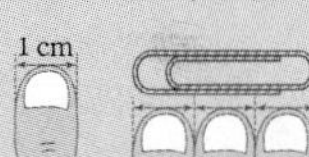

1 cm

클립의 길이는 엄지손가락 너비의 약 3배이므로 약 3 cm입니다.

• 그림지도에서 거리 어림하기

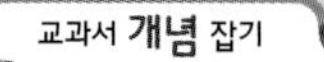

① 학교에서 우체국까지의 거리: 약 1 km
↳ 학교에서 편의점까지의 거리의 2배입니다.

② 학교에서 기차역까지의 거리: 약 2 km
↳ 학교에서 편의점까지의 거리의 4배입니다.

③ 학교에서 약 1 km 500 m 떨어진 곳에 있는 장소: 병원, 소방서
↳ 1 km 500 m는 500 m의 3배이므로 학교에서 편의점까지의 거리의 3배인 곳을 알아봅니다.

체크 Play

색연필 심의 길이, 버스의 길이, 이순신대교의 길이를 어림하였습니다. 어림한 길이에 알맞은 사진을 찾아 붙여 보세요.

약 3 mm

약 12 m

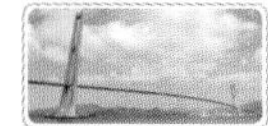

약 2 km

[1~2] 물건의 길이를 어림하고 자로 재어 보세요.

1

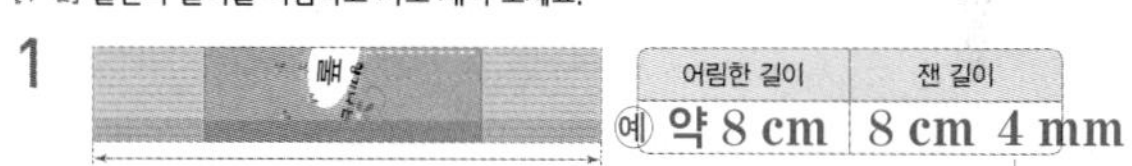

어림한 길이	잰 길이
예 약 8 cm	8 cm 4 mm

✤ 84 mm라고 써도 됩니다.

2

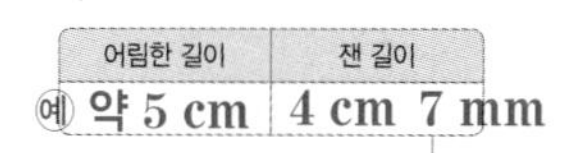

어림한 길이	잰 길이
예 약 5 cm	4 cm 7 mm

✤ 47 mm라고 써도 됩니다.

[3~4] 소희네 집에서 주변에 있는 장소까지의 거리를 어림해 보세요.

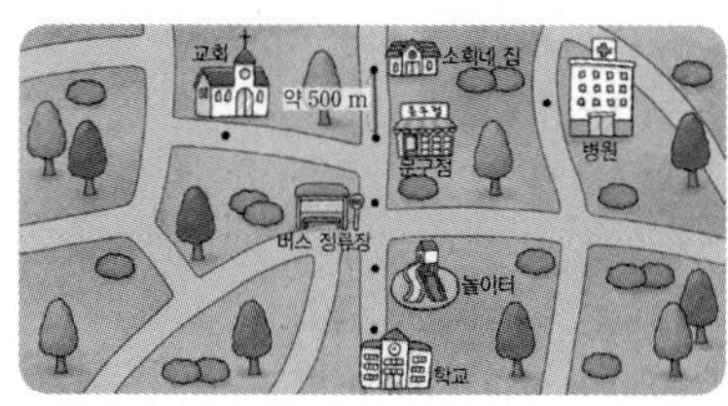

3 소희네 집에서 버스 정류장까지의 거리는 약 몇 km일까요?

약 (1 km)

✤ 소희네 집에서 문구점까지의 거리의 2배이므로 약 1000 m입니다.
➔ 약 1 km

4 소희네 집에서 약 2 km 떨어진 곳에는 어떤 장소가 있는지 어림해 보세요.

(학교)

✤ 2 km=2000 m이고 2000 m는 500 m의 4배이므로 소희네 집에서 문구점까지의 거리의 4배인 곳에 있는 것은 학교입니다.

122쪽 ~ 123쪽

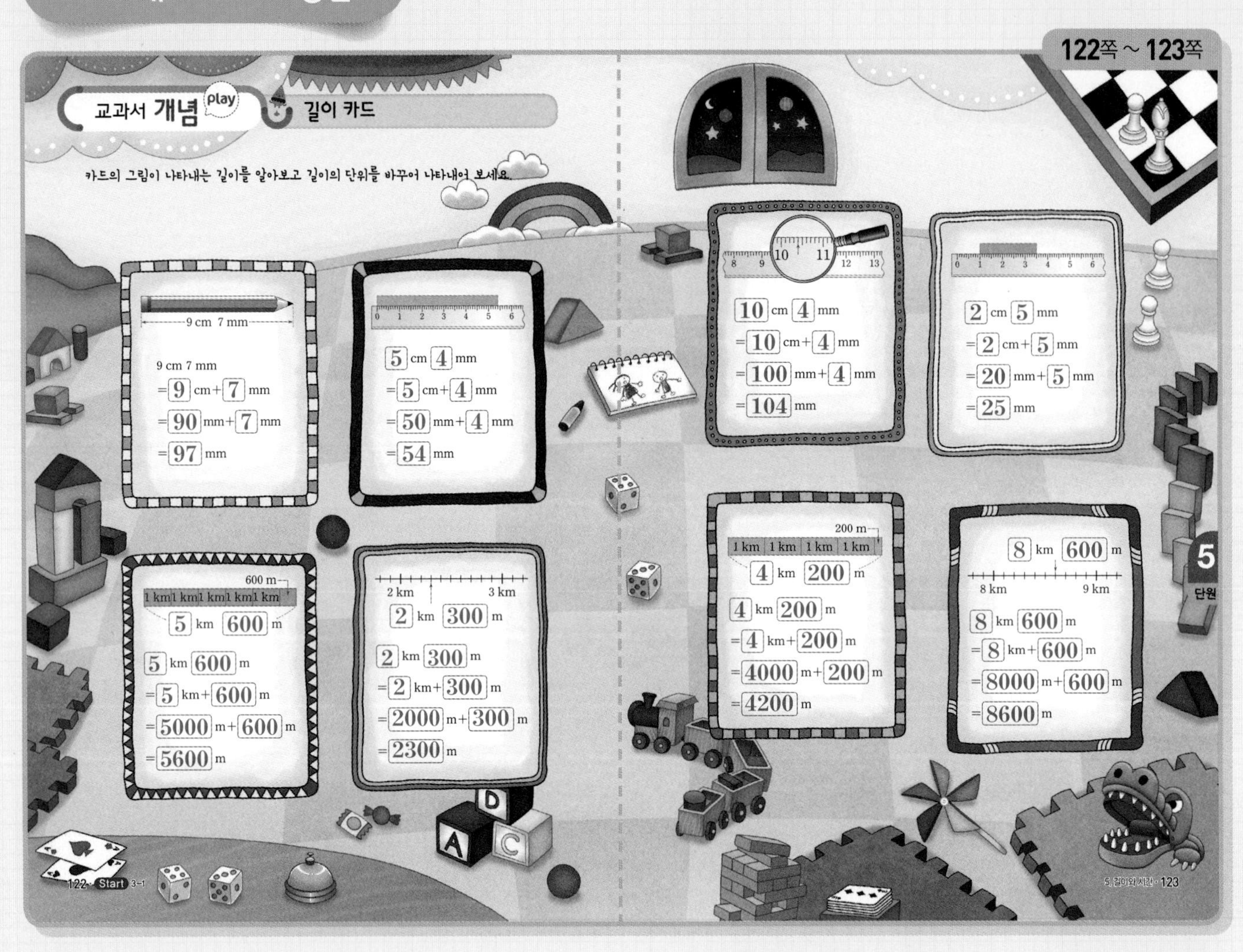

교과서 개념 play 길이 카드

카드의 그림이 나타내는 길이를 알아보고 길이의 단위를 바꾸어 나타내어 보세요.

9 cm 7 mm
= 9 cm + 7 mm
= 90 mm + 7 mm
= 97 mm

5 cm 4 mm
= 5 cm + 4 mm
= 50 mm + 4 mm
= 54 mm

10 cm 4 mm
= 10 cm + 4 mm
= 100 mm + 4 mm
= 104 mm

2 cm 5 mm
= 2 cm + 5 mm
= 20 mm + 5 mm
= 25 mm

5 km 600 m
= 5 km + 600 m
= 5000 m + 600 m
= 5600 m

2 km 300 m
= 2 km + 300 m
= 2000 m + 300 m
= 2300 m

4 km 200 m
= 4 km + 200 m
= 4000 m + 200 m
= 4200 m

8 km 600 m
= 8 km + 600 m
= 8000 m + 600 m
= 8600 m

124쪽 ~ 125쪽

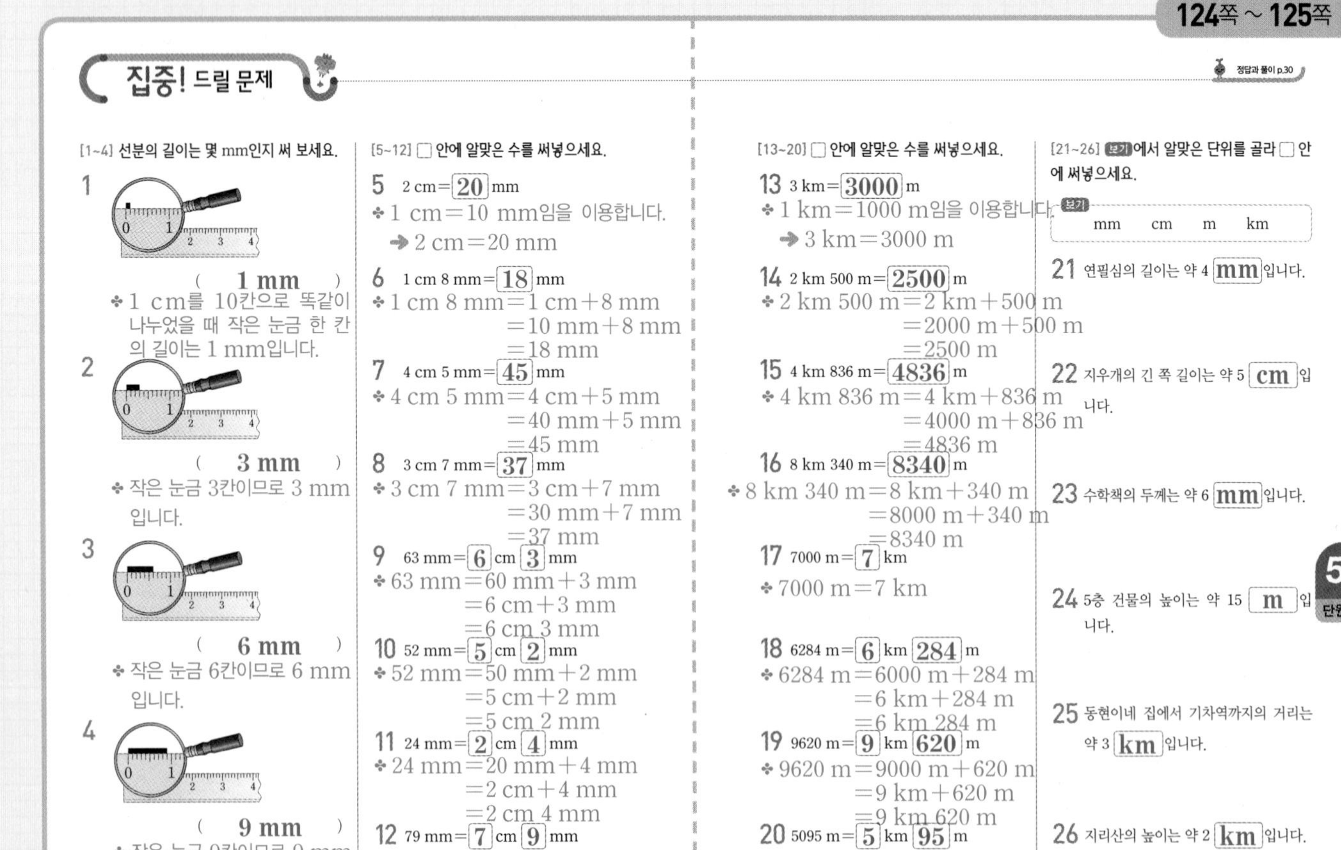

집중! 드릴 문제

정답과 풀이 p.30

[1~4] 선분의 길이는 몇 mm인지 써 보세요.

1 (1 mm)
✤ 1 cm를 10칸으로 똑같이 나누었을 때 작은 눈금 한 칸의 길이는 1 mm입니다.

2 (3 mm)
✤ 작은 눈금 3칸이므로 3 mm입니다.

3 (6 mm)
✤ 작은 눈금 6칸이므로 6 mm입니다.

4 (9 mm)
✤ 작은 눈금 9칸이므로 9 mm입니다.

[5~12] □ 안에 알맞은 수를 써넣으세요.

5 2 cm = 20 mm
✤ 1 cm = 10 mm임을 이용합니다.
➜ 2 cm = 20 mm

6 1 cm 8 mm = 18 mm
✤ 1 cm 8 mm = 1 cm + 8 mm
= 10 mm + 8 mm
= 18 mm

7 4 cm 5 mm = 45 mm
✤ 4 cm 5 mm = 4 cm + 5 mm
= 40 mm + 5 mm
= 45 mm

8 3 cm 7 mm = 37 mm
✤ 3 cm 7 mm = 3 cm + 7 mm
= 30 mm + 7 mm
= 37 mm

9 63 mm = 6 cm 3 mm
✤ 63 mm = 60 mm + 3 mm
= 6 cm + 3 mm
= 6 cm 3 mm

10 52 mm = 5 cm 2 mm
✤ 52 mm = 50 mm + 2 mm
= 5 cm + 2 mm
= 5 cm 2 mm

11 24 mm = 2 cm 4 mm
✤ 24 mm = 20 mm + 4 mm
= 2 cm + 4 mm
= 2 cm 4 mm

12 79 mm = 7 cm 9 mm
✤ 79 mm = 70 mm + 9 mm
= 7 cm + 9 mm
= 7 cm 9 mm

[13~20] □ 안에 알맞은 수를 써넣으세요.

13 3 km = 3000 m
✤ 1 km = 1000 m임을 이용합니다.
➜ 3 km = 3000 m

14 2 km 500 m = 2500 m
✤ 2 km 500 m = 2 km + 500 m
= 2000 m + 500 m
= 2500 m

15 4 km 836 m = 4836 m
✤ 4 km 836 m = 4 km + 836 m
= 4000 m + 836 m
= 4836 m

16 8 km 340 m = 8340 m
✤ 8 km 340 m = 8 km + 340 m
= 8000 m + 340 m
= 8340 m

17 7000 m = 7 km
✤ 7000 m = 7 km

18 6284 m = 6 km 284 m
✤ 6284 m = 6000 m + 284 m
= 6 km + 284 m
= 6 km 284 m

19 9620 m = 9 km 620 m
✤ 9620 m = 9000 m + 620 m
= 9 km + 620 m
= 9 km 620 m

20 5095 m = 5 km 95 m
✤ 5095 m = 5000 m + 95 m
= 5 km + 95 m
= 5 km 95 m

[21~26] 보기 에서 알맞은 단위를 골라 □ 안에 써넣으세요.

보기: mm cm m km

21 연필심의 길이는 약 4 mm입니다.

22 지우개의 긴 쪽 길이는 약 5 cm입니다.

23 수학책의 두께는 약 6 mm입니다.

24 5층 건물의 높이는 약 15 m입니다.

25 동현이네 집에서 기차역까지의 거리는 약 3 km입니다.

26 지리산의 높이는 약 2 km입니다.

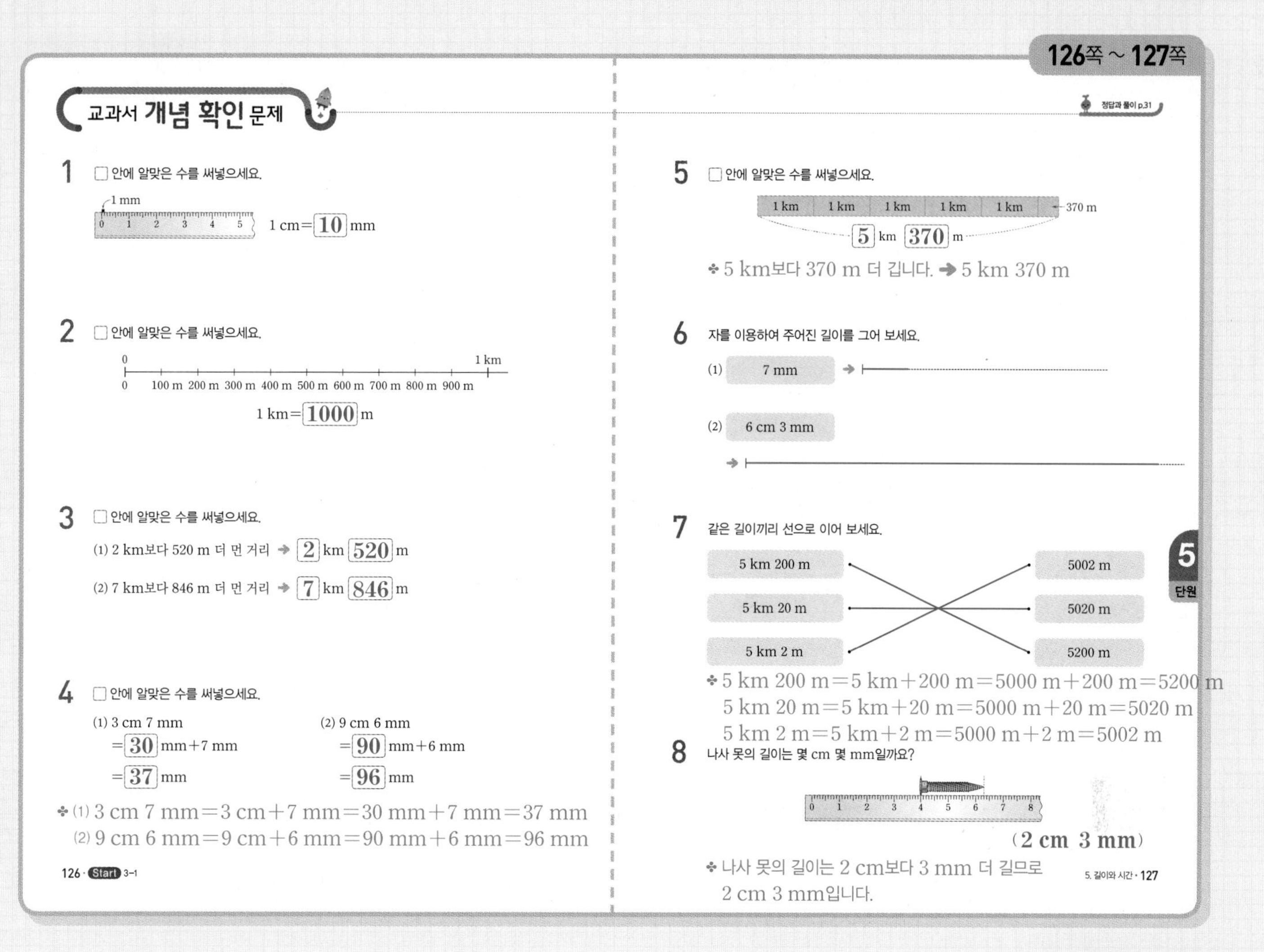

교과서 개념 확인 문제

정답과 풀이 p.31

1 □ 안에 알맞은 수를 써넣으세요.

1 mm

1 cm=[10] mm

2 □ 안에 알맞은 수를 써넣으세요.

0, 100 m, 200 m, 300 m, 400 m, 500 m, 600 m, 700 m, 800 m, 900 m, 1 km

1 km=[1000] m

3 □ 안에 알맞은 수를 써넣으세요.

(1) 2 km보다 520 m 더 먼 거리 ➔ [2] km [520] m

(2) 7 km보다 846 m 더 먼 거리 ➔ [7] km [846] m

4 □ 안에 알맞은 수를 써넣으세요.

(1) 3 cm 7 mm =[30] mm+7 mm =[37] mm

(2) 9 cm 6 mm =[90] mm+6 mm =[96] mm

✤ (1) 3 cm 7 mm=3 cm+7 mm=30 mm+7 mm=37 mm
(2) 9 cm 6 mm=9 cm+6 mm=90 mm+6 mm=96 mm

5 □ 안에 알맞은 수를 써넣으세요.

1 km, 1 km, 1 km, 1 km, 1 km, 370 m

[5] km [370] m

✤ 5 km보다 370 m 더 깁니다. ➔ 5 km 370 m

6 자를 이용하여 주어진 길이를 그어 보세요.

(1) 7 mm

(2) 6 cm 3 mm

7 같은 길이끼리 선으로 이어 보세요.

5 km 200 m — 5200 m
5 km 20 m — 5020 m
5 km 2 m — 5002 m

✤ 5 km 200 m=5 km+200 m=5000 m+200 m=5200 m
5 km 20 m=5 km+20 m=5000 m+20 m=5020 m
5 km 2 m=5 km+2 m=5000 m+2 m=5002 m

8 나사 못의 길이는 몇 cm 몇 mm일까요?

(2 cm 3 mm)

✤ 나사 못의 길이는 2 cm보다 3 mm 더 길므로 2 cm 3 mm입니다.

5 단원

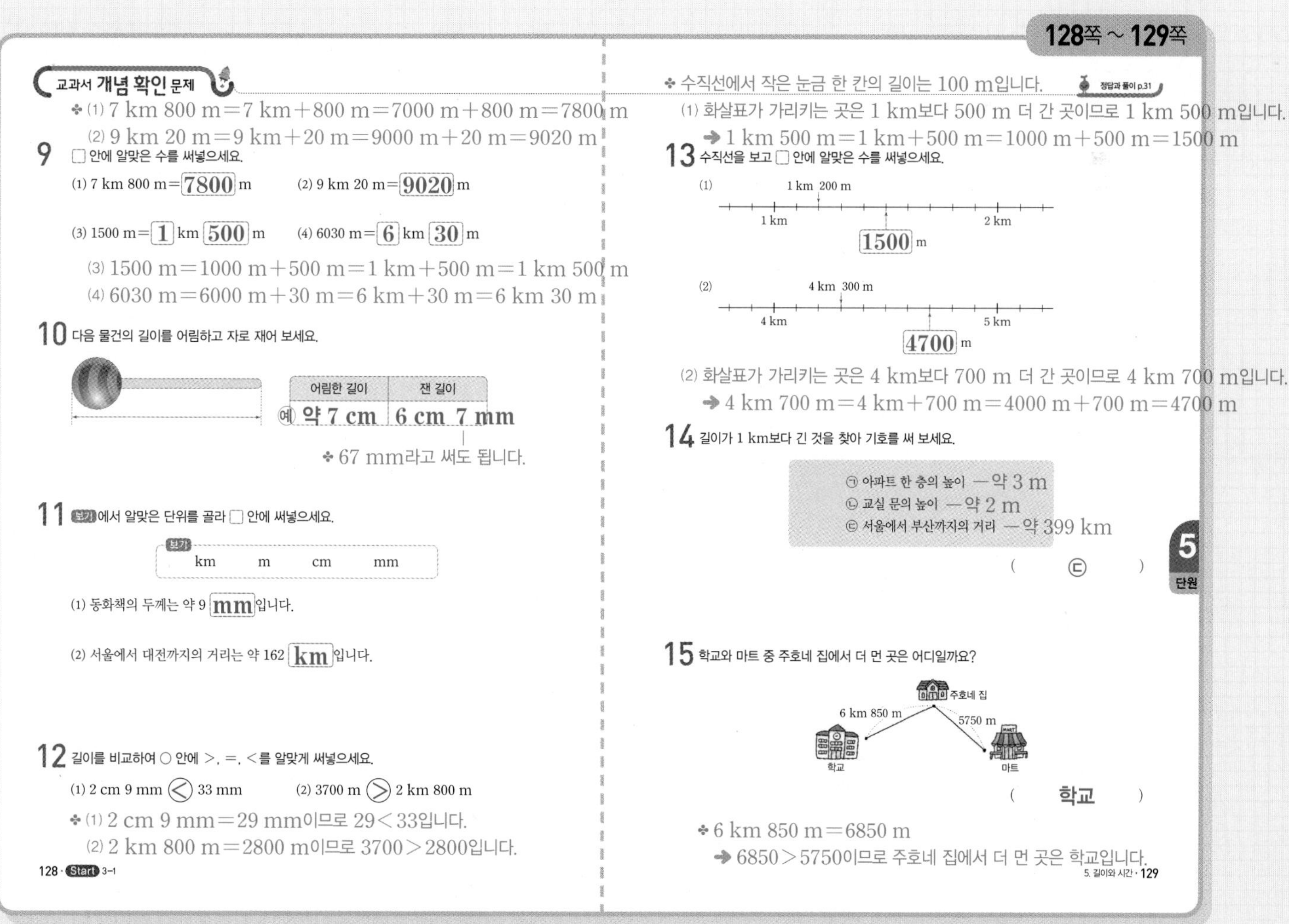

교과서 개념 확인 문제

정답과 풀이 p.31

✤ (1) 7 km 800 m=7 km+800 m=7000 m+800 m=7800 m
(2) 9 km 20 m=9 km+20 m=9000 m+20 m=9020 m

9 □ 안에 알맞은 수를 써넣으세요.

(1) 7 km 800 m=[7800] m

(2) 9 km 20 m=[9020] m

(3) 1500 m=[1] km [500] m

(4) 6030 m=[6] km [30] m

(3) 1500 m=1000 m+500 m=1 km+500 m=1 km 500 m
(4) 6030 m=6000 m+30 m=6 km+30 m=6 km 30 m

10 다음 물건의 길이를 어림하고 자로 재어 보세요.

어림한 길이	잰 길이
예 약 7 cm	6 cm 7 mm

✤ 67 mm라고 써도 됩니다.

11 보기에서 알맞은 단위를 골라 □ 안에 써넣으세요.

보기: km m cm mm

(1) 동화책의 두께는 약 9 [mm]입니다.

(2) 서울에서 대전까지의 거리는 약 162 [km]입니다.

12 길이를 비교하여 ○ 안에 >, =, <를 알맞게 써넣으세요.

(1) 2 cm 9 mm (<) 33 mm

(2) 3700 m (>) 2 km 800 m

✤ (1) 2 cm 9 mm=29 mm이므로 29<33입니다.
(2) 2 km 800 m=2800 m이므로 3700>2800입니다.

✤ 수직선에서 작은 눈금 한 칸의 길이는 100 m입니다.
(1) 화살표가 가리키는 곳은 1 km보다 500 m 더 간 곳이므로 1 km 500 m입니다.
➔ 1 km 500 m=1 km+500 m=1000 m+500 m=1500 m

13 수직선을 보고 □ 안에 알맞은 수를 써넣으세요.

(1) 1 km 200 m, 1 km, 2 km

[1500] m

(2) 4 km 300 m, 4 km, 5 km

[4700] m

(2) 화살표가 가리키는 곳은 4 km보다 700 m 더 간 곳이므로 4 km 700 m입니다.
➔ 4 km 700 m=4 km+700 m=4000 m+700 m=4700 m

14 길이가 1 km보다 긴 것을 찾아 기호를 써 보세요.

㉠ 아파트 한 층의 높이 — 약 3 m
㉡ 교실 문의 높이 — 약 2 m
㉢ 서울에서 부산까지의 거리 — 약 399 km

(㉢)

15 학교와 마트 중 주호네 집에서 더 먼 곳은 어디일까요?

(학교)

✤ 6 km 850 m=6850 m
➔ 6850>5750이므로 주호네 집에서 더 먼 곳은 학교입니다.

5 단원

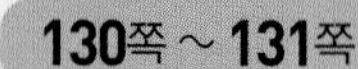

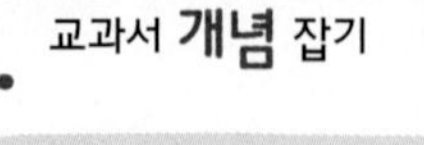

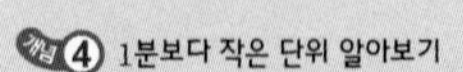

초바늘이 작은 눈금 한 칸을 가는 동안 걸리는 시간을 1초라고 합니다.

작은 눈금 한 칸=1초

초바늘이 시계를 한 바퀴 도는 데 걸리는 시간은 60초입니다.

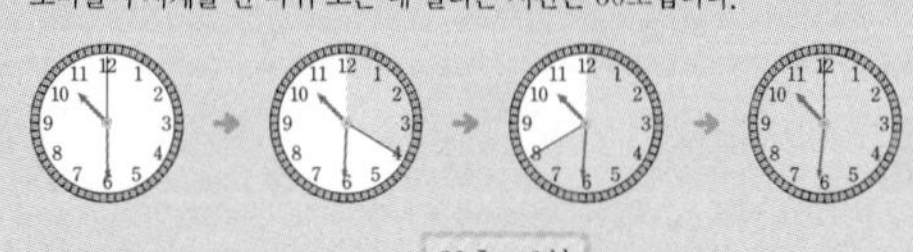

60초=1분

• 시각 읽기

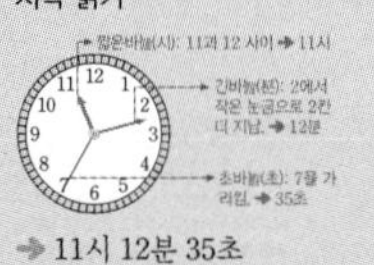

→ 11시 12분 35초

초바늘이 가리키는 숫자와 나타내는 시각

가리키는 숫자	1	2	3	4	5	6	7	8	9	10	11
나타내는 시각(초)	5	10	15	20	25	30	35	40	45	50	55

체크 Play 붙임딱지

다음 시각에 알맞은 시계를 찾아 붙여 보세요.

2시 20분 10초

2시 20분 25초

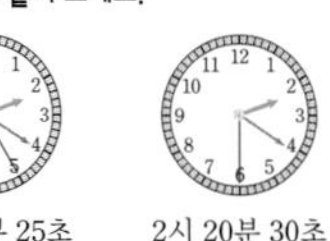

2시 20분 30초

2시 20분 45초

정답과 풀이 p.32

1 초바늘이 시계를 한 바퀴 도는 데 걸리는 시간은 몇 초일까요?

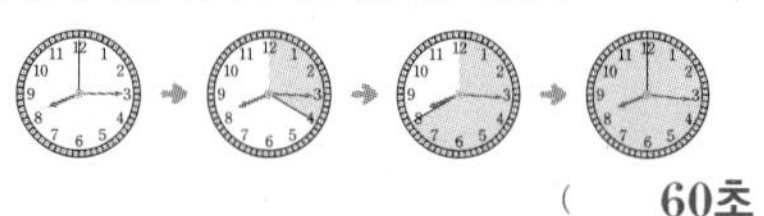

(60초)

2 1초 동안 할 수 있는 일을 모두 찾아 기호를 써 보세요.

㉠ 눈 한 번 깜빡하기 ㉡ 양치질하기
㉢ 학교 운동장 한 바퀴 뛰기 ㉣ 자리에서 일어나기

(㉠, ㉣)

✤ 1초는 "똑딱"하고 말하는 데 걸리는 시간 정도입니다.

[3~4] 시각을 읽어 보세요.

3

1시 30분 45초

4

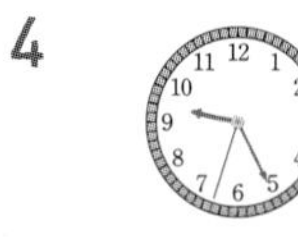

9시 25분 33초

5 같은 시간을 찾아 선으로 이어 보세요.

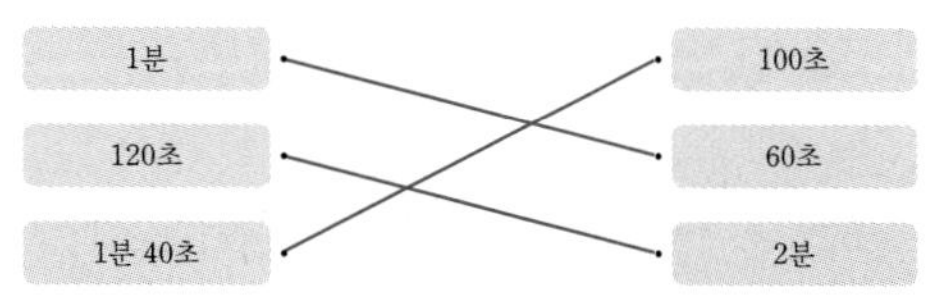

✤ 1분=60초, 120초=60초×2=2분,
1분 40초=60초+40초=100초

5 단원

교과서 **개념** 잡기

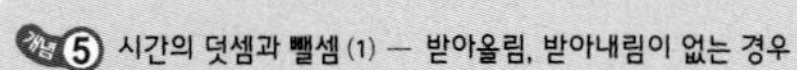

개념 5 시간의 덧셈과 뺄셈 (1) — 받아올림, 받아내림이 없는 경우

시는 시끼리, 분은 분끼리, 초는 초끼리 계산합니다.

• (시각)+(시간)=(시각)

	2시	10분	15초
+	1시간	20분	30초
	3시	30분	45초

• (시각)−(시간)=(시각)

	9시	45분	20초
−	3시간	30분	10초
	6시	15분	10초

개념 6 시간의 덧셈과 뺄셈 (2) — 받아올림, 받아내림이 있는 경우

• (시간)+(시간)=(시간)

3분 40초
+ 2분 30초
5분 70초
+1분 ← −60초
6분 10초

초끼리의 합이 70초이므로 60초를 1분으로 받아올림을 해요.

• (시간)−(시간)=(시간)

4시간 25분 10초
− 1시간 13분 40초
3시간 11분 30초

10초에서 40초를 뺄 수 없으므로 1분을 60초로 받아내림을 해요.

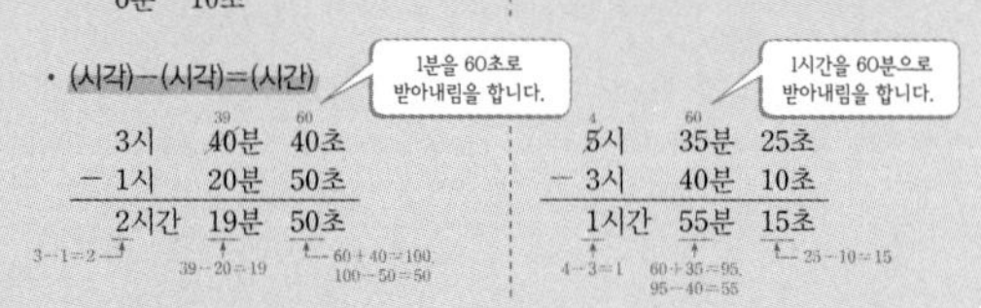

• (시각)−(시각)=(시간)

3시 40분 40초
− 1시 20분 50초
2시간 19분 50초

1분을 60초로 받아내림을 합니다.

5시 35분 25초
− 3시 40분 10초
1시간 55분 15초

1시간을 60분으로 받아내림을 합니다.

개념 OX

시간의 덧셈을 바르게 말한 친구에게 ○표 하세요.

정답과 풀이 p.32

[1~2] □ 안에 알맞은 수를 써넣으세요.

1

20 분 15 초
+ 5 분 20 초
25분 35초

2

45 분 30 초
− 20 분 10 초
25분 20초

✤ 분은 분끼리, 초는 초끼리 계산합니다.

[3~4] □ 안에 알맞은 수를 써넣으세요.

3

2 시 37 분 25 초
+ 11 분 32 초
2시 48분 57초

4

10 시 54 분 48 초
− 2 시간 30 분 25 초
8시 24분 23초

✤ (시각)+(시간)=(시각) ✤ (시각)−(시간)=(시각)

[5~6] □ 안에 알맞은 수를 써넣으세요.

5

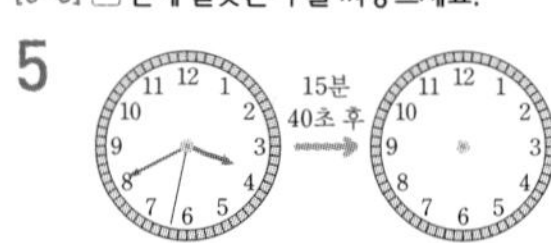

3 시 40 분 32 초
+ 15 분 40 초
3 시 55 분 72 초
+1 분 ← −60 초
3시 56분 12초

✤ 초끼리의 합이 60초이거나 60초보다 크면 60초를 1분으로 받아올림합니다.

6

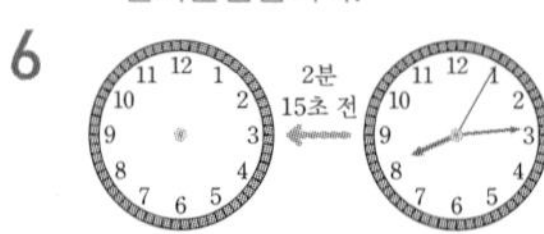

8 시 14 분 5 초
− 2 분 15 초
8시 11분 50초

✤ 초끼리 뺄 수 없으므로 1분을 60초로 받아내림합니다.

5 단원

134쪽 ~ 135쪽

교과서 개념 play 식사를 끝낸 시각 찾기

준비물 붙임딱지

숲속 동물들이 식사를 끝낸 시각은 다음과 같습니다. 시각에 알맞은 시계를 찾아 붙여 보세요.

1시 15분 5초

1시 15분 40초

12시 33분 30초

12시 33분 55초

붙임딱지를 붙이세요.

다음 시계는 숲속 동물들이 식사를 시작한 시각을 나타냅니다. 식사를 끝낸 시각에 알맞은 시계를 찾아 붙여 보세요.

우리는 30분 동안 식사를 했어. 30분 후

우리는 1시간 동안 식사를 했어. 1시간 후

우리는 25분 동안 식사를 했어. 25분 후

134 · Start 3-1

5. 길이와 시간 · 135

5 단원

136쪽 ~ 137쪽

집중! 드릴 문제

정답과 풀이 p.33

[1~4] 시각을 읽어 보세요.

1
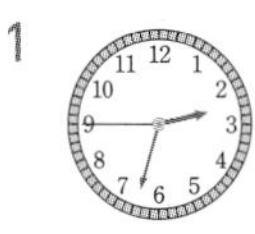
(2시 32분 45초)

2
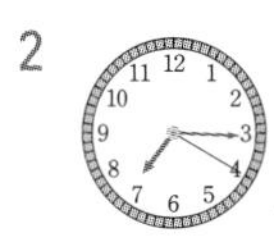
(7시 15분 20초)

3
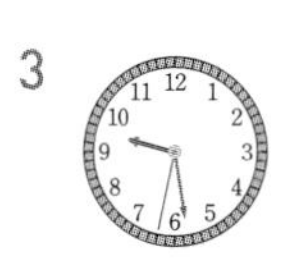
(9시 28분 32초)

4
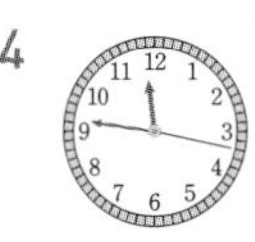
(11시 46분 17초)

[5~12] □ 안에 알맞은 수를 써넣으세요.

5 4분=240초
✤ 1분=60초임을 이용합니다.
4분=60초×4=240초

6 1분 50초=110초
✤ 1분 50초=1분+50초
=60초+50초=110초

7 2분 35초=155초
✤ 2분 35초=2분+35초
=120초+35초=155초

8 3분 24초=204초
✤ 3분 24초=3분+24초
=180초+24초=204초

9 80초=1분 20초
✤ 80초=60초+20초
=1분+20초=1분 20초

10 100초=1분 40초
✤ 100초=60초+40초
=1분+40초=1분 40초

11 170초=2분 50초
✤ 170초=120초+50초
=2분+50초=2분 50초

12 300초=5분
✤ 300초=60초×5=5분

[13~17] 시간의 덧셈을 계산해 보세요.

13 2시간 15분 20초 + 1시간 30분 10초
3시간 45분 30초
✤ (시간)+(시간)=(시간)

14 3시 42분 35초 + 2시간 14분 20초
5시 56분 55초
✤ (시각)+(시간)=(시각)

15 2시간 37분 15초 + 4시간 13분 27초
6시간 50분 42초
✤ (시간)+(시간)=(시간)

16 5시 24분 25초 + 1시간 28분 30초
6시 52분 55초
✤ (시각)+(시간)=(시각)

17 7시 32분 52초 + 3시간 13분 38초
10시 46분 30초
✤ (시각)+(시간)=(시각)

[18~22] 시간의 뺄셈을 계산해 보세요.

18 4시간 38분 40초 − 1시간 25분 30초
3시간 13분 10초
✤ (시간)−(시간)=(시간)

19 10시 56분 34초 − 3시간 42분 12초
7시 14분 22초
✤ (시각)−(시간)=(시각)

20 8시 50분 46초 − 5시 20분 28초
3시간 30분 18초
✤ (시각)−(시각)=(시간)

21 11시 55분 16초 − 7시간 44분 7초
4시 11분 9초
✤ (시각)−(시간)=(시각)

22 9시 28분 39초 − 2시 10분 54초
7시간 17분 45초
✤ (시각)−(시각)=(시간)

5 단원

정답과 풀이 p.34

1 □ 안에 알맞은 수를 써넣으세요.

(1) 

초바늘이 작은 눈금 한 칸을 지나는 데 걸리는 시간은 **1** 초입니다.

(2) 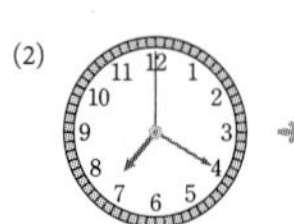 

초바늘이 시계를 한 바퀴 도는 데 걸리는 시간은 **60** 초입니다.

2 시각을 읽어 보세요.

(1) 

(**1시 30분 35초**)

(2) 

(**8시 48분 20초**)

✤ (1) 초바늘이 숫자 7을 가리키므로 35초입니다.
(2) 초바늘이 숫자 4를 가리키므로 20초입니다.

3 시각을 읽어 보세요.

(1) 2:38:55 (**2시 38분 55초**)

(2) 10:42:36 (**10시 42분 36초**)

✤ (1) 2 : 38 : 55 (시 분 초) → 2시 38분 55초
(2) 10 : 42 : 36 (시 분 초) → 10시 42분 36초

4 계산해 보세요.

(1)

	3시	13분	14초
+	2시간	25분	16초
	5시	**38분**	**30초**

(2)

	4시	30분	20초
−	1시간	15분	15초
	3시	**15분**	**5초**

✤ '시'는 '시'끼리, '분'은 '분'끼리, '초'는 '초'끼리 계산합니다.
(1) (시각)+(시간)=(시각) (2) (시각)−(시간)=(시각)

5 알맞은 시간의 단위를 골라 □ 안에 써넣으세요.

시간 분 초

(1) 양치질을 하는 시간: 3 **분**

(2) 횡단보도에서 초록색 신호등이 켜지는 시간: 20 **초**

(3) 하루에 잠을 자는 시간: 9 **시간**

6 지금 시각은 4시 45분입니다. 30분 후의 시각을 시계에 나타내어 구해 보세요.

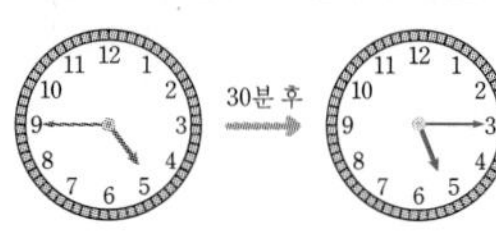

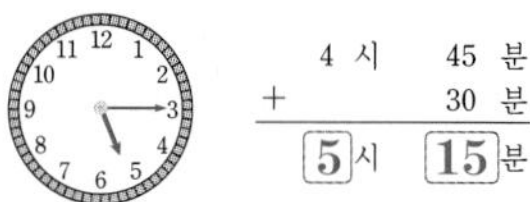

	4 시	45 분
+		30 분
	5 시	**15** 분

✤ 4시 45분에 15분을 먼저 더하면 5시이고, 15분을 더 더하면 5시 15분입니다.

교과서 **개념 확인** 문제

정답과 풀이 p.34

7 지금은 7시 10분입니다. 15분 전의 시각을 시계에 나타내어 구해 보세요.

	7 시	10 분
−		15 분
	6 시	**55** 분

✤ 7시 10분에서 10분을 먼저 빼면 7시이고, 5분을 더 빼면 6시 55분입니다.

8 시간이 더 긴 것에 ○표 하세요.

2분 10초	150초
( )	(○)

✤ 2분 10초=120초+10초=130초
→ 130<150

9 계산해 보세요.

(1)

	4시간	10분	32초
+	2시간	25분	40초
	6시간	**36분**	**12초**

(2)

	7시	38분	10초
−	4시	20분	35초
	3시간	**17분**	**35초**

✤ (1) (시간)+(시간)=(시간) (2) (시각)−(시각)=(시간)

10 지금은 9시 35분 40초입니다. 7분 15초 후의 시각을 구해 보세요.

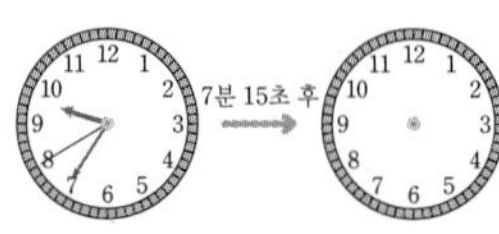

(**9시 42분 55초**)

✤

	9시	35분	40초
+		7분	15초
	3시	42분	55초

11 승주는 6분 40초 동안 줄넘기를 했습니다. 승주가 줄넘기를 한 시간은 몇 초인지 구해 보세요.

(**400초**)

✤ 6분 40초=6분+40초=360초+40초=400초

12 □ 안에 알맞은 수를 써넣으세요.

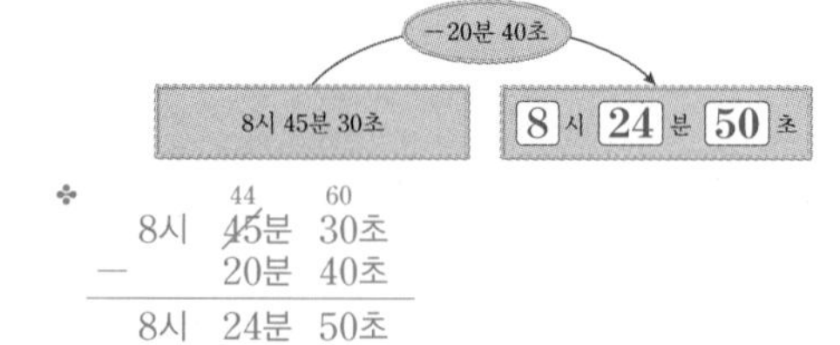

✤

		44	60
	8시	45분	30초
−		20분	40초
	8시	24분	50초

13 지금 시각은 3시 43분입니다. 지현이는 1시간 10분 동안 공부를 하려고 합니다. 지현이가 공부를 마치는 시각은 몇 시 몇 분일까요?

(**4시 53분**)

✤

	3시	43분
+	1시간	10분
	4시	53분

14 지금 시각은 9시 10분 40초입니다. 지금부터 20분 30초 전의 시각은 몇 시 몇 분 몇 초인지 구해 보세요.

(**8시 50분 10초**)

✤

	8	60	
	9시	10분	40초
−		20분	30초
	8시	50분	10초

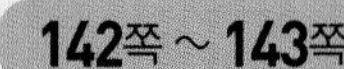

1 연필의 길이는 몇 cm 몇 mm일까요?

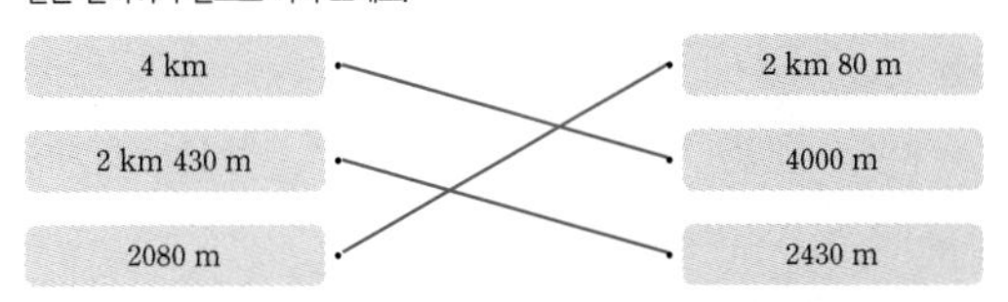

(8 cm 7 mm)

✤ 8 cm보다 7 mm 더 긴 길이이므로 8 cm 7 mm입니다.

2 □ 안에 알맞은 수를 써넣으세요.

(1) 5 cm=[50] mm (2) 3 cm 4 mm=[34] mm

(3) 76 mm=[7] cm [6] mm (4) 120 mm=[12] cm

✤ (1) 5 cm=50 mm (2) 3 cm 4 mm=30 mm+4 mm=34 mm
(3) 76 mm=70 mm+6 mm=7 cm 6 mm
(4) 120 mm=12 cm

3 같은 길이끼리 선으로 이어 보세요.

4 km	2 km 80 m
2 km 430 m	4000 m
2080 m	2430 m

✤ 1 km=1000 m임을 이용합니다.

4 시각을 읽어 보세요.

(1)

(9시 20분 35초)

(2)

(1시 47분 23초)

✤ (1) 초바늘이 숫자 7을 가리키므로 35초입니다.
(2) 초바늘이 숫자 4에서 작은 눈금 3칸을 더 갔으므로 23초입니다.

5 □ 안에 알맞은 수를 써넣으세요.

(1) 1분 10초=[70]초 (2) 3분 30초=[210]초

(3) 180초=[3]분 (4) 280초=[4]분 [40]초

✤ (1) 1분 10초=60초+10초=70초
(2) 3분 30초=180초+30초=210초
(3) 180 초=60초×3=3분
(4) 280초=240초+40초=60초×4+40초=4분 40초

6 수직선을 보고 □ 안에 알맞은 수를 써넣으세요.

3 km — 4 km

[3600] m

✤ 작은 눈금 한 칸의 길이는 100 m입니다.
3 km보다 600 m 더 긴 길이이므로 3 km 600 m입니다.
➜ 3 km 600 m=3600 m

7 계산해 보세요.

(1)
```
   5시  43분 15초
+ 1시간 11분 30초
  6시  54분 45초
```

(2)
```
  10시  35분 55초
-  3시  18분 45초
  7시간 17분 10초
```

✤ (1) (시각)+(시간)=(시각) (2) (시각)-(시각)=(시간)

8 □ 안에 cm와 mm 중 알맞은 단위를 써넣으세요.

(1) 클립의 짧은 쪽 길이는 약 8 [mm]입니다.

(2) 아버지의 키는 약 176 [cm]입니다.

(3) 동생의 발 길이는 약 210 [mm]입니다.

5 단원

개념 확인평가 5. 길이와 시간 정답과 풀이 p.35

9 지금 시각은 8시 25분입니다. 30분 전의 시각을 구해 보세요.

30분 전

(7시 55분)

✤ 8시 25분에서 30분을 빼면 7시 55분입니다.

10 보기에서 알맞은 길이를 골라 문장을 완성해 보세요.

보기: 8 km 400 m 2 m 44 cm 7 mm

(1) 동화책의 두께는 약 [7 mm]입니다.

(2) 학교에서 소방서까지의 거리는 약 [8 km 400 m]입니다.

(3) 축구 골대의 높이는 약 [2 m 44 cm]입니다.

11 시간이 긴 순서대로 기호를 써 보세요.

㉠ 65초 ㉡ 1분 30초 ㉢ 2분 ㉣ 100초

(㉢, ㉣, ㉡, ㉠)

✤ ㉡ 1분 30초=90초 ㉢ 2분=120초
➜ 120>100>90>65이므로 시간이 긴 순서대로 기호를 쓰면 ㉢, ㉣, ㉡, ㉠입니다.

12 영화가 1시 30분 35초에 시작하여 2시간 12분 20초 동안 상영되었습니다. 영화가 끝난 시각은 몇 시 몇 분 몇 초일까요?

(3시 42분 55초)

✤
```
   1시  30분 35초
+ 2시간 12분 20초
   3시  42분 55초
```


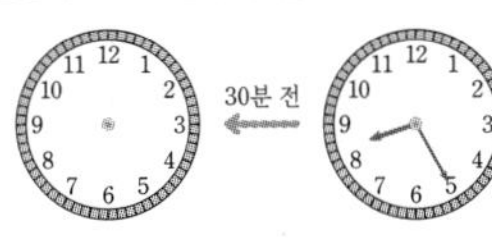

[GO! 매쓰]
여기까지 5단원 내용입니다.
다음부터는 6단원 내용이 시작합니다.

146쪽 ~ 147쪽

교과서 개념 잡기

개념 1 똑같이 나누기

〈똑같이 둘로 나누기〉 〈똑같이 셋으로 나누기〉

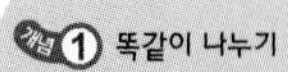

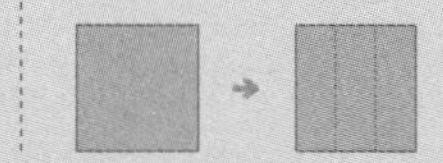

똑같이 나누어진 것은 크기와 모양이 모두 같습니다.
똑같이 나눈 도형을 서로 겹쳐 보았을 때 완전히 포개어집니다.

개념 2 분수 알아보기 (1)

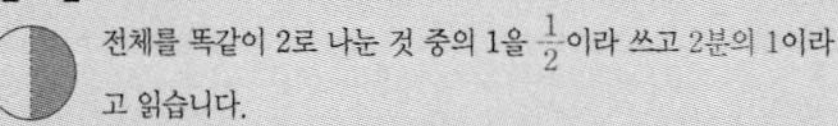
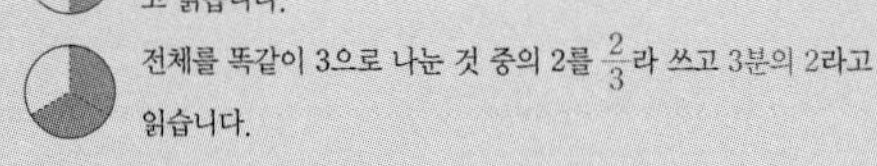

전체를 똑같이 2로 나눈 것 중의 1을 $\frac{1}{2}$이라 쓰고 2분의 1이라고 읽습니다.

전체를 똑같이 3으로 나눈 것 중의 2를 $\frac{2}{3}$라 쓰고 3분의 2라고 읽습니다.

$\frac{1}{2}$, $\frac{2}{3}$와 같은 수를 분수라고 합니다.

$\frac{1}{2}$ ← 분자, ← 분모 $\frac{2}{3}$ ← 분자, ← 분모

개념 OX

도형을 똑같이 나눈 친구를 찾아 ○표 하세요.

정답과 풀이 p.36

1 똑같이 나누어진 도형을 모두 찾아 기호를 써 보세요.

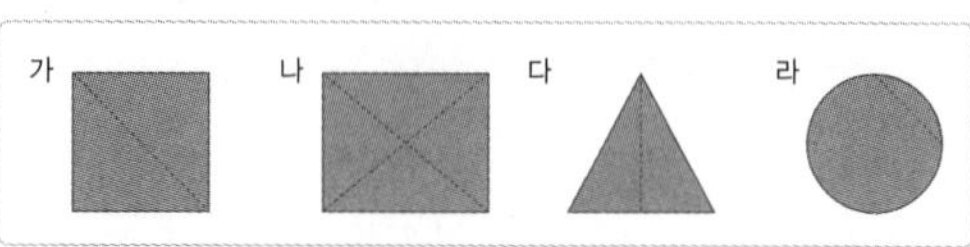

(가, 다)

❖ 나누어진 부분의 크기와 모양이 모두 같은 도형은 가, 다입니다.

2 크기가 같은 조각이 몇 개 있는지 알아보세요.

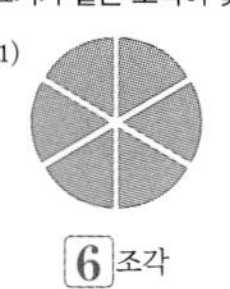
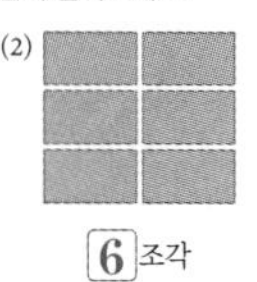
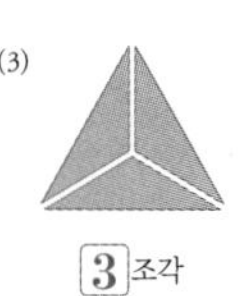

(1) 6 조각 (2) 6 조각 (3) 3 조각

3 □ 안에 알맞은 수를 써넣으세요.

(1) → 부분 은 전체 를 똑같이 4로 나눈 것 중의 1입니다.

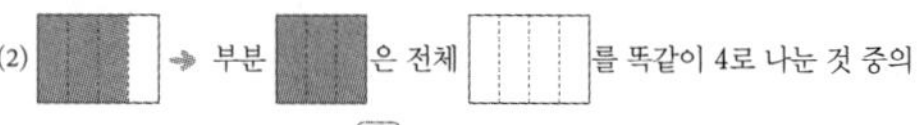

(2) → 부분 은 전체 를 똑같이 4로 나눈 것 중의 3이므로 $\frac{3}{4}$입니다.

❖ 부분과 전체의 크기를 비교해 봅니다.

4 그림을 보고 □ 안에 알맞은 수를 써넣으세요.

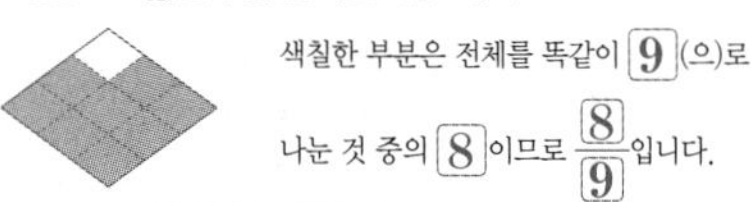

색칠한 부분은 전체를 똑같이 9(으)로 나눈 것 중의 8이므로 $\frac{8}{9}$입니다.

❖ $\frac{▲}{■}$ ← 색칠한 부분의 수, ← 전체를 똑같이 나눈 수

6 단원

148쪽 ~ 149쪽

교과서 개념 잡기

개념 3 분수 알아보기 (2)

· 전체에 대한 부분을 분수로 나타내기

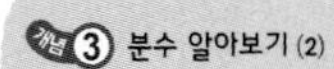
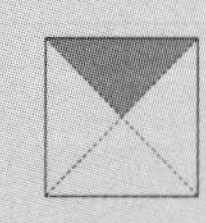

전체를 똑같이 4로 나눈 것 중 1만큼 색칠했으므로 색칠한 부분은 $\frac{1}{4}$입니다.
전체를 똑같이 4로 나눈 것 중 3만큼 색칠하지 않았으므로 색칠하지 않은 부분은 $\frac{3}{4}$입니다.

· 부분을 보고 전체 알아보기

$\frac{1}{4}$이 4개 있어야 전체 $\frac{4}{4}$(=1)가 됩니다.

개념 4 분모가 같은 분수의 크기 비교하기

· $\frac{5}{8}$와 $\frac{3}{8}$의 크기 비교하기

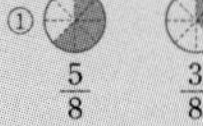

① $\frac{5}{8}$ $\frac{3}{8}$ 색칠한 부분을 비교해 보면 $\frac{5}{8}$가 $\frac{3}{8}$보다 더 큽니다.

② $\frac{5}{8}$는 $\frac{1}{8}$이 5개입니다. $\frac{3}{8}$은 $\frac{1}{8}$이 3개입니다. 5>3 → $\frac{5}{8}$는 $\frac{3}{8}$보다 더 큽니다.

개념 OX

전체의 $\frac{2}{5}$만큼 색칠한 친구를 찾아 ○표 하세요.

정답과 풀이 p.36

1 남은 부분과 먹은 부분을 분수로 나타내어 보세요.

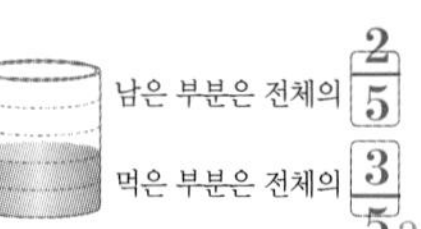

(1) 남은 부분은 전체의 $\frac{3}{4}$, 먹은 부분은 전체의 $\frac{1}{4}$
(2) 남은 부분은 전체의 $\frac{2}{5}$, 먹은 부분은 전체의 $\frac{3}{5}$

❖ (1) 전체를 똑같이 4로 나눈 것 중의 3이 남았으므로 남은 부분은 전체의 $\frac{3}{4}$입니다. 전체를 똑같이 4로 나눈 것 중의 1을 먹었으므로 먹은 부분은 전체의 $\frac{1}{4}$입니다.

2 부분을 보고 전체를 그려 보세요.

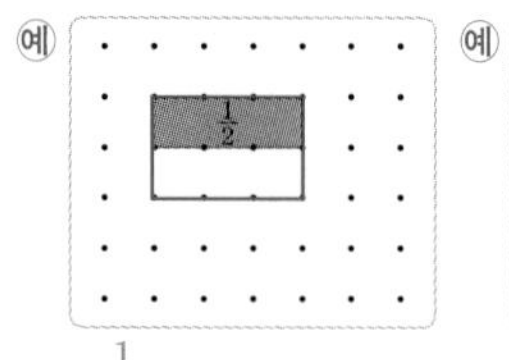

❖ $\frac{1}{2}$만큼 더 그리면 됩니다. ❖ $\frac{1}{9}$만큼 있으므로 $\frac{8}{9}$만큼을 더 그려야 합니다.

3 주어진 분수만큼 색칠하고, ○ 안에 >, =, <를 알맞게 써넣으세요.

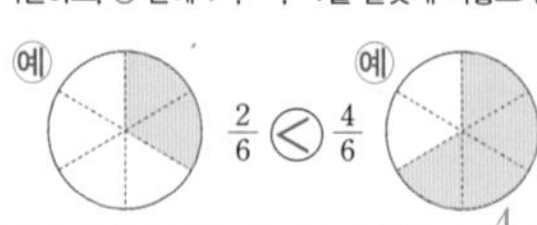

$\frac{2}{6}$ < $\frac{4}{6}$

❖ $\frac{2}{6}$는 전체를 똑같이 6으로 나눈 것 중의 2이고, $\frac{4}{6}$는 전체를 똑같이 6으로 나눈 것 중의 4입니다. 색칠한 부분을 비교해 보면 $\frac{2}{6}<\frac{4}{6}$입니다.

4 두 분수의 크기를 비교하여 ○ 안에 >, =, <를 알맞게 써넣으세요.

(1) $\frac{1}{3}$ < $\frac{2}{3}$ (2) $\frac{5}{7}$ > $\frac{2}{7}$ (3) $\frac{6}{8}$ > $\frac{5}{8}$

❖ $\frac{▲}{■}$, $\frac{●}{■}$에서 ▲>●이면 $\frac{▲}{■}>\frac{●}{■}$입니다.

6 단원

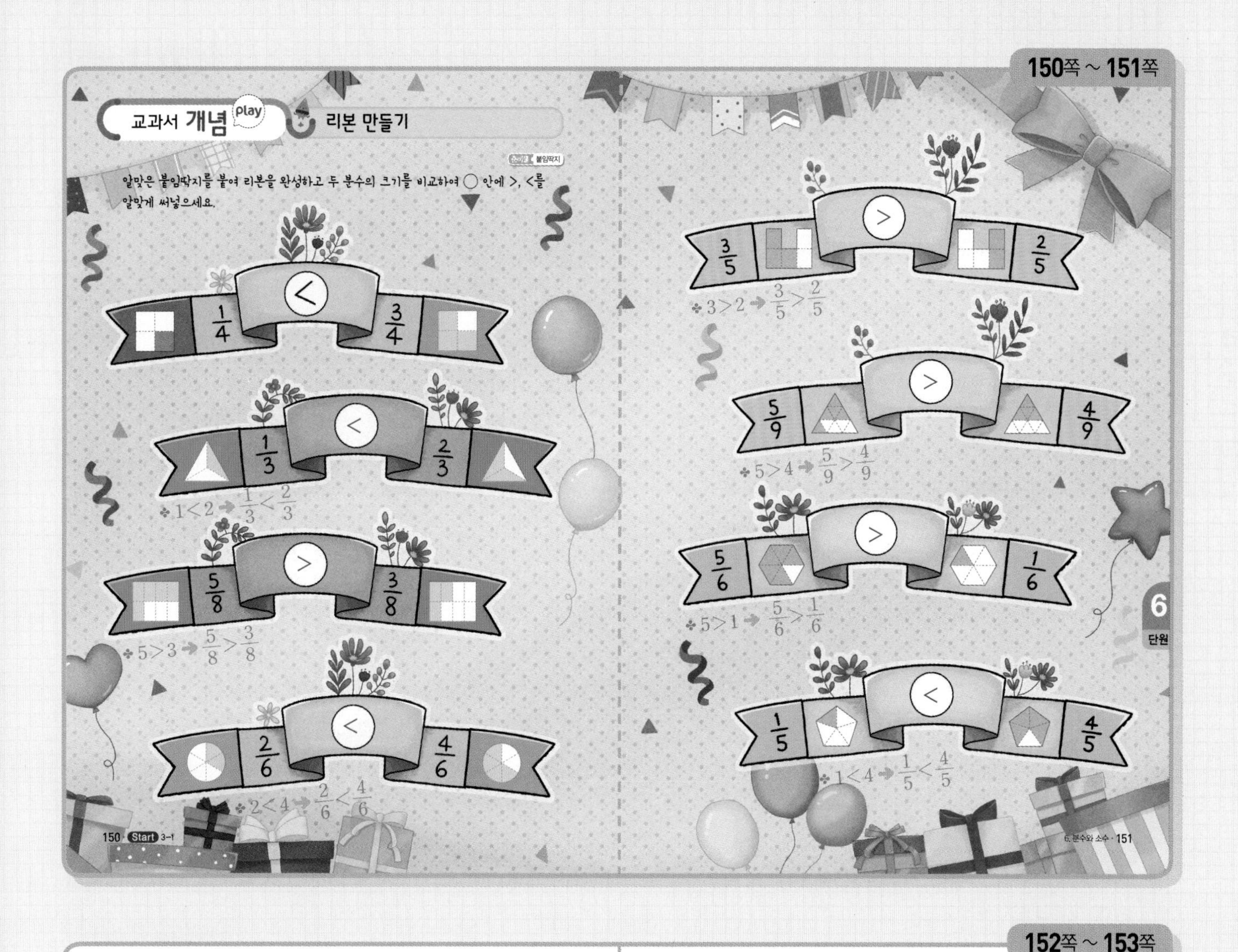

집중! 드릴 문제

정답과 풀이 p.37

[1~5] 도형을 똑같이 나누어 보세요.

1 똑같이 둘로

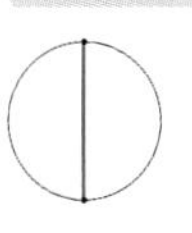

2 똑같이 셋으로

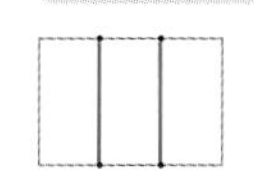

3 똑같이 셋으로

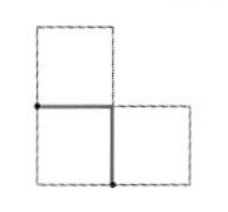

4 똑같이 넷으로

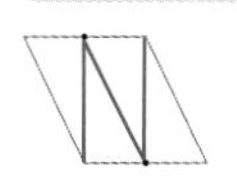

5 똑같이 다섯으로

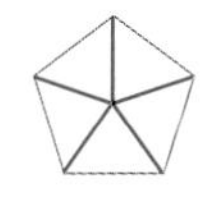

[6~10] 색칠한 부분을 분수로 쓰고 읽어 보세요.

6 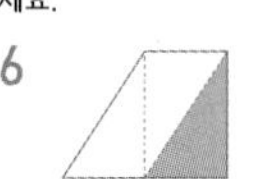 쓰기 $\frac{1}{3}$ 읽기 3분의 1

❖ 전체를 똑같이 3으로 나눈 것 중 1만큼 색칠했으므로 $\frac{1}{3}$입니다.

7  쓰기 $\frac{3}{4}$ 읽기 4분의 3

❖ 전체를 똑같이 4로 나눈 것 중 3만큼 색칠했으므로 $\frac{3}{4}$입니다.

8 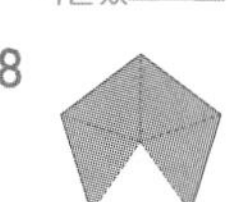 쓰기 $\frac{4}{5}$ 읽기 5분의 4

❖ 전체를 똑같이 5로 나눈 것 중 4만큼 색칠했으므로 $\frac{4}{5}$입니다.

9 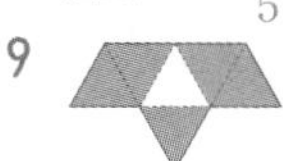 쓰기 $\frac{5}{6}$ 읽기 6분의 5

❖ 전체를 똑같이 6으로 나눈 것 중 5만큼 색칠했으므로 $\frac{5}{6}$입니다.

10 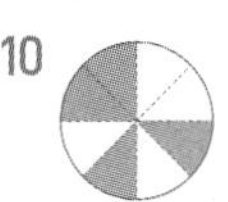 쓰기 $\frac{4}{8}$ 읽기 8분의 4

❖ 전체를 똑같이 8로 나눈 것 중 4만큼 색칠했으므로 $\frac{4}{8}$입니다.

[11~15] 주어진 분수만큼 색칠해 보세요.

11 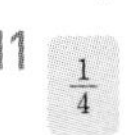 예 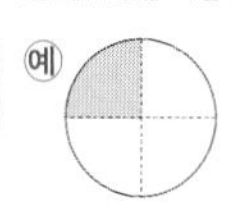

❖ 전체를 똑같이 4로 나눈 것 중 1만큼 색칠합니다.

12 $\frac{2}{3}$ 예 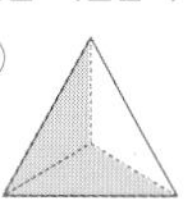

❖ 전체를 똑같이 3으로 나눈 것 중 2만큼 색칠합니다.

13 $\frac{3}{5}$ 예 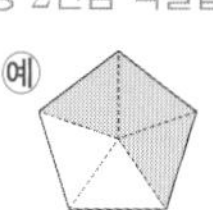

❖ 전체를 똑같이 5로 나눈 것 중 3만큼 색칠합니다.

14 $\frac{4}{6}$ 예 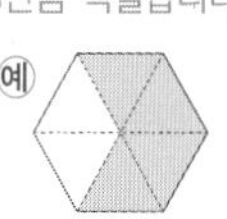

❖ 전체를 똑같이 6으로 나눈 것 중 4만큼 색칠합니다.

15 $\frac{2}{5}$ 예 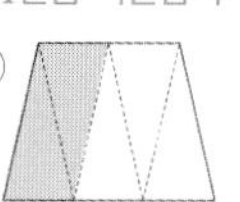

❖ 전체를 똑같이 5로 나눈 것 중 2만큼 색칠합니다.

[16~22] 두 분수의 크기를 비교하여 ○ 안에 >, =, <를 알맞게 써넣으세요.

16 $\frac{1}{5}$ ⓛ $\frac{3}{5}$

❖ 1 < 3이므로 $\frac{1}{5} < \frac{3}{5}$입니다.

17 $\frac{3}{7}$ ⓖ $\frac{2}{7}$

❖ 3 > 2이므로 $\frac{3}{7} > \frac{2}{7}$입니다.

18 $\frac{2}{6}$ ⓛ $\frac{5}{6}$

❖ 2 < 5이므로 $\frac{2}{6} < \frac{5}{6}$입니다.

19 $\frac{8}{9}$ ⓖ $\frac{7}{9}$

❖ 8 > 7이므로 $\frac{8}{9} > \frac{7}{9}$입니다.

20 $\frac{3}{10}$ ⓛ $\frac{5}{10}$

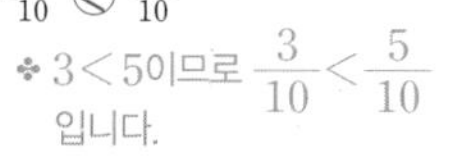

❖ 3 < 5이므로 $\frac{3}{10} < \frac{5}{10}$입니다.

21 $\frac{2}{8}$ ⓛ $\frac{5}{8}$

❖ 2 < 5이므로 $\frac{2}{8} < \frac{5}{8}$입니다.

22 $\frac{3}{4}$ ⓖ $\frac{2}{4}$

❖ 3 > 2이므로 $\frac{3}{4} > \frac{2}{4}$입니다.

6 단원

교과서 개념 확인 문제

정답과 풀이 p.38

1 크기가 같은 조각이 몇 개 있는지 □ 안에 알맞은 수를 써넣으세요.

(1) 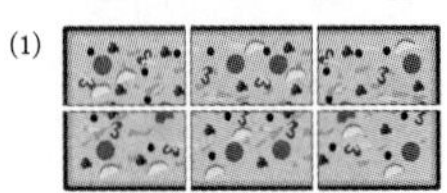 [6]조각

(2) 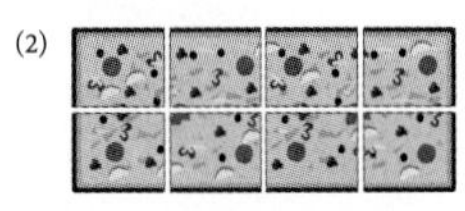 [8]조각

✤ (1) 똑같이 6조각으로 나눈 것입니다.
(2) 똑같이 8조각으로 나눈 것입니다.

2 분수를 읽어 보세요.

(1) $\frac{2}{5}$ → (5분의 2) (2) $\frac{3}{7}$ → (7분의 3)

(3) $\frac{5}{10}$ → (10분의 5) (4) $\frac{4}{9}$ → (9분의 4)

✤ 분모를 먼저 읽고, 분자를 나중에 읽습니다.
(1) $\frac{2}{5}$ → 5분의 2 (2) $\frac{3}{7}$ → 7분의 3 (3) $\frac{5}{10}$ → 10분의 5 (4) $\frac{4}{9}$ → 9분의 4

3 똑같이 나누어진 도형을 모두 찾아 기호를 써 보세요.

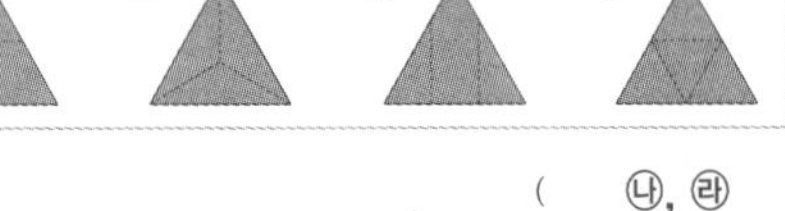

(㉯, ㉱)

✤ ㉯: 똑같이 셋으로 나누어진 도형입니다.
㉱: 똑같이 넷으로 나누어진 도형입니다.

4 도형을 똑같이 넷으로 나누어 보세요.

(1) 예 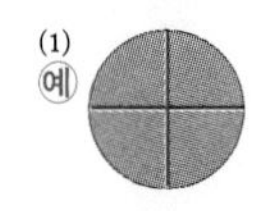 (2) 예 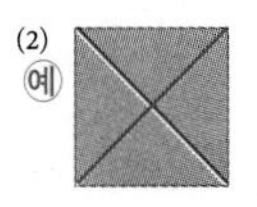

✤ (1) ⊗, ◯ 등으로도 나눌 수 있습니다.
(2) ▦, ▥ 등으로도 나눌 수 있습니다.

5 그림을 보고 □ 안에 알맞은 수를 써넣으세요.

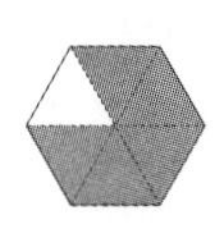

색칠한 부분은 전체를 똑같이 [6](으)로 나눈 것 중의 [5]이므로 $\frac{5}{6}$(이)라 쓰고 [6]분의 [5](이)라고 읽습니다.

✤ $\frac{5}{6}$ → 6분의 5

6 색칠한 부분과 색칠하지 않은 부분을 분수로 나타내어 보세요.

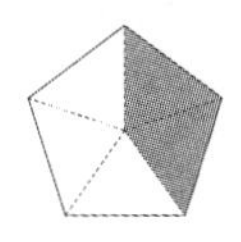

색칠한 부분: $\frac{2}{5}$
색칠하지 않은 부분: $\frac{3}{5}$

✤ 색칠한 부분은 전체를 똑같이 5로 나눈 것 중의 2이므로 $\frac{2}{5}$입니다.
색칠하지 않은 부분은 전체를 똑같이 5로 나눈 것 중의 3이므로 $\frac{3}{5}$입니다.

교과서 개념 확인 문제

정답과 풀이 p.38

7 색칠한 부분을 분수로 나타내어 보세요.

(1) 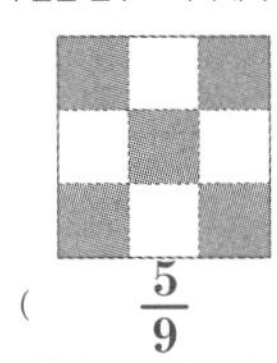 ($\frac{5}{9}$) (2) 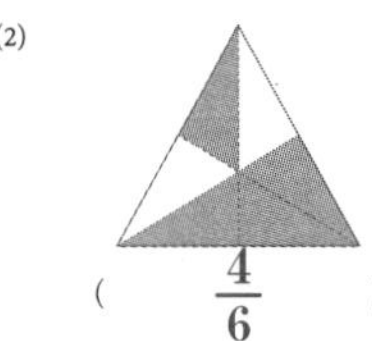 ($\frac{4}{6}$)

✤ (1) 색칠한 부분은 전체를 똑같이 9로 나눈 것 중의 5이므로 $\frac{5}{9}$입니다.
(2) 색칠한 부분은 전체를 똑같이 6으로 나눈 것 중의 4이므로 $\frac{4}{6}$입니다.

8 주어진 분수만큼 색칠해 보세요.

(1) $\frac{5}{8}$ 예 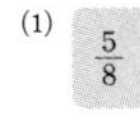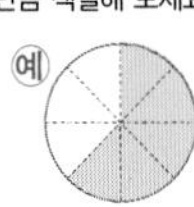 (2) $\frac{7}{10}$ 예 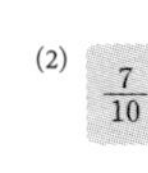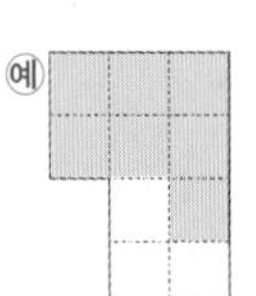

✤ (1) 전체를 똑같이 8칸으로 나눈 것 중의 5칸을 색칠합니다.
(2) 전체를 똑같이 10칸으로 나눈 것 중의 7칸을 색칠합니다.

9 주어진 분수만큼 색칠하고, ○ 안에 >, =, <를 알맞게 써넣으세요.

예 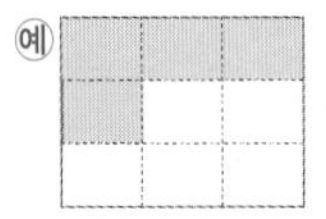 $\frac{4}{9}$ ⓒ< $\frac{5}{9}$ 예

✤ 전체를 똑같이 9로 나누었으므로 $\frac{4}{9}$는 4칸, $\frac{5}{9}$는 5칸만큼 색칠합니다.
→ 색칠한 부분을 비교하면 $\frac{4}{9} < \frac{5}{9}$입니다.

10 □ 안에 알맞은 수를 써넣고, ○ 안에 >, =, <를 알맞게 써넣으세요.

$\frac{3}{7}$은 $\frac{1}{7}$이 [3]개이고, $\frac{2}{7}$는 $\frac{1}{7}$이 [2]개이므로 $\frac{3}{7} > \frac{2}{7}$입니다.

✤ ■ > ▲이면 $\frac{■}{●} > \frac{▲}{●}$입니다.

11 부분을 보고 전체를 그려 보세요.

예 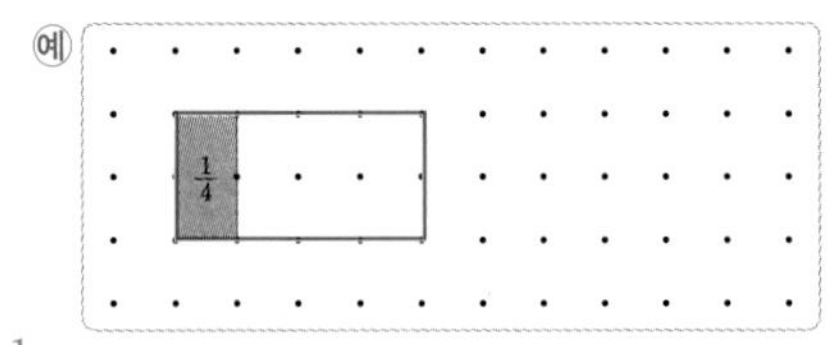

✤ $\frac{1}{4}$은 전체를 똑같이 4로 나눈 것 중의 1입니다.
따라서 전체는 $\frac{1}{4}$이 4개인 모양을 그려야 합니다.

12 두 분수의 크기를 비교하여 ○ 안에 >, =, <를 알맞게 써넣으세요.

(1) $\frac{1}{6} < \frac{5}{6}$ (2) $\frac{7}{11} > \frac{5}{11}$

(3) $\frac{4}{5} > \frac{1}{5}$ (4) $\frac{2}{9} < \frac{3}{9}$

✤ 분모가 같은 분수는 분자가 클수록 더 큰 분수입니다.
(1) $1<5$ → $\frac{1}{6} < \frac{5}{6}$ (2) $7>5$ → $\frac{7}{11} > \frac{5}{11}$
(3) $4>1$ → $\frac{4}{5} > \frac{1}{5}$ (4) $2<3$ → $\frac{2}{9} < \frac{3}{9}$

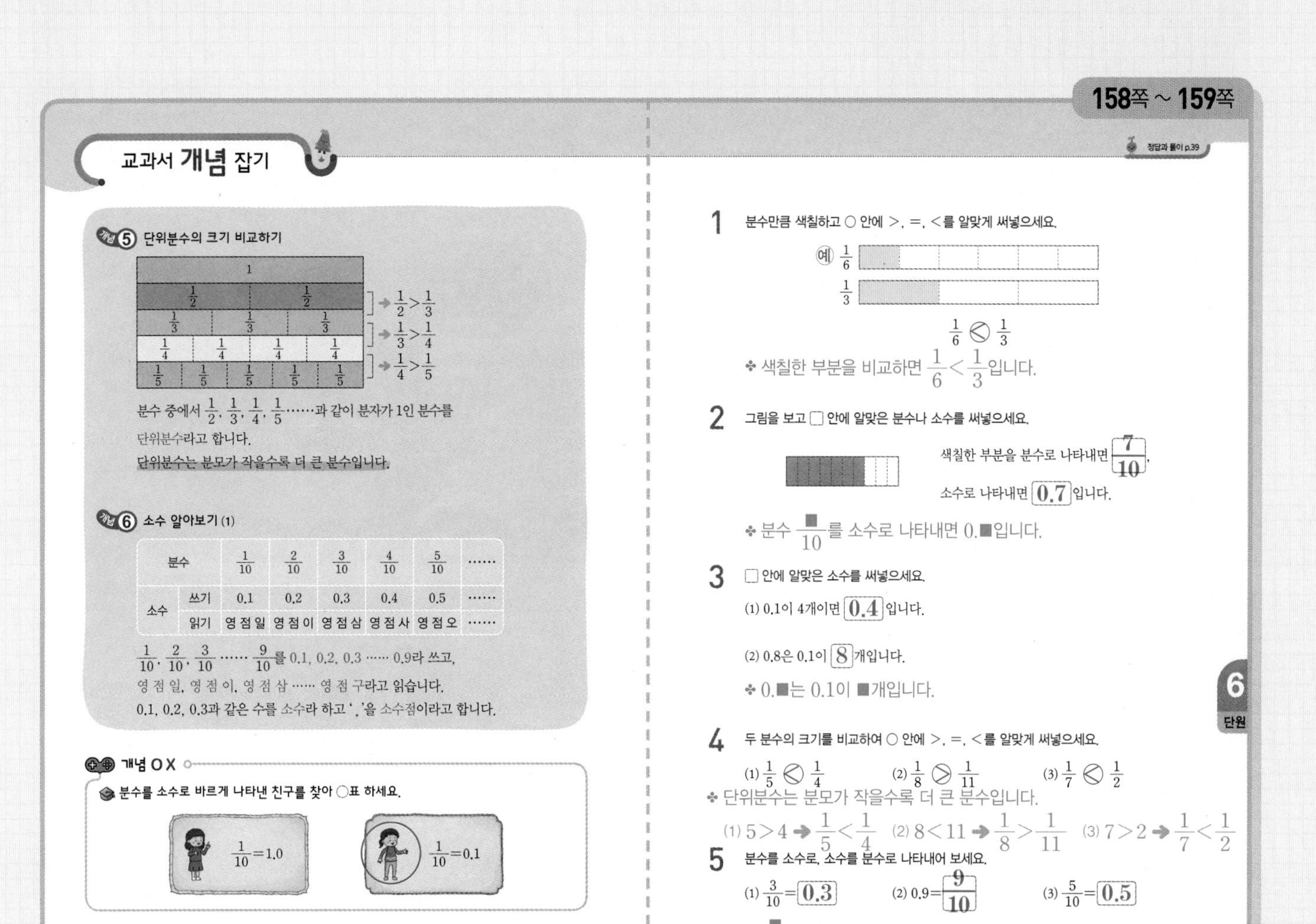

158쪽 ~ 159쪽

정답과 풀이 p.39

교과서 개념 잡기

개념 5 단위분수의 크기 비교하기

$\frac{1}{2} > \frac{1}{3}$, $\frac{1}{3} > \frac{1}{4}$, $\frac{1}{4} > \frac{1}{5}$

분수 중에서 $\frac{1}{2}, \frac{1}{3}, \frac{1}{4}, \frac{1}{5}$……과 같이 분자가 1인 분수를 단위분수라고 합니다.
단위분수는 분모가 작을수록 더 큰 분수입니다.

개념 6 소수 알아보기 (1)

분수		$\frac{1}{10}$	$\frac{2}{10}$	$\frac{3}{10}$	$\frac{4}{10}$	$\frac{5}{10}$	……
소수	쓰기	0.1	0.2	0.3	0.4	0.5	……
	읽기	영 점 일	영 점 이	영 점 삼	영 점 사	영 점 오	……

$\frac{1}{10}, \frac{2}{10}, \frac{3}{10}$ …… $\frac{9}{10}$를 0.1, 0.2, 0.3 …… 0.9라 쓰고, 영 점 일, 영 점 이, 영 점 삼 …… 영 점 구라고 읽습니다.
0.1, 0.2, 0.3과 같은 수를 소수라 하고 '.'을 소수점이라고 합니다.

개념 O X

분수를 소수로 바르게 나타낸 친구를 찾아 ○표 하세요.

$\frac{1}{10}=1.0$ / $\frac{1}{10}=0.1$ (○)

158 · Start 3-1

1 분수만큼 색칠하고 ○ 안에 >, =, <를 알맞게 써넣으세요.

예 $\frac{1}{6}$, $\frac{1}{3}$

$\frac{1}{6}$ (<) $\frac{1}{3}$

✤ 색칠한 부분을 비교하면 $\frac{1}{6} < \frac{1}{3}$입니다.

2 그림을 보고 □ 안에 알맞은 분수나 소수를 써넣으세요.

색칠한 부분을 분수로 나타내면 $\frac{7}{10}$, 소수로 나타내면 0.7입니다.

✤ 분수 $\frac{■}{10}$를 소수로 나타내면 0.■입니다.

3 □ 안에 알맞은 소수를 써넣으세요.

(1) 0.1이 4개이면 0.4입니다.

(2) 0.8은 0.1이 8개입니다.

✤ 0.■는 0.1이 ■개입니다.

4 두 분수의 크기를 비교하여 ○ 안에 >, =, <를 알맞게 써넣으세요.

(1) $\frac{1}{5}$ (<) $\frac{1}{4}$ (2) $\frac{1}{8}$ (>) $\frac{1}{11}$ (3) $\frac{1}{7}$ (<) $\frac{1}{2}$

✤ 단위분수는 분모가 작을수록 더 큰 분수입니다.
(1) $5>4 \rightarrow \frac{1}{5}<\frac{1}{4}$ (2) $8<11 \rightarrow \frac{1}{8}>\frac{1}{11}$ (3) $7>2 \rightarrow \frac{1}{7}<\frac{1}{2}$

5 분수를 소수로, 소수를 분수로 나타내어 보세요.

(1) $\frac{3}{10}$=0.3 (2) 0.9=$\frac{9}{10}$ (3) $\frac{5}{10}$=0.5

✤ $\frac{■}{10}$=0.■

6 단원

6. 분수와 소수 · 159

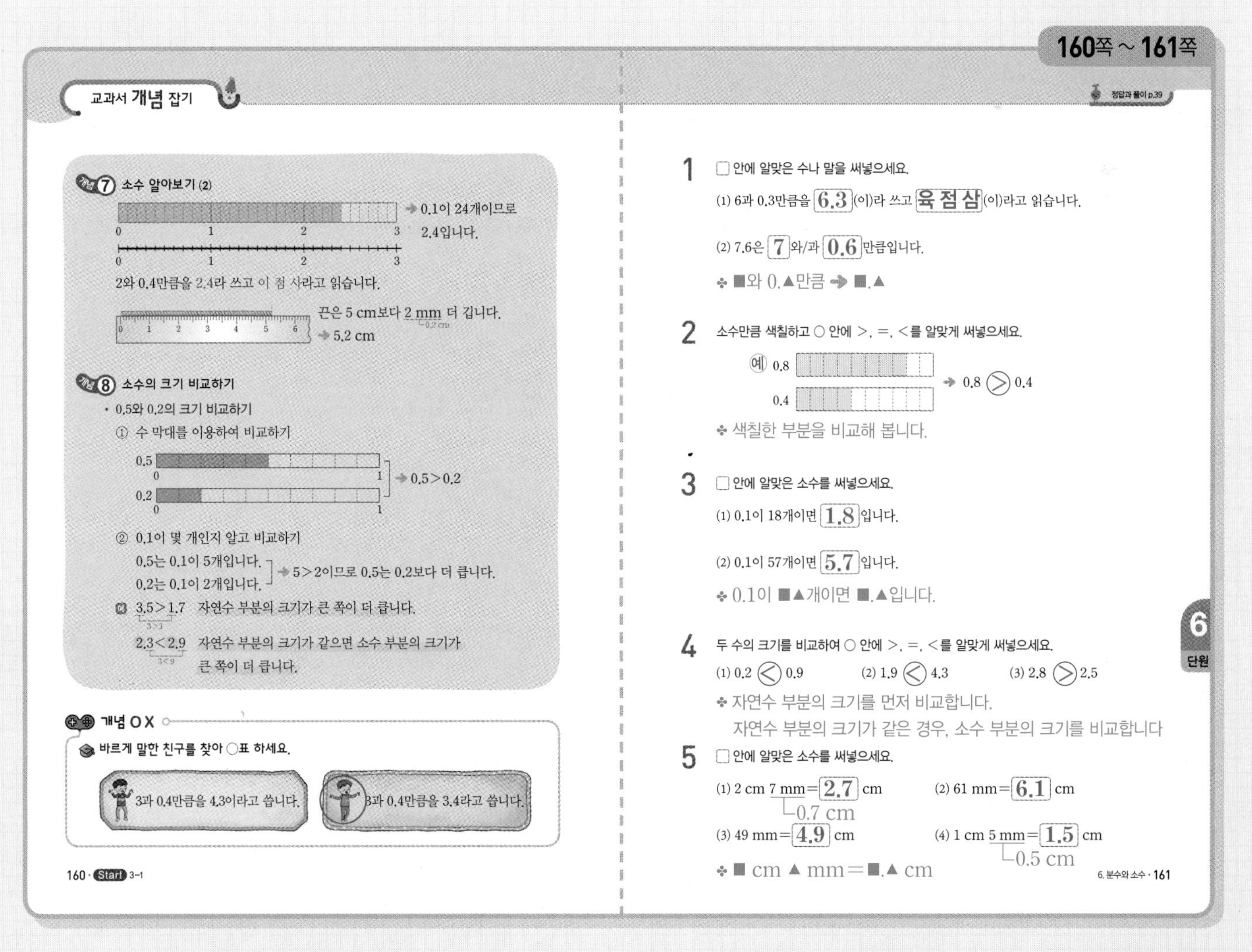

160쪽 ~ 161쪽

정답과 풀이 p.39

교과서 개념 잡기

개념 7 소수 알아보기 (2)

→ 0.1이 24개이므로 2.4입니다.

2와 0.4만큼을 2.4라 쓰고 이 점 사라고 읽습니다.

끈은 5 cm보다 2 mm 더 깁니다. (└0.2 cm) → 5.2 cm

개념 8 소수의 크기 비교하기

• 0.5와 0.2의 크기 비교하기
① 수 막대를 이용하여 비교하기 → 0.5>0.2
② 0.1이 몇 개인지 알고 비교하기
0.5는 0.1이 5개입니다.
0.2는 0.1이 2개입니다. → 5>2이므로 0.5는 0.2보다 더 큽니다.

예 3.5>1.7 (3>1) 자연수 부분의 크기가 큰 쪽이 더 큽니다.
2.3<2.9 (3<9) 자연수 부분의 크기가 같으면 소수 부분의 크기가 큰 쪽이 더 큽니다.

개념 O X

바르게 말한 친구를 찾아 ○표 하세요.

3과 0.4만큼을 4.3이라고 씁니다. / 3과 0.4만큼을 3.4라고 씁니다. (○)

160 · Start 3-1

1 □ 안에 알맞은 수나 말을 써넣으세요.

(1) 6과 0.3만큼을 6.3(이)라 쓰고 육 점 삼(이)라고 읽습니다.

(2) 7.6은 7와/과 0.6만큼입니다.

✤ ■와 0.▲만큼 → ■.▲

2 소수만큼 색칠하고 ○ 안에 >, =, <를 알맞게 써넣으세요.

예 0.8, 0.4 → 0.8 (>) 0.4

✤ 색칠한 부분을 비교해 봅니다.

3 □ 안에 알맞은 소수를 써넣으세요.

(1) 0.1이 18개이면 1.8입니다.

(2) 0.1이 57개이면 5.7입니다.

✤ 0.1이 ■▲개이면 ■.▲입니다.

4 두 수의 크기를 비교하여 ○ 안에 >, =, <를 알맞게 써넣으세요.

(1) 0.2 (<) 0.9 (2) 1.9 (<) 4.3 (3) 2.8 (>) 2.5

✤ 자연수 부분의 크기를 먼저 비교합니다.
자연수 부분의 크기가 같은 경우, 소수 부분의 크기를 비교합니다

5 □ 안에 알맞은 소수를 써넣으세요.

(1) 2 cm 7 mm=2.7 cm (└0.7 cm) (2) 61 mm=6.1 cm

(3) 49 mm=4.9 cm (4) 1 cm 5 mm=1.5 cm (└0.5 cm)

✤ ■ cm ▲ mm=■.▲ cm

6 단원

6. 분수와 소수 · 161

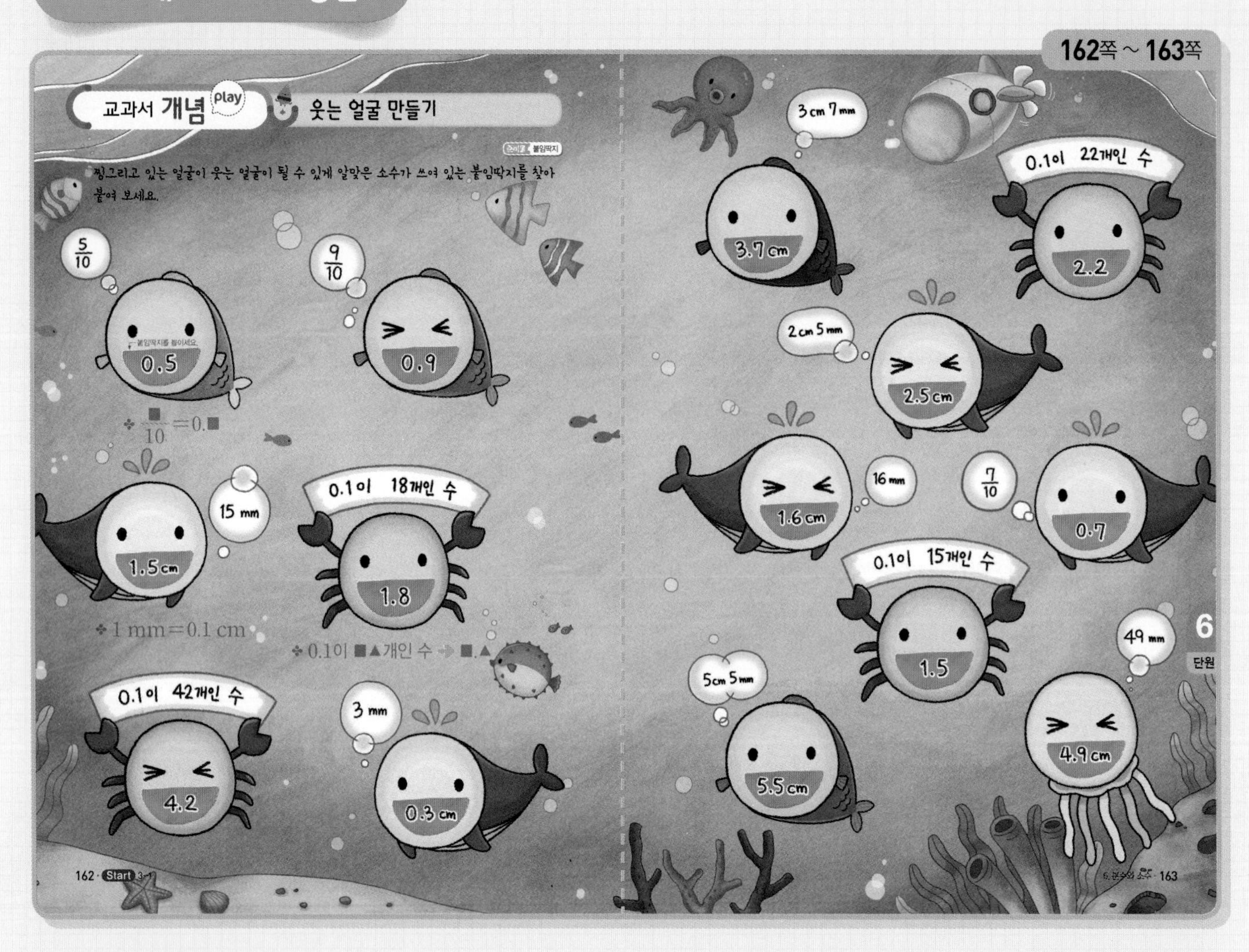

164쪽 ~ 165쪽

집중! 드릴 문제

정답과 풀이 p.40

[1~7] 두 분수의 크기를 비교하여 ○ 안에 >, =, <를 알맞게 써넣으세요.

1 $\frac{1}{2}$ (>) $\frac{1}{7}$

✢ 단위분수는 분모가 작을수록 더 큰 분수입니다.

2 $\frac{1}{3}$ (>) $\frac{1}{9}$

3 $\frac{1}{5}$ (<) $\frac{1}{4}$

4 $\frac{1}{6}$ (>) $\frac{1}{10}$

5 $\frac{1}{7}$ (>) $\frac{1}{8}$

6 $\frac{1}{13}$ (<) $\frac{1}{4}$

7 $\frac{1}{11}$ (<) $\frac{1}{2}$

[8~13] □ 안에 알맞은 수나 말을 써넣으세요.

8 분수 $\frac{3}{10}$을 소수로 [0.3](이)라 쓰고 [영 점 삼](이)라고 읽습니다.

✢ $\frac{■}{10}$ = 0.■

9 분수 $\frac{4}{10}$를 소수로 [0.4](이)라 쓰고 [영 점 사](이)라고 읽습니다.

10 분수 $\frac{8}{10}$을 소수로 [0.8](이)라 쓰고 [영 점 팔](이)라고 읽습니다.

11 분수 $\frac{[5]}{10}$을/를 소수로 0.5라 쓰고 [영 점 오](이)라고 읽습니다.

12 분수 $\frac{[7]}{10}$을/를 소수로 0.7이라 쓰고 [영 점 칠](이)라고 읽습니다.

13 분수 $\frac{[9]}{10}$을/를 소수로 0.9라 쓰고 [영 점 구](이)라고 읽습니다.

[14~20] □ 안에 알맞은 수를 써넣으세요.

14 8.6은 0.1이 [86]개입니다.

✢ 0.1이 ■▲개이면 ■.▲입니다.

15 0.1이 13개이면 [1.3]입니다.

16 0.1이 54개이면 [5.4]입니다.

17 [0.1]이 22개이면 2.2입니다.

18 [0.1]이 72개이면 7.2입니다.

19 0.1이 [98]개이면 9.8입니다.

20 0.1이 [31]개이면 3.1입니다.

[21~27] 두 소수의 크기를 비교하여 ○ 안에 >, =, <를 알맞게 써넣으세요.

21 0.1 (<) 0.4

✢ 0.1 < 0.4 → 1 < 4

22 0.8 (>) 0.5

✢ 0.8 > 0.5 → 8 > 5

23 4.9 (>) 3.8

✢ 4.9 > 3.8 → 4 > 3

24 1.7 (<) 2.6

✢ 1.7 < 2.6 → 1 < 2

25 5.2 (<) 5.5

✢ 5.2 < 5.5 → 같음, 2 < 5

26 7.4 (>) 6.8

✢ 7.4 > 6.8 → 7 > 6

27 3.9 (>) 3.6

✢ 3.9 > 3.6 → 같음, 9 > 6

6 단원

164 · Start 3-1

6. 분수와 소수 · 165

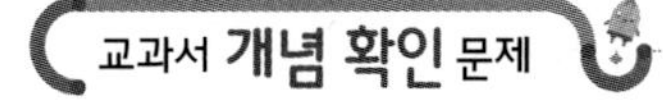

정답과 풀이 p.41

1 $\frac{1}{5}$과 $\frac{1}{6}$을 수직선에 ▬로 나타내고 크기를 비교해 보세요.

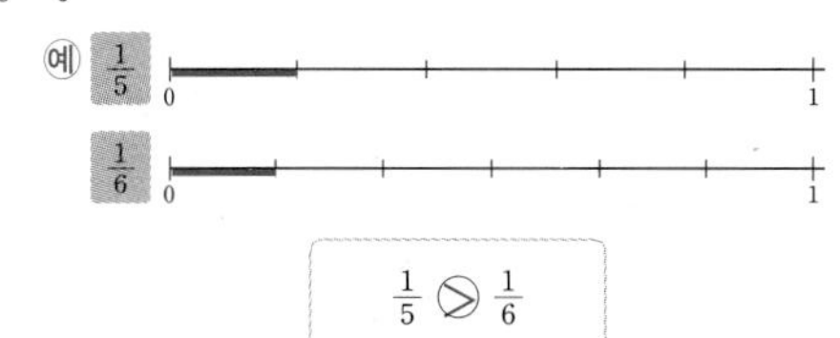

$\frac{1}{5} > \frac{1}{6}$

✤ $\frac{1}{5}$이 색칠된 부분이 더 길므로 $\frac{1}{5} > \frac{1}{6}$입니다.

2 □ 안에 알맞은 분수 또는 소수를 써넣으세요.

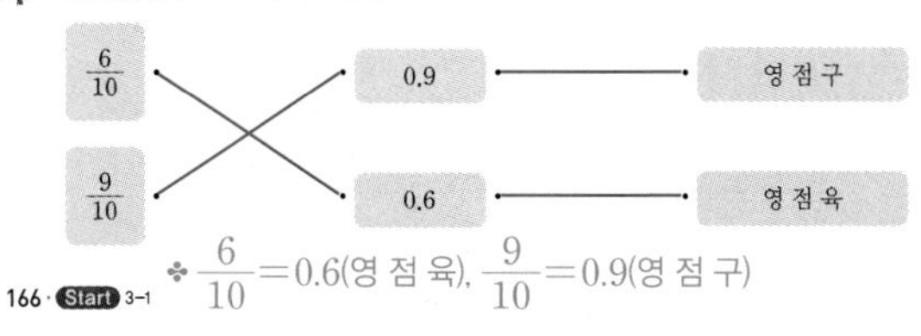

$\frac{2}{10}$, $\frac{7}{10}$, 0.4, 0.6, 0.9

✤ $\frac{■}{10}$ = 0.■

3 □ 안에 알맞은 수를 써넣으세요.

(1) 0.3은 0.1이 3개입니다. (2) 0.5는 0.1이 5개입니다.

(3) 0.1이 8개이면 0.8입니다. (4) $\frac{1}{10}$이 7개이면 0.7입니다.

✤ 0.■는 0.1이 ■개입니다.

4 같은 것끼리 선으로 이어 보세요.

$\frac{6}{10}$ — 0.6 — 영 점 육

$\frac{9}{10}$ — 0.9 — 영 점 구

✤ $\frac{6}{10}$ = 0.6(영 점 육), $\frac{9}{10}$ = 0.9(영 점 구)

5 분수를 소수로, 소수를 분수로 나타내어 보세요.

(1) $\frac{3}{10}$ = 0.3 (2) $\frac{4}{10}$ = 0.4

(3) 0.6 = $\frac{6}{10}$ (4) 0.9 = $\frac{9}{10}$

✤ (1) $\frac{1}{10}$ = 0.1이므로 $\frac{3}{10}$ = 0.3입니다.

(3) 0.1 = $\frac{1}{10}$이므로 0.6 = $\frac{6}{10}$입니다.

6 두 분수의 크기를 비교하여 ○ 안에 >, =, <를 알맞게 써넣으세요.

(1) $\frac{1}{2} > \frac{1}{5}$ (2) $\frac{1}{6} > \frac{1}{9}$

(3) $\frac{1}{7} < \frac{1}{3}$ (4) $\frac{1}{13} < \frac{1}{11}$

✤ 단위분수는 분모가 작을수록 더 큰 분수입니다.

(1) $2 < 5 \rightarrow \frac{1}{2} > \frac{1}{5}$ (2) $6 < 9 \rightarrow \frac{1}{6} > \frac{1}{9}$

(3) $7 > 3 \rightarrow \frac{1}{7} < \frac{1}{3}$ (4) $13 > 11 \rightarrow \frac{1}{13} < \frac{1}{11}$

7 그림을 보고 물음에 답하세요.

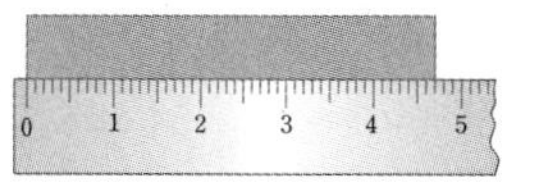

(1) 색 테이프의 길이는 몇 mm인지 나타내어 보세요.

(47 mm)

(2) 색 테이프의 길이는 몇 cm인지 소수로 나타내어 보세요.

(4.7 cm)

✤ (2) 47 mm는 1 mm가 47개이므로 0.1 cm가 47개입니다. → 4.7 cm

교과서 개념 확인 문제

정답과 풀이 p.41

8 주스가 몇 컵인지 소수로 나타내어 보세요.

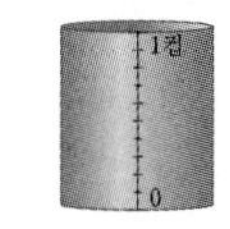
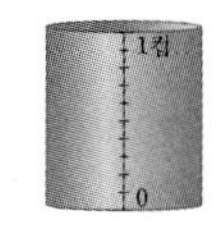
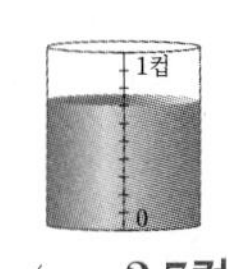

(2.7컵)

✤ 주스가 2컵과 0.7컵만큼 있으므로 모두 2.7컵입니다.

9 □ 안에 알맞은 소수를 써넣으세요.

(1) 7 mm = 0.7 cm (2) 82 mm = 8.2 cm

(3) 4 cm 6 mm = 4.6 cm (4) 9 mm = 0.9 cm

✤ 1 mm = 0.1 cm임을 이용하여 mm 단위를 cm 단위로 나타냅니다.

10 두 소수의 크기를 비교하여 ○ 안에 >, =, <를 알맞게 써넣으세요.

(1) 2.5 < 2.9 (2) 1.4 > 0.8

(3) 7.2 > 6.7 (4) 3.5 > 3.3

✤ (1) 2.5 < 2.9 (5 < 9) (2) 1.4 > 0.8 (1 > 0) (3) 7.2 > 6.7 (7 > 6) (4) 3.5 > 3.3 (5 > 3)

11 색연필의 길이를 재었더니 8 cm보다 2 mm 더 길었습니다. 색연필의 길이를 소수로 나타내면 몇 cm인지 써 보세요.

(8.2 cm)

✤ 8 cm보다 2 mm 더 긴 것은 8 cm 2 mm입니다.
→ 8 cm 2 mm = 8.2 cm

12 색 테이프 1 m를 똑같이 10조각으로 나누어 그중 승기가 3조각, 윤지가 7조각을 사용했습니다. 승기와 윤지가 사용한 색 테이프의 길이는 각각 몇 m인지 소수로 나타내어 보세요.

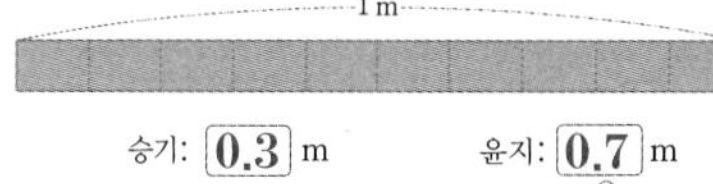

승기: 0.3 m 윤지: 0.7 m

✤ 승기는 똑같이 10으로 나눈 것 중 3을 사용했으므로 $\frac{3}{10}$ = 0.3, 즉 0.3 m를 사용했고, 윤지는 똑같이 10으로 나눈 것 중 7을 사용했으므로 $\frac{7}{10}$ = 0.7, 즉 0.7 m를 사용했습니다.

13 분수의 크기를 비교하여 작은 분수부터 차례대로 써 보세요.

$\frac{1}{2}$ $\frac{1}{9}$ $\frac{1}{7}$

($\frac{1}{9}$, $\frac{1}{7}$, $\frac{1}{2}$)

✤ 단위분수는 분모가 클수록 더 작은 분수입니다.
$9 > 7 > 2 \rightarrow \frac{1}{9} < \frac{1}{7} < \frac{1}{2}$

14 □ 안에 들어갈 수 있는 수를 모두 찾아 ○표 하세요.

(1) 0.□ > 0.6 (1, 2, 3, 4, 5, 6, ⑦, ⑧, ⑨)

(2) 3.4 > 3.□ (①, ②, ③, 4, 5, 6, 7, 8, 9)

✤ (1) 0.□ > 0.6에서 □ > 6이므로 □ 안에 들어갈 수 있는 수는 7, 8, 9입니다.
(2) 3.4 > 3.□에서 4 > □이므로 □ 안에 들어갈 수 있는 수는 1, 2, 3입니다.

170쪽 ~ 171쪽

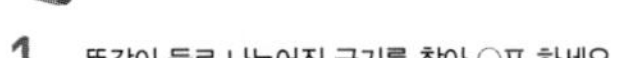

개념 확인평가 6. 분수와 소수

맞은 개수

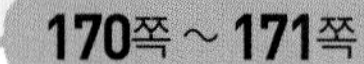

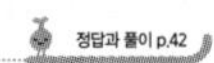

1 똑같이 둘로 나누어진 국기를 찾아 ○표 하세요.

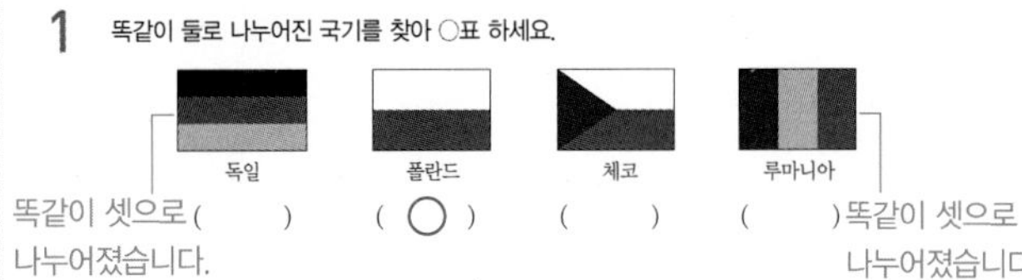

똑같이 셋으로 나누어졌습니다. ( ) (○) ( ) ( ) 똑같이 셋으로 나누어졌습니다.

2 전체를 똑같이 5로 나눈 것 중의 3을 색칠한 것을 찾아 기호를 써 보세요.

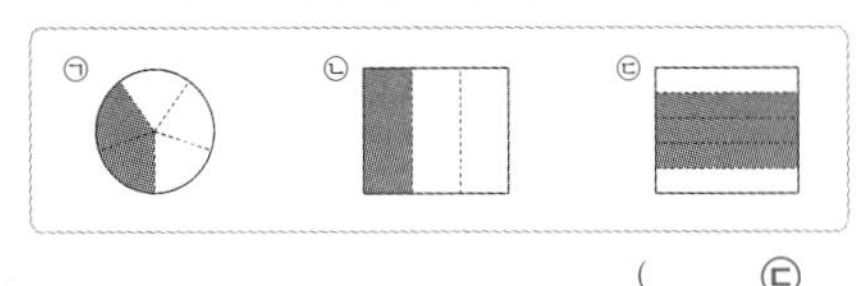

(㉢)

❖ ㉠ 전체를 똑같이 5로 나눈 것 중의 2를 색칠한 것입니다.
㉡ 전체를 똑같이 3으로 나눈 것 중의 1을 색칠한 것입니다.

3 길이가 같은 것끼리 선으로 이어 보세요.

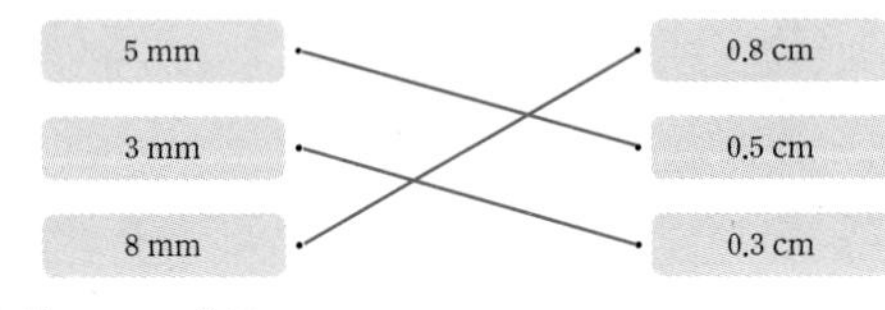

❖ ■ mm=0.■ cm

정답과 풀이 p.42

4 분수만큼 색칠해 보세요.

(1) $\frac{2}{3}$ 예 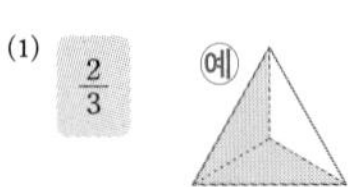 (2) $\frac{5}{8}$ 예 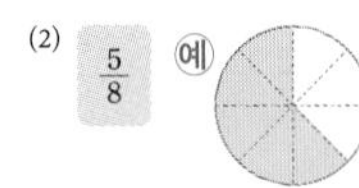

❖ (1) 전체 3칸 중에서 2칸을 색칠합니다.
(2) 전체 8칸 중에서 5칸을 색칠합니다.

5 그림을 보고 □ 안에 알맞은 소수를 써넣으세요.

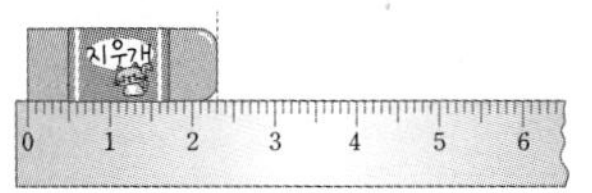

지우개의 길이는 2.3 cm입니다.

❖ 지우개의 길이는 2 cm 3 mm입니다.
3 mm=0.3 cm이므로 2 cm 3 mm=2.3 cm입니다.

[6~7] 두 수의 크기를 비교하여 ○ 안에 >, =, <를 알맞게 써넣으세요.

6 (1) $\frac{5}{9}$ ⊘> $\frac{4}{9}$ (2) $\frac{1}{8}$ < $\frac{1}{3}$

❖ (1) $5>4 \rightarrow \frac{5}{9}>\frac{4}{9}$ (2) $8>3 \rightarrow \frac{1}{8}<\frac{1}{3}$

7 (1) 0.7 > 0.4 (2) 3.2 < 5.1

❖ (1) $0.7>0.4$ ($7>4$) (2) $3.2<5.1$ ($3<5$)

8 분수의 크기를 비교하여 큰 분수부터 차례로 써 보세요.

$\frac{1}{3}$ $\frac{1}{6}$ $\frac{1}{9}$

($\frac{1}{3}$, $\frac{1}{6}$, $\frac{1}{9}$)

❖ 단위분수는 분모가 작을수록 더 큰 분수입니다.
$3<6<9 \rightarrow \frac{1}{3}>\frac{1}{6}>\frac{1}{9}$

6 단원

172쪽

개념 확인평가 6. 분수와 소수

정답과 풀이 p.42

9 전체에 대하여 색칠한 부분과 색칠하지 않은 부분을 각각 분수와 소수로 나타내려고 합니다. 표를 완성해 보세요.

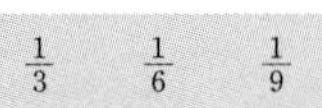

	색칠한 부분	색칠하지 않은 부분
분수	$\frac{7}{10}$	$\frac{3}{10}$
소수	0.7	0.3

❖ 전체 10칸 중 7칸을 색칠했습니다. $\rightarrow \frac{7}{10}=0.7$
전체 10칸 중 3칸을 색칠하지 않았습니다. $\rightarrow \frac{3}{10}=0.3$

10 부분을 보고 전체를 그려 보세요.

(1) 예 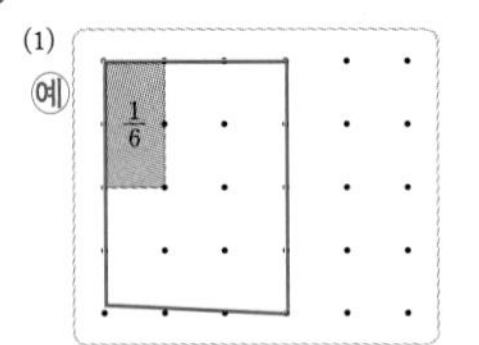 (2) 예 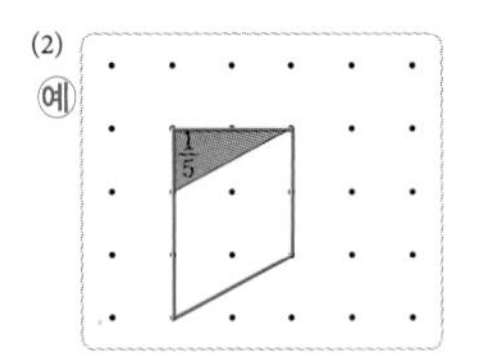

❖ (1) 지금 조각과 같은 조각이 6개인 모양을 그립니다.
(2) 지금 조각과 같은 조각이 5개인 모양을 그립니다.

11 우유를 민지는 0.5 L, 진석이는 1.4 L, 석호는 1.6 L 가지고 있습니다. 우유를 많이 가지고 있는 사람부터 순서대로 써 보세요.

(석호, 진석, 민지)

❖ $1.6>1.4>0.5$ ($6>4$, $1>0$) → 석호>진석>민지

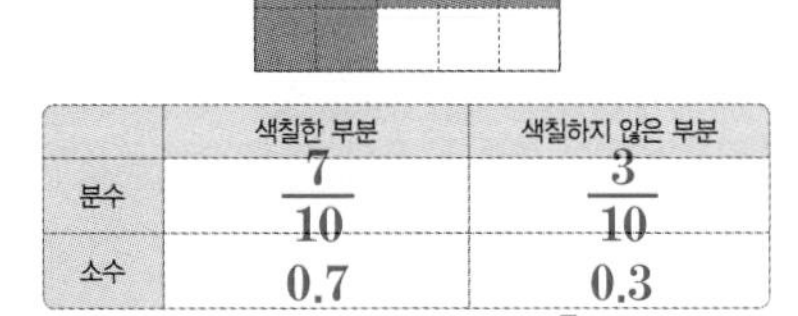

Memo

Memo

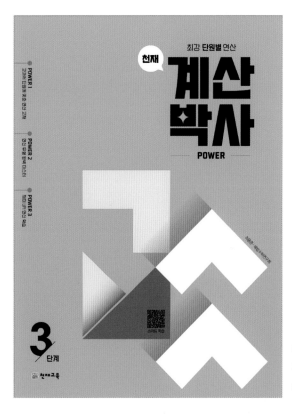

◀ 정답은
이안에
있어.!